Das Buch:

Als dieser Roman, der im Berliner »Grand Hotel« der 20er Jahre spielt, im Jahr 1929 erschien, war Vicki Baum bereits eine der bekanntesten und auflagenstärksten Autorinnen in Deutschland. Die Geschichte einer Handvoll Menschen, die im Hotel zufällig aufeinandertreffen und durch die Begegnung nachhaltig erschüttert werden, ebnete ihr den Weg nach New York und schließlich nach Hollywood.

Faszinierend ist die klare Anlage des Romans. Alle Figuren stehen an entscheidenden Wendepunkten ihres Lebens, und keine von ihnen wird das »Grand Hotel« so verlassen, wie sie es betreten hat: die alternde Ballerina Grusinskaja, die ihr Bühnencomeback vorbereitet, der Hochstapler Baron Gaigern, der es auf Grusinskajas Perlen abgesehen hat, der todkranke Buchhalter Kringelein, der sich die letzten Tage seines Lebens versüßen lassen will, die lebenslustige und abgebrannte Sekretärin Flämmchen und der Unternehmer Preysing, der kurz vor dem Ruin steht und verzweifelt nach einem Ausweg sucht.

Mit *Menschen im Hotel* gelang Vicki Baum ein Roman, dessen Form oft kopiert wurde und der auch heute noch durch seine spielerische Leichtigkeit und ironische Brillanz besticht. 1932 wurde der Roman unter dem Titel »Grand Hotel« mit Greta Garbo, Joan Crawford und Lionel Barrymore verfilmt und mit einem Oscar als Bester Film ausgezeichnet. Der Roman erschien in mehr als 20 Sprachen und begründete Vicki Baums Weltruhm.

Die Autorin:

Vicki Baum, geboren am 24. Januar 1888 in Wien, gestorben am 29. August 1960 in Hollywood. Zunächst Musikerin, 1926 Redakteurin in Berlin, ab 1931 in den USA; verheiratet mit dem Dirigenten Richard Lert. Ihre Romane wurden in zahlreiche Sprachen übersetzt und teilweise verfilmt.

991

Vicki Baum

Menschen im Hotel

Roman

Kiepenheuer & Witsch

Verlag Kiepenheuer & Witsch, FSC® N001512

11. Auflage 2020

Menschen im Hotel erschien erstmals 1929.

Umschlaggestaltung: Barbara Thoben, Köln
Umschlagmotiv: © Sasha / Getty Images
Gesamtherstellung: CPI books GmbH, Leck
ISBN 978-3-462-03798-2

Als der Portier aus der Telefonzelle 7 herauskam, war er ein wenig weiß um die Nase herum; er suchte seine Mütze, die er im Telefonzimmer auf die Heizung gelegt hatte. »Was war's denn?« fragte der Telefonist an seinem Schaltbrett, Hörer vor den Ohren und rote und grüne Stöpsel in den Fingern.

»Ja - sie haben die Frau plötzlich in die Klinik gebracht. Ich weiß gar nicht, was das heißen soll. Sie meint, es geht los. Aber es ist ja noch gar nicht soweit, Herrgott noch mal!« sagte der Portier.

Der Telefonist hörte nur halb hin, denn er mußte eine Verbindung herstellen. »Na, nur mit die Ruhe, Herr Senf«, sagte er dazwischen. »Schließlich haben Sie morgen früh Ihren Jungen -«

»Also schönen Dank auch, daß Sie mich hier ans Telefon geholt haben. Ich kann doch da vorne in der Loge nicht meine Privatgeschichten rumposaunen. Dienst ist Dienst.«

»Eben. Und wenn's Kind da ist, ruf ich's Ihnen durch«, sagte der Telefonist zerstreut und schaltete weiter. Der Portier nahm seine Mütze und ging auf den Zehenspitzen davon. Das tat er, ohne es zu wissen, weil seine Frau nun dalag und ein Kind bekommen sollte. Als er den Gang überquerte, an dem die Schreib- und Lesezimmer still mit halb abgedrehten Lampen lagen, schnaufte er tief aus sich heraus und fuhr sich durch die Haare. Er spürte erstaunt, daß seine Hand davon feucht wurde, aber er nahm sich nicht die Zeit, die Hände zu waschen. Schließlich konnte man nicht verlangen, daß der Hotelbetrieb aussetzte, weil der Portier Senf ein Kind bekam. Vom Neubau her hopste die Musik aus dem Tea-Room in Synkopen an den Wandspiegeln entlang. Der butterige Bratenduft der Diner-Zeit fächelte diskret daher, aber hinter den Türen des großen Speisesaales war es noch leer und still. Im kleinen, weißen Saal richtete der garde manger Mattoni sein kaltes Büffet. Der Portier, der wunderlich müde in den Knien einen Augenblick an der Tür stehenblieb, starrte benommen die bunten Glühlampen an, die hinter den Eisblöcken spielten. Im Korridor kniete ein Monteur auf dem Boden und reparierte etwas an den elektrischen Leitungen. Seit man die großen Scheinwerfer draußen an der Straßenfront hatte, war immer etwas mit der überlasteten Lichtanlage des Hotels los. Der Portier gab seinen wackligen Beinen ein kleines Kommando und strebte seinem Platz zu. Er hatte die Loge unter der Obhut des kleinen Volontärs Georgi zurückgelassen, Sohn des Besitzers eines großen Hotelkonzerns, der seinen Nachfolger im fremden Betrieb von der Pike auf dienen lassen wollte. Senf trabte etwas beengt quer durch die Halle, die voll und bewegt war. Hier traf die Jazzmusik des Tea-Rooms mit dem Geigenschmachten des Wintergartens zusammen, dazwischen rieselte dünn der illuminierte Springbrunnen in ein unechtes venezianisches Becken, dazwischen klirrten Gläser auf Tischchen, knisterten Korbstühle, und als dünnstes Geräusch schmolz das zarte Sausen, mit dem Frauen in Pelzen und Seidenkleidern sich bewegen, in den Zusammenklang. Bei der Drehtür schraubte sich Märzkühle in kleinen Stößen herein, sooft der Page Gäste ein- und ausließ.

»All right!« sagte der kleine Georgi, als Portier Senf mit einem Anschwung die Loge erreichte, wie einen Heimathafen. »Die Sieben-Uhr-Post. Achtundsechzig hat Krach gemacht, weil der Chauffeur nicht gleich zu finden war. Bißchen hysterische Dame, was?«

»Achtundsechzig - das ist die Grusinskaja«, sagte der Portier, und dabei begann er schon mit der rechten Hand die Post zu sortieren. »Das ist die Tänzerin, das kennen wir schon. Seit achtzehn Jahren. Vor dem Auftreten kriegt sie jeden Abend ihre Nerven und macht Krach.«

In der Halle erhob sich ein Herr aus seinem Klubstuhl, ein langer Herr, dessen Beine wie ohne Gelenke waren, und kam gesenkten Kopfes zur Portierloge. Er trödelte eine Weile in der Halle umher, bevor er sich dem Vestibül näherte, er gab sich eine betonte Haltung der Erwartungslosigkeit und Langeweile, betrachtete die ausgelegten Magazine an dem kleinen Zeitungsstand, zündete eine Zigarette an, aber schließlich landete er doch beim Portier und fragte zerstreut: »Post für mich gekommen?«

Der Portier seinerseits fand sich auch zu einer kleinen Komödie bereit. Er schaute erst in das Fach Nr. 218, bevor er antwortete: »Diesmal leider nichts, Herr Doktor.« Worauf sich der lange Herr langsam wieder in Bewegung setzte, auf Umwegen zu seinem Klubstuhl gelangte, in den er sich steifbeinig niederließ, um dann mit blindem Gesicht in die Halle zu starren. Dieses Gesicht übrigens bestand nur aus einer Hälfte, einem jesuitenhaft verfeinerten und zugespitzten Profil, das mit einem außerordentlich schöngebauten Ohr unter dünngrauem Schläfenhaar abschloß. Die andere Gesichtshälfte war nicht vorhanden. Es gab da nur einen schiefen, ineinandergeflickten und zusammengelappten Wirrwarr, in dem zwischen Nähten und Narben ein Glasauge blickte. »Souvenir aus Flandern«, pflegte Doktor Otternschlag dieses sein Gesicht zu nennen, wenn er mit sich sprach . . .

Als er eine Weile so gesessen und die vergoldeten Gipskapitäle der Marmorsäulen betrachtet hatte, die er bis zum Ekel kannte, als er genügend mit seinen unsehenden Augen in die Halle gestiert hatte, die sich jetzt, vor Theaterbeginn, ziemlich rasch leerte, erhob er sich wieder und stelzte mit seinem Marionettengang zur Portierloge hinüber, in der Herr Senf nun eifrig und seinem Privatleben entrückt amtierte.

»Niemand nach mir gefragt?« erkundigte sich Herr Doktor Otternschlag und schaute die glasbedeckte Mahagoniplatte an, auf die der Portier Zettel und Notizen zu deponieren pflegte.

»Niemand, Herr Doktor.«

»Depesche?« fragte Doktor Otternschlag nach einer Weile. Herr Senf war so freundlich, wieder das Fach Nr. 218 zu untersuchen, obwohl er wußte, daß nichts darinnen lag.

»Heute nicht, Herr Doktor«, sagte er. Menschenfreundlich fügte er hinzu: »Vielleicht wollen Herr Doktor ins Theater gehen? Ich habe da noch eine Loge zur Grusinskaja, Theater des Westens -«

»Grusinskaja? Nee«, sagte Doktor Otternschlag, stand noch einen Augenblick und wanderte dann durch das Vestibül und rund um die Halle zu seinem Stuhl zurück. Jetzt hat nicht einmal die Grusinskaja mehr ausverkauft, dachte er dabei. Nun natürlich. Ich selbst will sie ja nicht mehr sehen. Gramvoll sackte er in den Klubstuhl zurück.

»Der Mensch kann einen schwächen«, sagte der Portier zum kleinen Georgi. »Ewig das Gefrage wegen der Post. Seit zehn Jahren wohnt er jedes Jahr ein paar Monate bei uns, und noch nie ist ein Brief gekommen, und kein Hund hat nach ihm gefragt. Da sitzt so ein Mensch nun egal da herum und wartet -«

»Wer wartet?« fragte nebenan in der Rezeption der Empfangschef Rohna und steckte seinen hellrötlichen Schädel über die niedrige Glaswand. Aber der Portier gab nicht gleich Antwort; es war ihm gerade so, als wenn er eben seine Frau schreien gehört hätte - er horchte aus sich heraus. Gleich darauf versank das Private in ihm, denn er mußte dem kleinen Georgi helfen, dem mexikanischen Herrn von 117 auf spanisch eine komplizierte Zugverbindung zu erklären. Der Page Nr. 24 schoß rotwangig und wassergekämmt vom Lift herüber und rief - zu laut für die vornehme Halle - freudig erregt: »Der Chauffeur von Herrn Baron Gaigern soll bestellt werden!« Rohna hob eine strafende und dämpfende Hand, wie ein Dirigent. Der Portier gab den Ruf nach dem Chauffeur telefonisch weiter. Georgi machte erwartungsvolle Jungenaugen. Es roch nach Lavendel und guter Zigarette. Knapp hinter dem Geruch her kam ein Mensch durch die Halle, der so beschaffen war, daß sich viele nach ihm umsahen. Die Klub- und Korbstühle in seinem Fahrwasser belebten sich. Das wächserne Fräulein am Zeitungsstand lächelte. Der Mensch lächelte auch, ohne erkennbaren Grund, nur einfach aus Vergnügen an sich selber, so schien es. Er war außergewöhnlich groß, außergewöhnlich gut angezogen, er federte beim Gehen wie ein Katzentier oder ein Tenniscrack. Er trug zum Smoking keinen Abendmantel, sondern einen dunkelblauen Trenchcoat, was unpassend war, aber der ganzen Gestalt etwas liebenwürdig Saloppes gab. Er klapste den Pagen Nr. 24 auf den Wasserscheitel, streckte, ohne hinzusehen, einen Arm über den Tisch des Portiers und empfing eine Handvoll Briefe, die er einfach in die Tasche stopfte, der er zugleich seine gesteppten Wildlederhandschuhe entnahm. Dem Empfangschef nickte er zu wie einem Kameraden. Er setzte seinen dunklen, weichen Hut auf, nahm ein Zigarettenetui heraus und steckte eine Zigarette zwischen die Lippen, ohne sie anzuzünden. Gleich darauf nahm er den Hut wieder ab, um beiseite tretend zwei Damen die Drehtür freizugeben. Es war die Grusinskaja, schmal und klein, bis zur Nase in einem Pelz versteckt und gefolgt von einem schattenhaft verwischten Wesen mit Koffern in den Händen. Als der Wagenmeister draußen die beiden im Auto verstaut hatte, zündete der sympathische Herr im blauen Regenmantel eine Zigarette an, griff wieder in die Tasche, steckte dem Boy Nr. 11, der die Drehtür bediente, eine Münze zu und verschwand durch die schaukelnde Spiegelscheiben mit der beglückten Miene eines kleinen Jungen, der Karussell fahren darf.

Als dieser Herr, dieser Mensch, dieser hübsche Baron Gaigern die Halle verlassen hatte, wurde es mit einem Male sehr still, und man hörte den illuminierten Springbrunnen mit einem kühlen, zarten Geräusch in die venezianische Schale fallen. Das kam daher, daß nun die Halle leer geworden war; die Jazzband im Tea-Room hatte aufgehört, die Musik im Speisesaal noch nicht begonnen, und das Wiener Salontrio des Wintergartens pausierte. In die plötzliche Stille kam das aufgeregte, ununterbrochene Autohupen der Stadt, die draußen vor dem Hoteleingang ihr Abendleben vorübertrieb. Drinnen in der Halle aber ließ sich die Stille so an, als hätte der Baron die Musik, den Lärm und das Menschenrauschen mit sich fortgenommen.

Der kleine Georgi nickte zur Drehtür hin und sagte: »Der ist gut. Der kann so bleiben.« Der Portier zuckte die Schultern des Menschenkenners. »Ob der gut ist, das ist noch die Frage. Der hat so was - ich weiß nicht. Der ist mir zu flott. Wie der auftritt und die großen Trinkgelder - das hat so was von Kintopp. Wer reist denn heutzutage mit so einem Aufwand - wenn's nicht ein Hochstapler ist? Wenn ich Pilzheim wäre, ich täte die Augen aufmachen.«

Rohna, der Empfangschef, der seine Ohren überall hatte, streckte wieder den Kopf über die Glasbarriere; unter dem dünnen rötlichen Haar schimmerte die blauweiße Kopfhaut. »Lassen Sie nur, Senf«, sagte er. »Der Gaigern ist gut; den kenne ich. Der ist mit meinem Bruder in Feldkirch erzogen worden. Für den brauchen wir Pilzheim nicht bemühen.« Pilzheim war der Detektiv des Grand Hôtel.

Senf salutierte und schwieg respektvoll. Rohna wußte Bescheid. Rohna war selber Graf, einer von den schlesischen Rohnas, ein umgestellter Offizier, ein tüchtiger Kerl. Senf salutierte noch einmal, während Rohnas Windhundgestalt sich zurückzog und nur mehr als Schatten hinter der Milchglaswand ihr Wesen trieb.

Doktor Otternschlag in seinem Winkel da rückwärts hatte sich ein wenig aufgerichtet, solange der Baron in der Halle zu sehen war; nun schrumpfte er wieder ein, trübsinniger als zuvor. Er warf sein halbvolles Kognakglas mit dem Ellbogen um, ohne deshalb hinzublicken. Die dünnen, gelbgerauchten Hände hingen ihm zwischen den gespreizten Knien herab und waren so schwer, als ob sie in bleiernen Handschuhen steckten. Zwischen seinen langen Lackstiefeln sah er den Teppich, der die Halle bedeckte, der alle Treppen, Gänge, Korridore des Grand Hôtel bedeckte; sein Rankenmuster mit den grüngelben Ananas zwischen bräunlichen Blättern auf himbeerrotem Grund war ihm ein Überdruß. Alles war so tot. Die Stunde war tot. Die Halle war tot. Die Leute waren fortgegangen zu ihren Geschäften, ihren Vergnügen, ihren Lastern und hatten ihn allein hier sitzen lassen. Die Garderobenfrau wurde in der Leere mit einemmal sichtbar, wie sie in der Vorhalle hinter den unbewohnten Kleiderständern stand und mit einem schwarzen Kamm das dünne Haar auf ihrem alten Kopf zurechtstrich. Der Portier verließ seinen Verschlag und schoß in unziemlicher Eile quer durch die Halle zum Telefonzimmer hin. Er sah aus, als erlebe er etwas, dieser Portier. Doktor Otternschlag suchte seinen Kognak, fand ihn nicht. Wollen wir jetzt aufs Zimmer gehen, uns hinlegen? fragte er sich. Eine kleine Flackerröte trat auf seine Wangen und verschwand wieder, als hätte er zwischen sich und sich ein Geheimnis verraten. Ja, antwortete er sich. Aber er stand nicht auf, er war sogar dafür zu gleichgültig. Er streckte seinen gelben Zeigefinger aus, Rohna, ganz am anderen Ende der Halle, bemerkte es, und ein unsichtbarer Wink wehte einen Pagen vor den Doktor.

»Zigaretten, Zeitungen«, sagte er eingerostet. Der Page flitzte zu dem kataleptischen Fräulein am Zeitungsstand –

Rohna besah mißbilligend diese lebhafte Jungenschlacksigkeit - und dann nahm Otternschlag die Zeitungen und die Zigarettensorte entgegen, die der Page ihm ausgesucht hatte. Otternschlag bezahlte, er legte Geld auf die kleine Tischplatte, nicht in die Hand des Pagen; immer schuf er eine Entfernung zwischen sich und den anderen, aber das wußte er nicht. Seine intakte Mundhälfte gab sogar eine Art von Lächeln her, als er die Zeitungen aufschlug und zu lesen begann; er erwartete etwas von ihnen, das nicht eintraf, so wie kein Brief, kein Telegramm, kein Ruf zu ihm kam. Er war auf eine grauenhafte Weise allein, leer und vom Leben abgeschnitten. Zuweilen, wenn er mit sich sprach, teilte er sich dies ganz laut mit. »Grauenhaft« sagte er manchmal zu sich, auf dem himbeerroten Teppichläufer innehaltend und vor sich selbst erschreckend. »Grauenhaft ist es. Kein Leben. Gar kein Leben. Aber wo ist es? Nichts geschieht. Es geht nichts vor. Langweilig. Alt. Tot. Grauenhaft.« Die Dinge standen um ihn herum wie Attrappen. Was er zur Hand nahm, zerrann zu Staub. Die Welt war eine bröcklige Angelegenheit, nicht zu fassen, nicht zu halten. Man fiel von Leere zu Leere. Man trug einen Sack voll Finsternis in sich herum. Dieser Doktor Otternschlag wohnt in der tiefsten Einsamkeit, obwohl die Erde voll ist von seinesgleichen ...

In den Zeitungen fand er nichts, das ihn sättigte. Ein Taifun, ein Erdbeben, ein mittelgroßer Krieg zwischen Schwarzen und Weißen. Brände, Morde, politische Kämpfe. Nichts. Zu wenig. Skandale, Panik an der Börse, Verluste von Riesenvermögen. Was ging es ihn an? Was spürte er davon? Ozeanflug, Schnelligkeitsrekorde, zollgroße Sensationstitel. Ein Blatt schrie lauter als das andere, und zuletzt hörte man kein einziges mehr, wurde blind und taub und fühllos durch den lauten Betrieb des Jahrhunderts. Bilder von nackten Frauen, Schenkel, Brüste, Hände, Zähne, sie boten sich an in hellen Haufen. Doktor Otternschlag hatte früher auch Frauen gehabt, er erinnerte sich noch daran, ohne Gefühl, mit einer leisen, kriechenden Kühle im Rükkenmark. Er ließ die Blätter einfach aus der gelbgerauchten Hand auf den Ananasteppich fallen, so langweilig und grundgleichgültig waren sie ihm. Nein, es geschieht nichts, ganz und gar nichts, teilte er sich halblaut mit. Er hatte einmal eine kleine persische Katze besessen, Gurbä mit Namen; seit die mit einem gewöhnlichen Dachkater davongegangen war, sah er sich darauf angewiesen, seine Dialoge mit sich selber zu erledigen.

Gerade als er in einigen Bogenlinien auf die Portierloge zusteuerte, stieß die Drehtür ein merkwürdiges Individuum in die Vorhalle.

»Herr du mein Gott, da ist der Mann schon wieder!« sagte der Portier zum kleinen Georgi und schaute mit seinem strammen Feldwebelblick dem Individuum entgegen. Dieses Individuum, dieser Mann, dieser Mensch paßte schlecht genug in die Halle des Grand Hôtel. Er trug einen billigen, neuen runden Filzhut, der ihm etwas zu weit war und durch abstehende Ohren gehindert wurde, noch tiefer ins Gesicht zu rutschen. Er hatte ein gelbliches Gesicht, eine dünne und schüchterne Nase, die kompensiert wurde durch einen Schnurrbart von jener forschen Form, wie Vereinsvorstände sie lieben. Er war bekleidet mit einem engen grüngrauen, alten und traurig unmodernen Überzieher, schwarzgewichsten Stiefeln, die zu groß für seine kleine Gestalt schienen und deren Schäfte unter zu kurzen schwarzen Hosenbeinen hervorsahen. An den Händen trug der Mann graue Zwirnhandschuhe, mit denen er einen Koffergriff umklammerte. Er hielt seinen Koffer, der viel zu schwer für ihn schien, wunderlich in beiden Fäusten vor den Magen gepreßt, und unter dem Arm hatte er überdies ein fettiges Paket in braunem Papier eingeklemmt. Als Ganzes sah dieser Mann komisch, armselig und überanstrengt in hohem Grade aus. Zwar machte der Page 24 den Versuch, ihm den Koffer abzunehmen, aber der Mann gab sein Gepäck nicht her, sondern schien durch diese Boy-Höflichkeit in neue Verlegenheit gebracht. Erst vor Herrn Senfs Vorschlag setzte er sein imitiertes Ledergepäck ab, rang ein wenig nach Atem, machte eine Art Verbeugung und sagte mit einer hohen und angenehmen Stimme: »Mein Name ist Kringelein. Ich war schon zweimal hier. Ich möchte nochmals fragen.«

»Bitte sich nebenan zu bemühen; ich glaube allerdings nicht, daß inzwischen etwas frei geworden ist«, sagte der Portier und machte eine korrekte Handbewegung zu Rohna hin. »Der Herr wartet seit zwei Tagen auf ein freies Zimmer bei uns«, sagte er erklärend über die Glasbarriere hinüber. Rohna, der die ganze Erscheinung erfaßt hatte, ohne hinzusehen, tat höflichkeitshalber flüchtig so, als blättere er sein Buch durch, und sagte: »Leider ist momentan alles besetzt. Bedauere außerordentlich -«

»Noch immer besetzt, so. Ja, wo soll ich denn wohnen?« frage das Individuum.

»Vielleicht sehen Sie in der Nähe von Bahnhof Friedrichstraße zu, da gibt es eine Menge Hotels -«

»Nee, danke«, sagte das Individuum, holte sein Taschentuch aus dem Überzieher und fuhr sich rasch über die verschwitzte Stirn. »Ich bin in so einem Hotel abgestiegen; das gefällt mit nicht. Ich will vornehm wohnen.« Er holte unter dem linken Arm einen feuchten Regenschirm hervor, wobei ihm das fette Paket unter dem rechten Arm entglitt, herunterfiel und ein paar Butterstullen - krumm vor Trockenheit - enthüllte. Graf Rohna vermied es, zu lächeln; der Volontär Georgi drehte sich zum Schlüsselbrett. Der Page 17 sammelte in tadelloser Haltung die verdorrten Stullen auf, die der Mann mit zitternden Fingern in die Tasche stopfte. Er nahm den Hut ab und legte ihn vor Rohna hin auf die Tischplatte. Er hatte eine hohe runzlige Stirn mit eingedrückten Schläfen. Er schielte ein wenig mit blauen, sehr hellen Augen hinter einem Kneifer hervor, der die Tendenz zeigte, die dünne Nase hinunterzurutschen. »Ich möchte hier wohnen. Mal muß doch hier auch was frei werden. Ich bitte, mich für das nächste freie Zimmer vorzumerken. Ich komme schon zum drittenmal, glauben Sie, das ist ein Vergnügen? Es kann doch nicht ewig alles besetzt bleiben?«

Rohna zuckte bedauernd die Achseln. Einen Augenblick schwiegen alle, und man hörte die Musik aus dem roten Speisesaal und die Jazzband, die jetzt im gelben Pavillon placiert war. Es saßen auch schon wieder ein paar Herrschaften in der Halle, und einige schauten halb amüsiert und halb verwundert zu dem Individuum herüber.

»Kennen Sie Herrn Generaldirektor Preysing? Der wohnt doch auch immer bei Ihnen, wenn er nach Berlin kommt, nicht wahr? Nun sehen Sie. Ich will auch hier wohnen. Ich habe etwas Wichtiges - eine wichtige Unterredung mit - mit Preysing. Er hat mich hierher bestellt, jawohl. Er hat mir ausdrücklich empfohlen, hier zu wohnen. Ich soll mich auf ihn berufen. Ich berufe mich auf Herrn Generaldirektor Preysing. Also bitte. Wann wird ein Zimmer frei?«

»Preysing? Generaldirektor Preysing?« fragte Rohna zu Senf hinüber.

»Aus Fredersdorf; von der Saxonia Baumwoll A.-G. Ich bin auch aus Fredersdorf«, sagte das Individuum.

»Jawohl«, erinnerte sich der Portier, »ein Herr Preysing ist schon ein paarmal hier gewesen.«

»Ich glaube, es ist ein Zimmer für ihn bestellt worden, zu morgen oder übermorgen«, flüsterte Georgi strebsam.

»Vielleicht bemühen Sie sich morgen nochmals her, wenn Herr Preysing hier ist. Er kommt heute noch an«, sagte Rohna, nachdem er seine Bücher durchgeblättert und die Vormerkung gefunden hatte.

Sonderbarerweise schien diese Auskunft den Mann zu erschrecken.

»Kommt an?« sagte er, er stieß es hervor in Angst und

schielte stärker. »Schön - kommt also schon heute an. Gut. Und der bekommt ein Zimmer? Also sind Zimmer frei? Ja, mein Gott, warum bekommt der Herr Generaldirektor ein Zimmer und ich nicht? Was soll das heißen? Ich will mir das nicht gefallen lassen? Wie? Er ist vorgemerkt? Bitte, ich bin auch vorgemerkt. Ich komme zum drittenmal, ich schleppe zum drittenmal den schweren Koffer hierher - bitte. Es regnet, alle Omnibusse sind überfüllt, ich bin nicht ganz gesund, ja, wie oft soll ich denn noch diese Tour machen? Wie? Warum? Das ist keine Art. Ist dies das beste Hotel in Berlin? Was? Ja? Also gut, ich will im besten Hotel wohnen. Ist das vielleicht verboten?« Er schaute alle der Reihe nach an. »Ich bin müde«, setzte er noch hinzu; »ich bin äußerst ermüdet«, sagte er, man merkte ihm die Müdigkeit an und die lächerliche Bemühung, sich gewählt auszudrücken.

Plötzlich mischte sich Herr Doktor Otternschlag in das Gespräch, der während der ganzen Unterredung dagestanden hatte, seinen Zimmerschlüssel mit der großen Holzkugel in der Hand und die spitzen Ellbogen in die Tischplatte der Portierloge gebohrt.

»Wenn dem Herrn so viel dran liegt, kann er mein Zimmer haben«, sagte Otternschlag. »Mir ist es völlig gleich, wo ich wohne. Lassen Sie doch sein Gepäck heraufschaffen. Ich kann ausziehen. Meine Koffer sind gepackt. Meine Koffer sind immer gepackt. Bitte, man sieht doch, daß der Mann erschöpft ist, leidend -«, setzte er hinzu und schnitt einen Einwand ab, den Graf Rohna, mit beredten Dirigentenhänden beschwichtigend, vorbringen wollte.

»Aber, Herr Doktor«, sagte Rohna schnell, »es kann nicht die Rede davon sein, daß Sie Ihr Zimmer aufgeben. Wir werden versuchen - wir wollen sehen. Wenn der Herr freundlichst seinen Namen eintragen will - so, danke sehr - also Nr. 216 -« sagte Rohna zum Portier. Der Portier gab dem Pagen Nr. 11 den Schlüssel von 216, das Individuum ergriff den Tintenstift, der ihm hingehalten wurde, und schrieb mit auffallend zügiger Schrift seinen Namen ins Anmeldebuch.

Otto Kringelein, Buchhalter aus Fredersdorf, Sachsen, geboren in Fredersdorf am 14. 7. 1882.

»So«, sagte er hernach aufatmend, drehte sich um und schielte mit weit aufgeschlagenen Augen in die Halle hinein.

Da stand er nun in der Halle des Grand Hôtel, der Buchhalter Otto Kringelein, geboren in Fredersdorf, wohnhaft in Fredersdorf, da stand er in seinem alten Überzieher, und die hungrigen Gläser seines Kneifers schluckten alles auf einmal. Er war erschöpft wie ein Läufer, dessen Brust das weiße Band berührt (und mit dieser Erschöpfung hatte es seine besondere Bewandtnis), aber er sah: die Marmorsäulen mit den Gipsornamenten, die illuminierten Springbrunnen, die Klubstühle. Er sah Herren in Fräcken, Herren in Smokings, elegante, weltläufige Herren. Damen mit nackten Armen, mit Glitzerkleidern, mit Schmuck, Pelz, ausnehmend schöne und kunstvolle Damen. Er hörte entfernte Musik. Er roch Kaffee, Zigaretten, Parfüme, Spargelduft vom Speisesaal und Blumen, die an einem Tisch zum Verkauf aus Vasen strotzten. Er spürte den dicken, roten Teppich unter seinen gewichsten Stiefeln, und dieser Teppich machte ihm zunächst den stärksten Eindruck. Kringelein schliff vorsichtig mit der Sohle über diesen Teppich und blinzelte. Es war sehr hell in der Halle, angenehm gelblich hell, dazu brannten hellrote, beschirmte Lämpchen an den Wänden, dazu strahlten grüne Fontänen in das venezianische Becken. Ein Kellner flitzte vorbei, trug ein silbernes Tablett, darauf standen breite, flache Gläser, in jedem Glas war nur ein bißchen goldbrauner Kognak, in dem Kognak schwamm Eis - aber warum wurden im besten Hotel Berlins die Gläser nicht vollgefüllt?

Der Hausdiener mit dem Jammerkoffer weckte den schielenden, blinzelnden, halb schlafwandelnden Kringelein, der Page Nr. 11 brachte ihn an dem mürrischen Einarmigen, der den Lift bediente, vorbei und transportierte ihn aufwärts.

Die Zimmer 216 und 218 waren die schlechtesten im Hotel; auf 218 wohnte Doktor Otternschlag, weil er Dauergast war, weil er nur begrenzte Geldmittel besaß, hauptsächlich aber, weil er zu gleichgültig war, um ein anderes zu verlangen. 216 stieß im rechten Winkel dagegen, die beiden Kammern waren eingeklemmt zwischen den Dienerschaftslift an der Küchentreppe vier und das Badezimmer der dritten Etage. In der Wand kullerte und gluckste die Wasserleitung. Kringelein, der an Palmenarrangements, Bronzelüstern und Jagdstilleben vorbei in immer tristere Bezirke des Hotels geführt wurde, kroch langsam und enttäuscht in das Zimmer, das ihm ein altes, unhübsches Stubenmädchen aufschloß. »Nr. 216!« sagte der Page, stellte den Koffer ab, wartete auf Trinkgeld, bekam keins und verließ den stummen Kringelein. Kringelein setzte sich auf den Bettrand und besah das Zimmer.

Das Zimmer war lang, schmal, hatte ein Fenster, roch nach kalter Zigarre und feucht ausgewischten Schränken. Der Teppich war dünn und abgenutzt. Die Möbel - Kringelein befühlte sie - waren aus poliertem Nußholz. Solche Möbel gab es in Fredersdorf auch. Ein Bismarckbild hing über dem Bett. Kringelein schüttelte den Kopf. Er hatte nichts gegen Bismarck, aber der hing auch zu Hause. Dunkel erwartete er im Grand Hôtel andere Bilder über den Betten, üppige, bunte, außergewöhnliche Bilder, die Vergnügen machten. Kringelein ging ans Fenster und sah hinaus. Unten war es ganz hell, das beleuchtete Glasdach des Wintergartens überspannte den Hof. Gegenüber stand nackt und ohne Ende eine Feuermauer. Es roch nach Küche, lau und unerfreulich dampfte es herauf. Kringelein spürte dabei eine heftige Übelkeit und stützte sich auf die Waschtischplatte. Ich bin eben nicht ganz gesund, dachte er traurig.

Er setzte sich wieder auf die verwelkte Bettdecke, und sein Kummer wuchs von Sekunde zu Sekunde. Hier bleibe ich nicht, dachte er. Nein, hier bleibe ich keinesfalls. Dazu bin ich nicht hergefahren. Dazu lohnt es nicht, daß ich es getan habe. So darf ich es nicht anfangen. In solchen Zimmern darf ich meine Zeit nicht verlieren. Aber man betrügt mich ja. Gewiß haben sie noch ganz andere Zimmer in ihrem Hotel. Preysing wohnt in ganz anderen Zimmern. Preysing würde sich das nicht gefallen lassen. Preysing würde Krach machen - oho - da sollt ihr euch wundern. Wenn Preysing so ein Zimmer bekäme - nein. Hier bleibe ich nicht.

Kringelein schloß seine Gedanken ab. Er sammelte sich. Er brauchte ein paar Minuten, und dann klingelte er das Stubenmädchen herbei und machte Krach.

Wenn man in Betracht zieht, daß Kringelein zum ersten Male in seinem Leben Krach machte, so kann man zugeben, daß es nicht ganz so übel ausfiel. Das Stubenmädchen in der weißen Schürze holte erschreckt eine Würdenträgerin ohne Schürze; der Hausdiener zeigte sich von weitem, der Zimmerkellner, eine kalte Platte auf der Handfläche schwingend, blieb vor 216 horchend stehen. Man telefonierte Rohna an; Rohna ließ Herrn Kringelein in ein kleines Kontor bitten; man mußte den Hoteldirektor, einen der vier Direktoren, holen. Kringelein, hartnäckig wie ein Amokläufer, bestand darauf, daß er ein schönes, vornehmes, teures Zimmer haben wolle, mindestens ein Zimmer wie Preysing. Er schien den Namen Preysing für ein magisches Wort zu halten. Er hatte seinen Überzieher noch nicht ausgezogen, er hielt die bebenden Hände in den Taschen über den alten zerbröckelnden Butterstullen geballt, schielte und verlangte ein teures Zimmer. Ihm war müde und schlecht bis zum Weinen. Er weinte sehr leicht in den letzten Wochen, aus ganz bestimmten Gründen, die seine Gesundheit betrafen. Plötzlich, gerade als er es aufgeben wollte, hatte er gesiegt. Er bekam Nr. 70, einen Salon mit Alkoven und Bad, fünfzig Mark täglich. Er blinzelte ein wenig, als er den Preis vernahm. Aber er sagte: »Gut. Mit Bad? Heißt das - kann ich da jederzeit baden, sooft ich Lust habe?« Graf Rohna bejahte mit unerschütterlicher Miene. Kringelein hielt seinen zweiten Einzug.

Zimmer Nr. 70 war richtig. Hier gab es Mahagonimöbel. Ankleidespiegel, Seidenstühle und geschnitzten Schreibtisch, Spitzengardinen, Stilleben mit toten Fasanen an der Wand, eine seidene Daunendecke im Bett - Kringelein befühlte dreimal hintereinander ungläubig ihre leichte Wärme und Glätte. Auf dem Schreibtisch stand ein imponierendes Schreibzeug aus Bronze, einen Adler darstellend, der mit zackig ausgebreiteten Flügeln zwei leere Tintenfässer beschützte.

Vor dem Fenster war kühler Märzregen, Benzinluft, Autoschrei, gegenüber rannte eine Laufreklame mit roten, blauen, weißen Lettern eine Häuserfront entlang; wenn sie hinten zu Ende war, fing sie vorn wieder an: Kringelein schaute sechs Minuten lang zu. Unten wimmelten schwarze Regenschirme und helle Frauenbeine, gelbe Autobusse, Bogenlampen. Sogar ein Baum war da, er streckte Zweige, nicht allzuweit vom Hotel, andere Zweige wie die Bäume in Fredersdorf. Er hatte ein Inselchen von Erde mitten im Asphalt, dieser Berliner Baum, und rund um die Erde einen Zaun, ein Gitter, als müsse er gegen die Stadt geschützt werden. Kringelein, von soviel Fremdem und Überwältigendem umgeben, freundete sich ein wenig mit diesem Baum an. Hernach stand er eine Weile verwirrt und ohne Rat vor dem unbekannten Nickelmechanismus der Badewanne, aber auf einmal klappte es, warmes Wasser schoß ihm über die Hände, und er zog sich aus. Es war ihm etwas peinlich, seinen zierlichen, abgezehrten Körper in dem hellen Kachelraum nackt zu machen. Aber zuletzt saß er länger als eine Viertelstunde im Wasser und hatte keine Schmerzen, nein, die Schmerzen, mit denen er seit Wochen umging, hatten ihn plötzlich verlassen. Und er wollte ja auch in der nächsten Zeit keine Schmerzen mehr haben ...

Gegen zehn Uhr abends irrte Kringelein in der Halle umher, hübsch angetan mit einem Schwalbenschwanz, hohem steifem Kragen und schwarzer genähter Krawatte. Er war jetzt gar nicht müde, im Gegenteil, eine fieberhafte Aufgekratztheit und Ungeduld hatte sich seiner bemächtigt. Jetzt fängt es an, dachte er immerfort, und seine mageren Schultern zitterten dazu wie bei einem nervösen Hund. Er kaufte eine Blume und steckte sie ins Knopfloch, schleifte genußvoll über den Himbeerroten, beklagte sich beim Portier, daß keine Tinte in seinem Zimmer sei. Ein Page transportierte ihn in den Schreibraum. Kaum befand Kringelein sich vor den vielen leeren Schreibpulten, im vertrauten Licht der grünen Lampenschirme, da verschwand seine sichere Haltung, er nahm die Hand aus der Hosentasche und sah geduckt aus. Er schob seine weißen Manschetten mit einer Gewohnheitsbewegung in den Rockärmel, bevor er sich niedersetzte, und dann begann er mit den großen Schlingen seiner Buchhalterschrift zu schreiben:

»An die Personalverwaltung der Saxonia Baumwoll A.-G. in Fredersdorf. Sehr geehrte Herren«, schrieb Kringelein. »Unterzeichneter gestattet sich, ergebenst mitzuteilen, daß er laut beigefügtem ärztlichem Attest (Beilage A) für vorläufig vier Wochen dienstunfähig ist. Das am Ultimo fällig gewesene Monatsgehalt für März bittet Unterzeichneter laut Vollmacht (Beilage B) an Frau Anna Kringelein, Bahnstraße 4, auszahlen zu wollen. Sollte es dem Unterzeichneten nicht möglich sein, seinen Dienst nach vier Wochen wiederaufzunehmen, erfolgt weitere Nachricht. Hochachtungsvoll ergebenst Otto Kringelein.«

»An Frau Anna Kringelein, Fredersdorf in Sachsen, Bahnstraße 4.

Liebe Anna«, schrieb Kringelein ferner (und das A hatte einen großen, runden Anschwung). »Liebe Anna, teile Dir mit, daß die Untersuchung durch Herrn Professor Salzmann nicht sehr günstigen Befund ergeben hat. Soll von hier aus direkt in ein Erholungsheim verschickt werden, Kosten hätte die Krankenkasse zu tragen, muß nun nur noch einige Formalitäten regeln. Wohne vorläufig sehr billig hier auf Empfehlung von Herrn Generaldirektor Pr. Werde Dir Näheres in den nächsten Tagen mitteilen, soll nochmals geröntgt werden, bevor Definitives erfolgt. Bestens grüßt Dein Otto.«

»Herrn Notar Kampmann, Fredersdorf in Sachsen, Villa Rosenheim, Mauerstraße.

Lieber Freund und Sangesbruder«, schrieb Kringelein als drittes in seiner sauberen Schrift und leise, auf die Federspitze schielend, »Du wirst Dich wundern, aus Berlin ein längeres Schreiben von mir zu erhalten, doch muß ich Dir wichtige Veränderungen mitteilen und zähle auf Dein Verständnis und Deine berufliche Verschwiegenheit. Es fällt mir leider schwer, mich schriftlich auszudrücken, doch hoffe ich, bei Deiner umfassenden Bildung und Menschenkenntnis, daß Du meinen Brief richtig auffassen wirst. Wie Du weißt, habe ich mich nach der Operation im letzten Sommer nie mehr richtig gut gefühlt, und traute ich unserm Krankenhaus und Doktor gleich nicht viel zu. Habe deshalb die Gelegenheit der Erbschaft von meinem Vater benützt und bin mit dem Geld hierher gefahren, um untersuchen zu lassen, was los ist. Leider, lieber Freund, ist nichts Gutes los, und habe ich nach Meinung des Professors nur noch kurze Zeit zu leben.«

Kringelein hielt die Feder in die Luft, vielleicht eine Minute lang; er vergaß, einen Punkt zu machen nach dem Satz. Sein Schnurrbart, der stattliche Schnurrbart eines Vereinsvorstandes, zitterte leicht, aber er fuhr tapfer fort zu schreiben:

»Es geht einem natürlich bei solcher Mitteilung manches durch den Kopf, und ich habe mehrere Nächte nicht geschlafen, nur nachgedacht. Bin dabei zu dem Entschluß gekommen, daß ich nicht mehr nach Fredersdorf zurück will, sondern daß ich die wenigen Wochen, die ich mich noch auf den Beinen halten kann, etwas vom Leben haben möchte. Wenn man nie was vom Leben gehabt hat und soll dann mit 46 Jahren in die Grube fahren, das ist nicht schön, nur immer gesorgt und gespart und herumgeärgert mit Herrn Pr. in der Fabrik und mit der Frau zu Hause. Das ist ungerecht und falsch, daß es mit einem aus sein soll, und man hat noch nie eine richtige Freude erlebt. Leider, lieber Freund und Sangesbruder, kann ich mich nicht richtig ausdrücken. Möchte Dir deshalb nur mitteilen, daß mein Testament, das ich im Sommer vor der Operation gemacht habe, zwar in Kraft bleibt, daß aber andere Voraussetzungen eingetreten sind. Ich habe nämlich meine gesamten Ersparnisse von der Bank hierher überweisen lassen, desgleichen auf die Lebensversicherungspolice eine größere Anleihe aufgenommen, desgleichen die 3500 Mark Erbteil von meinem Vater in bar mitgenommen. So kann ich ein paar Wochen lang wie ein reicher Mann leben, und das ist meine Absicht. Warum sollen nur die Preysings etwas vom Leben haben, und unsereiner ist der Dumme mit dem Sparen und Auf-die-Kante-Legen? Ich habe in summa 8540 Mark an mich genommen. Was davon übrigbleibt, kann Ann dann erben, mehr bin ich ihr meiner Meinung nach nicht schuldig, sie hat mir mit ihrem Gezänke das Leben schwer genug gemacht, und nicht einmal ein Kind da. Werde Dich über mein weiteres Verbleiben und Befinden auf dem laufenden halten, aber es ist Berufsgeheimnis, muß ich Dich bitten. Berlin ist eine sehr schöne Stadt und mächtig groß geworden, wenn man lange Jahre nicht hier war; beabsichtige, auch nach Paris zu fahren, daß ich von der Korrespondenz her gut Französisch kann. Wie Du bemerkst, halte ich das Banner hoch und befinde mich wohler als seit langem.

Es grüßt Dich innig Dein getreuer Moribundus Otto Kringelein.

PS. Sage dem Vereinsvorstand nur, daß ich in ein Beamten-Erholungsheim mußte.«

Kringelein überlas die Briefe, deren Wortlaut er in zwei verwachten Nächten zusammengestellt hatte - er war nicht ganz zufrieden; es schien ihm in dem Brief an den Notar etwas Wesentliches ungesagt, aber er fand nicht heraus, woran das lag. Kringelein, obwohl unbeholfener und bescheidener Natur, war nicht eben dumm, er besaß Idealismus und Bildungsstreben. Daß er sich selber scherzhaft als Moribundus bezeichnete, bezog sich beispielsweise auf einen Ausdruck, der ihm in einem Buch aus der Leihbibliothek begegnet war, das er unter ziemlichen Mühen gelesen und in schwierigen Gesprächen mit dem Notar durchgekaut hatte. Kringelein hatte von Geburt an das normale Leben des Kleinbürgers geführt, das etwas verdrossene, aufschwunglose und verzettelte Leben des kleinen Beamten in der kleinen Stadt. Er hatte früh und ohne starken Antrieb geheiratet, ein Fräulein Anna Sauerkatz, Tochter des Kolonialwarenladens Sauerkatz, eine Person, die ihm von der Verlobung bis zur Hochzeit sehr hübsch vorkam, aber kurz nach der Heirat häßlich wurde, unfreundlich, geizig und voll kleinlich-wichtiger Schwierigkeiten. Kringelein bezog ein fixes Gehalt, das von fünf zu fünf Jahren ein wenig aufgebessert wurde, und da seine Gesundheit nicht die beste war, verhielt ihn Ehefrau und Familie vom ersten Tag an zu gepreßter Sparsamkeit, in Rücksicht auf ein nebelhaftes »Versorgtsein« späterhin. Ein Klavier, das er sich zeitlebens heftig wünschte, blieb ihm beispielsweise versagt; auch den kleinen Teckel namens Zipfel mußte er verkaufen, als die Hundesteuer heraufgesetzt wurde. Am Hals hatte er immer eine wunde Stelle, weil seine dünne, blutarme Haut die aufgerauhten Ränder der alten, abgetragenen Hemdkragen nicht vertrug. Zuweilen schien diesem Kringelein etwas mit seinem Leben nicht ganz richtig zu sein, aber er fand nicht, was es war. Manchmal, im Gesangverein, wenn sein hoher tremolierender und zarter Tenor über die andern Stimmen hinaufstieg, kam ein schwebendes und genußvolles Gefühl über ihn, so, als fliege er sich selber davon. Manchmal ging er abends die Chaussee hinaus gegen Mickenau zu, bog von der Straße ab, überkletterte den feuchten Straßengraben und wanderte den Rain zwischen zwei Feldern hinein. Es sauste still zwischen den Halmen, und wenn die Ähren seine Hand streiften, freute er sich auf unerklärliche Weise. Auch während der Narkose im Krankenhaus war etwas Merkwürdiges und Gutes mit ihm los gewesen, er hatte nur vergessen, was. Es waren nur winzige Dinge, in denen der Buchhalter Otto Kringelein sich vom Durchschnitt unterschied. Aber diese winzigen Dinge (zusammen mit den berauschenden Todesgiften seines Körpers vielleicht) hatten den Moribundus hierher geführt, in das teuerste Hotel Berlins und vor diese Briefbogen, die einen unerhörten und nur kläglich motivierten Entschluß enthielten ...

Als Kringelein sich etwas taumelig erhob und mit seinen drei Briefkuverts den Weg durch das Lesezimmer nahm, traf er auf Herrn Doktor Otternschlag, der ihm die zerschossene Seite seines Gesichtes fragend zuwandte und Kringelein dadurch heftig erschreckte.

»Nun? Untergebracht?« fragte Otternschlag träge, er war jetzt im Smoking und schaute seine lackierten Schuhspitzen an.

»Ja, jawohl. Prima«, antwortete Kringelein befangen. »Danke. Ich muß dem Herrn vielmals danken. Der Herr waren so gütig zu mir –«

»Gütig? Ich? Gar nicht. Ach so, wegen des Zimmers? Nee. Sehense, ich wollte schon längst hier ausziehen, bin nur zu faul. Ist ja ein miserables Kaff, das Hotel hier. Hättense mein Zimmer genommen, säße ich jetzt im FD-Zug nach Mailand oder so - wäre nett gewesen. Na, ist gleich. Im März ist auf der ganzen Welt scheußliches Wetter. Ganz egal, wo man sich da aufhält. Kann ebensogut hierbleiben.«

»Der Herr reist wohl viel?« fragte Kringelein schüchtern; er war geneigt, jeden Insassen dieses Hotels für einen Geldmagnaten oder Adeligen zu halten. »Gestatten: Kringelein -« fügte er bescheiden hinzu, mit einer Verbeugung von Fredersdorfer Eleganz. »Der Herr kennen die große Welt -«

Otternschlag verzog das »Souvenir aus Flandern«. »Es geht«, sagte er. »Das Übliche kenne ich, so die Allerweltsroute. Indien und dann drüben einiges.« Er lächelte schwach über den ungeheuren Hunger, der in Kringeleins blauschielenden Kneiferaugen aufstand. »Ich beabsichtige auch zu reisen«, sagte Kringelein. »Unser Generaldirektor Preysing zum Beispiel reist jedes Jahr. Erst vor kurzem war er in Sankt Moritz. Vorige Ostern war er mit seiner ganzen Familie in Capri. So etwas denke ich mir wundervoll -«

»Haben Sie Familie?« fragte Doktor Otternschlag und legte seine Zeitung beiseite. Kringelein überlegte fünf Sekunden, bevor er antwortete:

»Nein.«

»Nein«, wiederholte Otternschlag, und in seinem Mund nahm das Wort etwas Unwiderrufliches an.

»Ich möchte zuerst nach Paris reisen«, sagte Kringelein, »Paris soll sehr schön sein?«

Doktor Otternschlag, der eben noch einen Schimmer von Wärme und Interesse gezeigt hatte, schien am Einschlafen zu sein. Er hatte mehrmals am Tag solche Zustände des Erschlaffens, denen er nur auf verheimlichte und bösartige Weise Abhilfe schaffen konnte. »Nach Paris müssen Sie im Mai«, murmelte er. Kringelein sagte schnell: »So viel Zeit habe ich nicht . . .«

Plötzlich ließ Doktor Otternschlag ihn stehen. »Ich gehe mal auf mein Zimmer, muß mich mal hinlegen«, sagte er, zu sich viel mehr als zu Kringelein, der mit seinen drei Briefen in der Hand im Lesezimmer zurückblieb. Die Zeitung, in der Otternschlag geblättert hatte, fiel zu Boden, sie war vollgezeichnet mit kleinen Männchen. Über jedes Männchen war ein dickes Kreuz gemalt. Kringelein, leise verschattet, verließ auf dem Teppich gleitend das Lesezimmer und strebte mit befangener Miene dem Speisesaal zu, aus dem leise, aber deutlich eine ziehende und klopfende Musik durch alle Wände des großen Hotels herüberklang.

Der Vorhang fiel, er berührte mit dem dumpfen Aufschlag schweren Eisens den Bühnenboden. Die Grusinskaja, die eben noch blumenleicht zwischen den Mädchen hingewirbelt war, kroch keuchend hinter die erste Kulisse. Sie hielt sich ganz sinnlos mit ihrer zitternden Hand an dem Muskelarm eines Bühnenarbeiters fest und zog den Atem aus sich heraus, wie eine Verwundete. Schweiß rann die gekerbten Furchen unter ihren Augen entlang. Der Applaus war schwach wie ferner Regen und kam dann mit einem Schlag sehr nah, als ein Zeichen, daß der Vorhang sich wieder hob. Ein angestrengter Mann in der Kulisse gegenüber drehte ihn in großen Kurbelschwüngen hoch. Die Grusinskaja setzte ihr Lächeln auf wie eine Papplarve und tanzte an die Rampe zur Verbeugung.

Gaigern, der sich maßlos gelangweilt hatte, schlug aus purer Liebenswürdigkeit dreimal schwach die Hände gegeneinander und schob sich aus seiner Parkett-Reihe zu einem der verstopften Ausgänge. In den vorderen Reihen und auf der Galerie schrien und klatschten ein paar Unentwegte; weiter rückwärts drängte und schob alles garderobenwärts. Für die Grusinskaja auf der Bühne sah es aus wie eine Flucht, eine kleine Panik, dieses Fortströmen der weißen Hemdbrüste, der schwarzen Herrenrücken, der Brokatmäntel - alle in einer Richtung. Sie lächelte, warf den Kopf auf dem stengelschmalen Hals zurück, hüpfte nach rechts, nach links, warf ihre Arme grüßend gegen das abmarschbereite Publikum. Der Vorhang kam herunter, schlug auf. Das Ballett stand noch in starren Posen da, es hatte Disziplin. »Vorhang! Vorhang!« schrie hysterisch der Ballettmeister Pimenoff, der die Erfolgzeremonien zu regeln hatte. Es ging langsam, der Mann an der Kurbel arbeitete verzweifelt. Ein paar Leute im Parkett, die schon an den Türen waren, blieben nochmals stehen, lächelten leer und klatschten. Auch in einer Loge wurde applaudiert. Die Grusinskaja deutete auf die Mädchen, die als Nymphen in Tarlatan um sie herum gruppiert waren, sie schob mit allen Zeichen der Bescheidenheit das bißchen Applaus von sich ab und diesen unbedeutenden jungen Wesen zu. Es kamen noch ein paar Leute mehr unter die Türen, solche, die ihre Mäntel schon angezogen hatten und nun mit amüsierter Miene den Rummel betrachteten. Witte, der alte deutsche Kapellmeister unten im Orchester, heischte mit beschwörenden Gebärden Gehorsam von den Musikern, die ihre Instrumente einpackten. »Niemand darf weggehen!« flüsterte er angstvoll, auch er zitterte und war schweißüberströmt. »Niemand weggehen, bitte, meine Herren. Vielleicht muß der Frühlingswalzer wiederholt werden.«

»Nur keene Bange nich«, sagte ein Fagott. »Heut jibts keene Drufjaben. Det is erledicht for heute. Na, wat ha'ch jesacht?«

Wirklich vertröpfelte der Applaus. Die Grusinskaja sah gerade noch den großen, schwarzen, aufgerissenen Mund des lachenden Musikers unten, bevor der Vorhang sie vom Haus trennte. Plötzlich war der Applaus vorbei, erschrekkend klaffte das plötzliche Verstummen draußen, und in der Stille hörte man die Tarlatanmädchen mit ihren seidenen Fußspitzen scharren. »Dürfen wir abgehen?« flüsterte Lucille Lafite, die erste Tänzerin, französisch zu dem zitternden, weißgeschminkten Rücken der Grusinskaja.

»Ja. Ab. Alles ab. Geht zum Teufel!« antwortete die Grusinskaja russisch. Sie wollte es schreien, aber es klang halb gehustet und halb geschluchzt. Aufgescheucht drängte der

Tarlatan hinaus. In den Rampen erlosch das Licht, und ein paar Sekunden lang stand die Grusinskaja allein auf der Bühne, frierend in der grauen Probenbeleuchtung.

Plötzlich war etwas zu hören, wie das Knacken eines Zweiges, wie das Trappen eines Pferdes, unverkennbar - draußen im geleerten Haus applaudierte ein Mensch ganz allein. Nicht etwa, daß ein Wunder geschehen wäre; es war nur der Impresario Meyerheim, der verzweifelt und tollkühn den Abend zu retten versuchte. Er schlug seine gut akustischen Hände mit aller Gewalt und dem Ausdruck eines frenetischen Entzückens ineinander und warf dabei wütende Blicke zu den Rängen hinauf, wo eine pflichtvergessene Claque zu früh ihre Posten verlassen hatte. Baron Gaigern war es zunächst, der das einsame Geräusch gehört hatte und noch einmal hereinkam, neugierig und zu Spaß aufgelegt. Er zog rasch seine Handschuhe aus und stimmte heftig in den Applaus mit ein, ja, als einige Claqueure und ein paar Neugierige aus der Garderobe zurückgelaufen kamen, trampelte er sogar mit den Füßen wie ein erfreuter Student. Ein paar Vergnügte schlossen sich an, es wurde ein kleines, lustiges Justament draus, und schließlich waren da etwa sechzig Personen, die in die Hände schlugen und nach der Grusinskaja riefen.

»Vorhang! Vorhang!« schrie Pimenoff mit überschlagender Stimme; die Grusinskaja tanzte hysterisch auf und ab. »Michael! Wo ist Michael! Michael soll mitkommen -« schrie sie lachend und die Wimpern voll blauer Schminke, voll Schweiß und Tränen. Witte stieß den Tänzer Michael vor die Kulissen; ohne hinzuschauen, empfing die Grusinskaja seine Hand, die so gleitend naß war, daß es Mühe gab, sie festzuhalten, und mitten vor dem Souffleurkasten stehend machten sie ihre Verbeugungen, mit der schönen Harmonie zusammengearbeiteter Körper. Kaum war der Vorhang unten, begann die Grusinskaja ihre Erregung in einer Szene zu lösen. »Du hast alles verpatzt! Du bist an allem schuld! Du hast die dritte Arabeske verwackelt! Nie wäre mir mit Pimenoff so etwas passiert -«

»Erbarmung, ich? Aber Gru!« flüsterte Michael in seinem komischen Baltisch, es klang hilflos. Witte schleppte ihn schnell ab in die dritte Kulisse, er legte ihm die alte Hand auf den Mund. »Um Gottes willen - keinen Widerspruch - Laß sie -!« flüsterte er. Die Grusinskaja nahm allein den Applaus entgegen. Zwischendurch und solange der Vorhang unten war, tobte sie sich aus. Sie belegte alle mit furchtbaren Flüchen, sie nannte sie Schweine, Hunde, verbummelte Saubande, alle miteinander, sie warf Michael Trunksucht vor und Pimenoff noch Schlimmeres, sie drohte dem abwesenden Ballett mit Entlassung und dem anwesenden, schweigenden und betrübten Kapellmeister Witte mit Selbstmord wegen ruinierter Tempi. Dabei flog ihr das Herz in der Brust wie ein müder, verirrter Vogel, und die Tränen liefen ihr über das Lächeln aus Wachs und Schminke. Schließlich machte der Oberbeleuchter ein Ende, indem er einen großen Hebel niederdrückte, es wurde dunkel im Haus, ein ungeduldiger Mann breitete graue Tücher über die Stuhlreihen. Der Vorhang blieb unten, der Mann von der Kurbel ging heim.

»Wieviel Vorhänge, Suzette?« fragte die Grusinskaja die ältliche Person, die ihr in der Kulisse einen verblichenen, unmodernen Wollmantel umhängte und die eiserne Bühnentür vor ihr aufstieß. »Sieben? Ich habe acht gezählt. Sieben meinen Sie? Das ist auch ganz schön, nicht? Aber war es ein Erfolg?«

Ungeduldig hörte sie die Beteuerungen Suzettes an, wonach es ein riesiger Erfolg gewesen sei, beinahe so wie in Brüssel vor drei Jahren. Madame erinnerte sich? Madame erinnerte sich. Als ob man einen großen Erfolg vergessen konnte! Madame saß in der kleinen Garderobe, starrte in die Glühlampe, die in einem Drahtgitter über dem Spiegel hing, und erinnerte sich. Nein, so wie in Brüssel ist es nicht gewesen, dachte sie verdüstert und zum Sterben müde. Sie streckte ihre schweißnassen Glieder von sich; wie ein Boxer, der nach einer schweren Runde in seiner Ecke liegt, saß sie da und ließ sich von Suzette abreiben, frottieren und mit Abschminke behandeln. Die Garderobe war ein trübsinniger Aufenthalt, überheizt, unsauber, klein; es roch nach alten Kostümen, nach bitterem Mastix, nach Schminke, nach hundert überanstrengten Körpern. Vielleicht schlief die Grusinskaja ein paar Sekunden, denn sie ging durch die steinbelegte Vorhalle ihres Landsitzes am Comer See - aber gleich darauf war sie wieder bei Suzette und der nagenden, brennenden Unzufriedenheit mit dem Abend. Es war kein großer Erfolg gewesen, nein, es war kein großer Erfolg gewesen. Und was war das für eine grausame und unbegreifliche Welt, die einer Grusinskaja den großen Erfolg vorzuenthalten begann?

Niemand wußte, wie alt die Grusinskaja war. Es gab alte russische Herren, emigrierte Aristokraten, die in den möblierten Zimmern Wilmersdorfs wohnten und vorgaben, die Grusinskaja schon vierzig Jahre zu kennen - was sicherlich eine Übertreibung war. Aber einen zwanzigjährigen internationalen Ruhm konnte man ihr ohne weiteres nachrechnen, und zwanzig Jahre Erfolg und Berühmtheit sind eine endlose Zeit. Manchmal sagte die Grusinskaja zum alten Witte, der ihr Freund und Begleiter seit den Anfängen ihrer Karriere war: »Witte, ich bin ein Mensch, der ein viel zu schweres Gewicht stemmen muß, immerfort, immerfort, das ganze Leben lang.« Und Witte antwortete ernsthaft: »Lassen Sie das, bitte, niemanden merken, Elisaweta Alexandrowna; sprechen Sie nicht von Schwere. Die ganze Welt ist schwer geworden. Ihre Mission ist es, erlauben Sie, Elisaweta, das Leichte zu sein. Verändern Sie sich gütigst nicht, es wäre ein Weltunglück -«

Die Grusinskaja veränderte sich nicht. Sie wog 96 Pfund seit ihrem achtzehnten Jahr, das war ein Teil ihres Erfolges und ihrer Möglichkeiten. Ihre Partner, auf diese Leichtigkeit eingestellt, konnten mit keiner andern mehr tanzen. Ihr Nacken, ihre Gestalt, die nur aus Gelenken zu bestehen schien, das Herzoval ihres Gesichtes blieben immer gleich. Ihre Arme bewegten sich wie zuchtvolle Flügel. Ihr Lächeln unter den länglichen Lidern hervor war ein Kunstwerk für sich. Die ganze Kraft der Grusinskaja war nur auf eines gerichtet: sich gleich zu bleiben. Und sie bemerkte nicht, daß gerade dies die Welt zu langweilen begann ...

Vielleicht hätte diese Welt sie geliebt, so wie sie in Wirklichkeit aussah, so, wie sie jetzt in ihrer Garderobe saß: eine arme, zarte, erschöpfte alte Frau mit Gramaugen, mit einem kleinen, qualerfüllten Menschengesicht. Wenn die Grusinskaja keinen Erfolg hatte - und das trat jetzt zuweilen ein -, dann schrumpfte sie zusammen und wurde ganz schnell uralt, siebzig Jahre alt, hundert Jahre alt, noch mehr. Im Hintergrund jammerte die Suzette leise französische Klagen, sie stand an dem grau angeschlagenen Waschbecken, und die Heißwasserleitung funktionierte nicht richtig. Aber schließlich kamen die dampfenden Gesichtskompressen doch zustande, und die Grusinskaja überließ sich ihrem Prickeln, während die Suzette ihr die Perlen vom Hals löste, diese weltberühmten, unwahrscheinlich schönen Perlen aus der Großfürstenzeit.

»Sie können die Perlen wegpacken, ich will sie heute nicht mehr tragen«, sagte die Grusinskaja, die unter fast geschlossenen Lidern das rosa Schimmern gesehen hatte.

»Nicht die Perlen? Aber Madame sollte sich recht schön machen für das Bankett -«

»Nein. Nicht. Genug. Machen Sie mich ohne Perlen schön, Suzette«, sagte die Grusinskaja und überließ sich mit gesammelter Miene den Fingerspitzen, den Kampferessenzen und den Schminken ihres schattenhaften Faktotums. Sie mußte noch zu einem Souper, das der Bühnenklub ihr zu Ehren gab, und sie ließ sich dafür mit einem so gefaßten

Ernst bemalen wie ein altmexikanischer Krieger, bevor er seinen Feinden entgegenging.

Draußen im Gang vor den Garderoben wanderte Witte auf und ab wie eine geduldige Schildwache, er kratzte auf dem Deckel seiner Uhr, die er unmodernerweise in der Tasche der Frackweste trug. Sein altes Musikergesicht zeigte Sorge und Betrübnis. Nach einer Weile gesellte sich Pimenoff dazu, der Ballettmeister, und zuletzt kam Michael daher, die Wimpern glänzend von Vaseline und stark gepudert. »Warten wir auf Gru? Gehen wir alle zusammen?« fragte er munter.

»Ich würde dir raten, zu verduften, mein Junge«, sagte Witte. »Und wenn du hundertmal nicht gewackelt hättest.«

»Aber ich habe nicht gewackelt. Pimenoff? Habe ich gewackelt?« rief er fast weinend. Pimenoff zuckte nur die Achseln. Auch er war ein alter Mann, er hatte eine große, charaktervolle Nase und eine Vorliebe für altmodische Plastronkrawatten aus der Zeit Eduards VII. Er tanzte selber nicht mehr, leitete nur die Proben und verfaßte die Divertissements für die Grusinskaja. Schwere klassische Choreographie voll spitzengetanzter Vögel, Blumen und Allegorien. »Geh in dein Bett, weiche Gru heute aus. Lucille ist auch schon verschwunden«, sagte er weise. Michaels Jungengesicht empörte sich, er klopfte an die Garderobentür. »Gute Nacht, Madame!« rief er. »Ich geh' nicht mit. Wann ist morgen Probe?«

»Natürlich gehst du mit. Du mußt neben mir bei Tisch sitzen!« rief drinnen die Grusinskaja. »Mach mich nicht unglücklich, sweetheart! Die Probe besprechen wir noch. Wartet auf mich, ich bin gleich fertig.«

»Tiens - sie hat sich ausgeheult«, flüsterte Witte mit Verschwörergebärde.

»Larmes, oh douces larmes -«, deklamierte Pimenoff, das Kinn in den Mantelkragen gedrückt. »Mit Gru pas de deux tanzen, das wünsche ich meinem schlimmsten Feind nicht!

Erbarmung, mein Lieber!« beschloß Michael in seinem komischen Baltisch-Deutsch. Die Grusinskaja drinnen vor dem grellen Licht des Garderobenspiegels tupfte Parfüm hinter ihre Ohrläppchen. ›Michael muß dabei sein‹, dachte sie. ›Immer habe ich alte Leute um mich: Pimenoff, Witte, die Lucille, die Suzette.‹ Sie haßte plötzlich intensiv das abgetragene Hütchen, das die Suzette im Hintergrund auf ihre Aschenhaare setzte. Mit einer brüsken Bewegung lehnte sie ihre Hilfe ab und trat auf den Gang hinaus, den Abendmantel aus Schwarz und Gold und Hermelin über dem Arm. Sie hielt ihre Schultern Michael hin und ließ sich von ihm den Mantel umlegen. Er tat es, zärtlich und feminin, wie er alles tat. Es war eine kleine Zeremonie der Versöhnung, aber es war noch etwas mehr. Es war eine kleine, verheimlichte Bitte der Grusinskaja um Gemeinschaft mit dem Jungen. Michael war jung, weil die Grusinskaja oft ihre ersten Tänzer wechselte, nervös und anspruchsvoll, wie sie gegen ihre persönlichen Partner war. Das andere Personal war mit ihr zusammen alt geworden.

Übrigens sah sie jetzt blendend aus, schön, merkwürdig, blumenhaft und elastisch. »Elisaweta sieht bezaubernd aus«, sagte Witte mit einer Verbeugung aus einem anderen Jahrhundert. Er hatte sich eine verwickelte Ausdrucksweise angewöhnt, erstens um seine Liebe zu dieser Gru zu verbergen, der er seit seiner Jugend anhing, dann in dem Zwang, seine Sätze aus dem Deutschen bald ins Russische, bald ins Französische zu übersetzen. Die Grusinskaja selbst glitt immerfort aus einer Sprache in die andere, aus dem russischen Du ins französische und englische Sie, auch Deutsch konnte sie: die wichtigsten Grobheiten und Liebenswürdigkeiten waren ihr in jeder Übersetzung geläufig. Es war nicht immer leicht, ihr zu folgen. Gerade als sie ins Auto stieg, fragte sie beispielsweise: »Glaubst du, Witte, daß die Perlen schuld sind?«

»Wieso die Perlen? Und woran schuld?« fragte Witte aufgestört - die zweite Frage geschah aus reinem Zartgefühl, denn er wußte genau, was die Grusinskaja meinte. »Mon dieu, wieso die Perlen?« fragte auch Pimenoff.

»Jawohl, die Perlen. Sie bringen mir Pech, diese Perlen«, sagte sie, nachdrücklich wie ein Kind. Witte schlug seine altmodischen Glacéhandschuhe ineinander. »Aber, Teure -«, sagte er fassungslos. »Wie?« fragte Pimenoff; »dein ganzes Leben haben dir die Perlen Glück gebracht, sie waren deine Mascotte, dein Talisman? Du konntest nicht tanzen ohne sie! Und jetzt auf einmal sollen sie Pech bringen? Welche Einbildungen, Gru!«

»Doch. Sie bringen Pech. Ich beobachte das«, sagte Gru mit einer eigensinnigen Falte zwischen den nachgezeichneten Brauen. »Ich kann dir das nicht so erklären, aber ich habe viel darüber nachgedacht. Solange Großfürst Sergej lebte, so lange haben sie mir Glück gebracht. Voilà. Seit man ihn umgebracht hat - Pech, Pech, Pech. Der Sehnenriß am Knöchel in London voriges Jahr. Defizit in Nizza. Und überhaupt. Pech. Ich werde sie nicht mehr tragen, wenn ich tanze. Daß ihr es wißt.«

»Nicht mehr tragen! Aber liebe, liebste Gru, Sie können gar nicht auftreten ohne die Perlen. Sie haben Ihr Leben lang fest daran geglaubt, daß Sie nicht ohne die Perlen auftreten können, und nun auf einmal -«

»Ja -«, sagte die Grusinskaja, »das war eben Aberglaube.« Witte begann zu lachen. »Lisa«, rief er. »Täubchen, meine teure Kleine, aber Sie sind ja ein Kind!«

»Ihr versteht mich nicht. Du verstehst mich durchaus falsch. Witte. Die Perlen passen nicht mehr. Ich soll sie nicht mehr tragen. Früher war das anders. Früher - in Petersburg, in Paris, in Wien - man mußte Schmuck tragen. Eine Tänzerin mußte Schmuck besitzen und zeigen. Jetzt - wer trägt heute noch echte Perlen? Ich bin eine Frau, ich spüre das besser, ich habe den flair dafür - Michael, schläfst du? Sage auch etwas.«

Michael, ohne seine zierliche Gestalt zu bewegen, sagte in schwerfälligem Französisch: »Wenn Sie es wissen wollen, Madame: Sie sollten Ihre Perlen hingeben, für arme Kinder, für Krüppel, für irgend etwas hingeben, Madame -«

»Was meinst du? Die Perlen? Hingeben?« rief die Grusinskaja russisch, und das Wort pozertwowatj klang wie aus einem Lied herauf.

»Da sind wir«, sagte Pimenoff in einen plötzlichen Ruck der Bremsen hinein.

»En avant«, befahl die Grusinskaja. »Wir müssen schön sein! Wir müssen vergnügt sein!«

Ein Haustor wurde geöffnet. Witte, hinter der Tänzerin die Treppen hinaufsteigend, äußerte: »Elisaweta Alexandrowna hat nur einen Fehler: sie ist verliebt in den kategorischen Imperativ.«

Die Grusinskaja begann zu lächeln, zu strahlen, wie eine plötzlich aufgedrehte Lampe, und so, strahlend und lächelnd, betrat sie den Klub, in dem dreißig Fräcke stehend ihren Eintritt erwarteten.

Baron Gaigern war der letzte gewesen, der zu applaudieren aufgehört hatte, aber sofort, nachdem er sicher war, daß der Vorhang nicht mehr hochging, verließ er das Theater mit der ernsten Miene eines Menschen, der Eile hat. Es regnete nicht mehr, im nassen Asphalt der Kantstraße war viel weißes und gelbes Licht gespiegelt, die Stadtbahn schnitt zwischen den Häusern hin, Schutzmänner regelten die Abfahrt, Arbeitslose rissen Autotüren vor Pelzmänteln auf. Gaigern lief zwischen dem Gewühl auf dem Fahrdamm, übertrat unter Lebensgefahr die Verkehrsordnung und trabte eilig in die dunklere Fasanenstraße, wo sein Wagen - ein unbedeutender Viersitzer mit Innensteuer - parkte. Der Chauffeur rauchte Zigaretten. »Na?« fragte Gaigern, die Hände in den Taschen seines blauen Mantels.

»Sie hat wieder den Chauffeur gewechselt«, sagte der Chauffeur. »Dieser ist ein Engländer. Sie hat ihn in Nizza aufgegabelt, wo ihn sein Herr wegen Pleite sitzen ließ. Ich habe mit ihm gegessen. Er macht das Maul nicht auf.«

»Ich sage dir zum hundertsten Male, du sollst die Zigarette aus dem Mund nehmen, wenn ich mit dir spreche«, sagte Gaigern unterdrückt.

»Schön«, sagte der Chauffeur und warf die Zigarette fort. »Jetzt ist er ans Theater gefahren und bringt sie nach dem Bühnenklub, es ist gleich da drüben. Wann er sie dort abholen soll, weiß er noch nicht.«

»Weiß er nicht?« wiederholte Gaigern und klappte nachdenklich mit seinen Handschuhen in die Handfläche. »Na, es ist gut. Ich geh' noch mal rüber. Komm mit dem Wagen vors Theater und warte.«

Gaigern trabte mit der gleichen Miene eines ernsthaft beschäftigten Menschen zurück vor das Theater. Dort war es leer und nüchtern geworden, die große Reklameschrift verlöscht, die Plakate sahen nichtssagend aus. Der Bühneneingang ging nicht nach der Straße, sondern in einen Hof, an dessen Feuermauern nasser Efeu glänzte. Gaigern drückte sich zwischen ein paar Menschen, die da herumlungerten, und starrte die erhellte Milchglastür an, aus der die Grusinskaja zu erwarten war. Erst marschierten die Feuerwehrmänner ab, dann breitschultrig und rauchend die Bühnenarbeiter, dann kam eine Weile niemand. Etwas später stieß die Tür kleine Trupps von Ballettmädchen in den Hof, schmale Geschöpfe in billigen Pelzmänteln, von einem Kauderwelsch aus Französisch, Russisch und Englisch umflattert. Gaigern lächelte hinter ihnen her, manche kannte er schon aus Nizza und Paris. Wenn er lachte, wurde seine Oberlippe zu kurz, wie bei einem kleinen Kind, das sah hübsch aus und gefiel manchen Frauen.

›Mein Gott, wie lange das heute wieder dauert‹, dachte er ungeduldig, als der Bühnenhof nun gänzlich einschlief. Es verging eine Viertelstunde fast, dann bewegte sich der Chauffeur in dem Wagen der Grusinskaja wie ein träumender Hund und stellte den Motor an. Gaigern, der dieses Anzeichen kannte, quetschte sich ganz tief in den Mauerschatten. Als die Grusinskaja endlich erschien, war er unsichtbar geworden. »Warten Sie hier, Suzette«, sagte sie, in die Tür zurückgewendet, »ich schicke Berkley gleich zurück. Er bringt Sie dann ins Hotel.« Sie war in einen außerordentlich dekorativen Abendmantel aus Gold, Schwarz und Hermelin gehüllt bis über das Kinn und sah jetzt genau so schön aus wie ihre Fotografien in den illustrierten Zeitungen der ganzen Welt. Gaigern aus seinem Schatten heraus starrte sie an. Als sie ihren Silberfuß auf das Trittbrett setzte, öffnete sich der Hermelinkragen, und Gaigern konnte ihren Hals sehen, ihren berühmten, langen, weißen Hals, der an diesem Abend besonders nackt und blumenhaft erschien. Gaigern zog erfreut Luft durch die Zähne; nichts hatte er heftiger gewünscht, als diesen entblößten Hals zu sehen ...

Kaum war das Auto abgefahren, da erschien die Suzette im dunklen und menschenleeren Hof, hinter sich den Portier, der den Bühneneingang abschloß. Die Suzette sah immer aus wie eine alte, verblichene Kopie ihrer Herrin, das kam daher, daß sie die alten Kleider und Hüte der Grusinskaja auftrug, nachdem sie längst unmodern geworden waren. Auch jetzt schlurfte sie in einem langen glockigen Rock durch den Hof und trug dazu einen verschossenen Mantel mit einer Art von Wertherkragen. In jeder Hand schleppte sie ein Gepäckstück, links einen größeren flachen Koffer, rechts ein kleines suit-case aus schwarzem Lack. Sie ging mit behinderten Schritten langsam bis an die Gittertür, die den Theaterhof von der Straße trennte, und pendelte dort vorn im scharfen Licht der Bogenlampen auf und ab. In Gaigerns Kopf geschahen in diesen Sekunden ein paar rasende Gedankensprünge, er stand in seinem Schattenwinkel krumm vor Anspannung und wie vor einem Sprung oder Start. Aber er unternahm nichts, denn da fuhr in einem guten Bogen der verdammte Berkley schon wieder vor,

Suzette stieg in den grauen Wagen, von der Gedächtniskirche schlug es halb zwölf, und Gaigern, der eine Minute lang vergessen hatte zu atmen, pumpte Luft in sich. Er pfiff, da war schon sein kleiner Viersitzer - »Zum Hotel, rasch nach!« rief er und sprang neben den Chauffeur.

»Na und? Sind heute Aussichten?« fragte der Chauffeur, er hatte schon wieder die Zigarette im Mund beim Sprechen.

»Abwarten«, antwortete Gaigern.

»Wieder die ganze Nacht mit dem Wagen lauern, wie? Schlafen tut unsereiner gar nicht mehr, ja?« sagte der Chauffeur. Gaigern streckte seinen Zeigefinger aus und zeigte auf den grauen Wagen, der vor ihnen die kleine Ausbiegung um die leuchtende »Schildkröte« der Hitzigbrücke machte. »Überholen«, sagte er nur, der Chauffeur gab Gas, es stand kein Schutzmann mehr an der Brücke. Berlin brodelte sein Nachtleben durch die Straßen unter einem roten Himmel, der ganz ohne Sterne war, mitten in der klaren Frühlingsnacht.

»Man verliert die Lust«, setzte der Chauffeur seine Meditationen fort. »Die Geschichte macht mehr Spesen, als sie wert ist. Es kommt eine große Pleite am Schluß.«

»Wer nicht will, hat schon«, erwiderte hierauf der Baron freundlich, und seine Oberlippe wurde zu kurz. »Wenn's dir nicht gefällt, kannst du dich auszahlen lassen und deiner Wege gehen. Bitte.«

»Ich mein's gut«, sagte der Chauffeur.

»Ich auch«, sagte der Baron. Dann wurde geschwiegen bis zum Hotel.

»Parken bei Eingang sechs«, sagte Gaigern, als er aus dem Wagen sprang; in der Drehtür, die aus dem kleinen Eingangsfoyer in die Halle führte, traf er auf einen komischen Herrn - es war Kringelein, der sich dort festgeklemmt hatte, weil er in der verkehrten Richtung drehte. Gaigern gab der Tür einen ungeduldigen Tritt und beförderte das gläserne

Karussell samt Inhalt vorwärts. »So rum geht's!« sagte er zu Kringelein.

»Danke. Besten Dank«, entgegnete Kringelein, der hinausgewollt hatte und nun wieder hineingedreht worden war. Gaigern lief schnell nach seinem Schlüssel, flitzte zum Aufzug, und in der ersten Etage bat er den Einarmigen, ein wenig zu warten, er käme in der Sekunde zurück. Er rannte den Gang hinunter bis zu Nr. 69, seinem Zimmer, warf Hut und Mantel hin, nahm einen schönen Orchideenzweig aus einer Vase und lief damit wieder auf den Gang. »Sagen Sie, bitte, dem Liftführer, daß ich ihn nicht mehr brauche«, sagte er zu einem Stubenmädchen, das halbschlafend an den vielen Türen entlangschlich.

Das Stubenmädchen richtete dem Einarmigen die Botschaft aus, der fuhr brummend ab. Als er unten ankam, wartete schon die Suzette mit ihren zwei Gepäckstücken, um hinaufzufahren. Und dies war es auch ganz genau, was Gaigern beabsichtigt hatte ...

Als die Suzette vor Nr. 68, dem Zimmer der Grusinskaja, anlangte, sah sie hinter einer Palme einen hübschen jungen Mann stehen, der ihr mit seinem schüchternen und bittenden Gesicht nicht unbekannt vorkam.

»Guten Abend, Mademoiselle; gestatten Sie ein Wort -«, sagte er in seinem hübschen, etwas veralteten Französisch, wie es in Jesuiten-Klosterschulen gelehrt wird. »Nur ein Wort: Madame ist nicht auf ihrem Zimmer?«

»Ich weiß es nicht, mein Herr«, erwiderte die gut dressierte Suzette.

»Es ist nur - verzeihen Sie die Unbescheidenheit -, weil ich für Madame gern eine kleine Blume in ihr Zimmer gestellt hätte. Ich verehre Madame so sehr, ich war heute im Theater - ich versäume keinen Abend, wenn Madame tanzt. Sehen Sie, ich las in der Zeitung, daß Madame diese Catleyen liebt - ist das wahr -?«

»Ja«, sagte die Suzette. »Sie liebt Orchideen. Wir haben in

unserm Treibhaus in Tremezzo eine kleine Orchideenzucht eingerichtet.«

»Ah! Darf ich Ihnen also meinen kleinen Zweig geben und Sie bitten, ihn für Madame hinzulegen?«

»Wir haben heute sehr viel Blumen bekommen. Der französische Botschafter schickte einen ganzen Korb«, sagte die Suzette, an der noch die Bitterkeit des halben Erfolges nagte. Sie sah mit ziemlich freundlichen Augen den jungen, schüchternen Menschen an. Aber den Zweig konnte sie nicht nehmen, weil sie beide Hände voll hatte. Es machte ihr sogar Mühe, den Schlüssel in die rechte Hand zu bekommen, um Nr. 68 aufzuschließen. Gaigern, der ihre Schwierigkeiten sah, trat schnell und nah an sie heran. »Gestatten Sie!« sagte er und griff nach den beiden Koffern. Den großen Koffer überließ ihm die Suzette. Das kleine suit-cas hielt sie mit einer instinktiven und zurückweichenden Bewegung fest. Da sind also die berühmten Perlen drin, dachte Gaigern, sprach es aber nicht aus. Er öffnete ihr die Tür, die innere Tür auch und trat mit schüchternen und gleichsam verzückten Schritten auf die Schwelle des Hotelzimmers, in dem die Grusinskaja wohnte.

Das Zimmer war banal und mit verstaubter Eleganz eingerichtet wie jedes andere. Es war kühl hier drinnen, es roch nach einem seltenen, bitteren Parfüm und Kränzen, und die Tür zu dem kleinen Balkon stand offen. Das Bett war geöffnet, auf der Bettvorlage standen etwas abgetretene Pantoffel, kleine, schäbig gewordene: die Pantoffel einer Frau, die gewohnt ist, allein zu schlafen. Gaigern, in der Tür stehenbleibend, hatte ein flüchtiges, zartes, kleines Mitleid mit diesen Resignationspantöffelchen am Bett einer berühmten schönen Frau. Er hielt seinen Orchideenzweig mit einer bittenden Gebärde in das Zimmer hinein. Die Suzette stellte das suit-case auf den Toilettentisch zwischen die drei Spiegel und nahm endlich die Blumen.

»Danke, Monsieur«, sagte sie. »Ist ein Name dabei?«

»Welche Idee! So unbescheiden bin ich nicht«, sagte Gaigern. Er schaute aufmerksam in das runzlige Elfenbeingesicht der Suzette, das auf merkwürdige Weise sich dem Gesicht der Herrin anähnelte. »Sie sind müde?« fragte er. »Und gewiß kommt Madame spät nach Hause. Müssen Sie auf Madame warten?«

»O nein. Madame ist gut. Madame sagt jeden Abend: ›Sie können schlafen gehen, Suzette, ich brauche Sie nicht.‹ Aber Madame braucht mich doch. Ich warte noch auf sie. Madame kommt nie später als zwei Uhr, weil sie jeden Morgen um neun zu arbeiten anfängt. Und was für eine Arbeit das ist, Monsieur - oh, mon dieu -. Nein, Madame ist sehr gut.«

»Sie muß ein Engel sein«, sagte Gaigern achtungsvoll. (›Es liegt also nur ein Badezimmer ohne Fenster zwischen 68 und 69‹, dachte er dabei.) Sein umherwandernder Blick fiel in das schwarze Gähnen der Suzette.

»Gute Nacht und tausend Dank, Mademoiselle«, sagte er bescheiden, lächelte und verschwand.

Die Suzette schloß beide Türen hinter ihm ab, stellte die Orchideen in die Wasserflasche und schrumpfte in einem Fauteuil zu einem kleinen, fröstelnden Wartebündel zusammen.

Vor ein Uhr nachts stehen nur wenige Schuhe vor den Zimmertüren des Grand Hôtel. Alle Welt ist unterwegs, um den kochenden, tobenden, elektrisch glänzenden Großstadtabend einzuschlucken. Das Nachtstubenmädchen gähnt hinten in der kleinen Office am Ende des Ganges, in jeder Etage ein todmüdes Mädchen, das tugendhaft und verblüht ist. Die Pagen haben um zehn Uhr Schichtwechsel gehabt, aber auch die neue Garnitur hat unter den schiefgesetzten flotten Käppis die fieberhaft glänzenden Augen von Kindern, die nicht rechtzeitig ins Bett gekommen sind. Der schlechtgelaunte Einarmige beim Lift wurde um Mitternacht von einem andern schlechtgelaunten Einarmigen abgelöst, auch der Portier Senf hat seinen Platz dem Nachtportier überlassen, er fährt sinnloserweise noch gegen elf Uhr zur Klinik hinaus, und seine Zähne klappern vor Aufregung. Daß er dort von einer unfreundlichen Schwester Pförtnerin nach Hause geschickt wird mit der Weisung, es könne noch vierundzwanzig Stunden dauern, bis das Kind käme, ist seine Privatangelegenheit und betrifft nicht das Hotel. Das Hotel ist um diese Zeit reichlich vergnügt. Im gelben Pavillon tanzt man, Mattonis kaltes Büfett ist schon sehr geplündert, er lacht mit seinen Negeraugen, säbelt Roastbeefscheiben ab und mischt Maraschino in eisgekühlte Obstsalate. Die Ventilatoren sausen und spucken schlechte Luft in die Höfe des Hotels, im Kuriersaal des Souterrains sitzen die Chauffeure und reden Übles über ihre Herrschaften, sie sind reizbar, die Chauffeure, weil sie nicht trinken dürfen, solange sie im Dienst sind. In der Halle sitzen die Gäste aus dem Reich und sind verwundert und schwach empört über die Gäste aus Berlin, über die Herren mit den Hüten im Genick und den lauten Handbewegungen und über die Malerei auf den Damengesichtern. Rohna, der frisch und mit Toilettenessig abgerieben durch die Halle kommt, denkt: Es ist wahr, daß unser Nachtpublikum nicht first class ist. Aber - que voulez vous - nur schlechtes Publikum bringt Geld in die Bude . . .

Kurz vor ein Uhr landete Herr Kringelein in der Hotelbar, wo er sich müde hinter ein kleines Tischchen quetschte, um mit schwimmenden Augen in die Welt zu starren. Um die Wahrheit zu sagen, war dieser Kringelein todmüde, aber er hatte den Eigensinn, den Kinder an ihren Geburtstagen haben - er wollte einfach nicht ins Bett. Ohnedies war ihm so zumute, als schliefe er schon, alles kam so wirr und geträumt und fieberhaft in sein Hirn, Lärm und Geflirr von Menschen, Stimmen, Musik, alles war ganz nah bei ihm und zugleich sehr weit entfernt, gar nicht wirklich.

Die Welt sauste so sonderbar und brachte ihn, alles in allem, in einen wunderlichen Zustand von Besoffenheit ohne Alkohol. Im Alter von zehn Jahren hatte dieser Kringelein einmal die Schule geschwänzt, er war aus Angst vor einem Diktat in den warmen Nebelmorgen hinausgelaufen, die Richtung nach Mickenau zu, war dann von der Chaussee ab und zwischen Feldern hingetrödelt, hatte, während die Sonne stechend zu scheinen begann, sich hingelegt und mit dem Kopf in einem Kissen von Klee geschlafen. Er war in eine Au am Fluß geraten und hatte dort unmäßige Mengen von Himbeeren gefunden und verzehrt. Nie im Leben vergaß er das Summen der großen Sumpfmücken, die sich an seinen nackten Beinen und seinen beerenduftenden roten, saftbeschmierten Fingern festsogen, die zwischen Dornen und Brennesseln Himbeeren, Fäuste voll Himbeeren hervorholten. Dieses berauschte Gefühl der Fülle, der Angst, des leise und fieberhaft Unheimlichen und die niederträchtige Freude an der Missetat - diesen Rausch des Ausbrechers spürte er jetzt wieder, zwischen ein und zwei Uhr nachts, in der Bar des teuersten Hotels von Berlin. Auch die peinigenden Mücken waren gewissermaßen dabei; sie hatten die Gestalt von Zahlen angenommen und pikten in das Hirn eines kleinen Buchhalters, der sein Leben lang gerechnet hatte und nun nicht damit aufhören konnte.

Neun Mark beispielsweise kostet eine Portion Kaviar. Kaviar ist eine Enttäuschung, findet Kringelein. Schmeckt wie Hering und kostet neun Mark. Heiß und kalt hatte Kringelein vor dem herangerollten Wägelchen mit den hors-d'œuvres gesessen, beobachtet von drei übelwollenden Kellnern. Das Menü - 22 Mark mit Trinkgeld - hatte er stehen lassen müssen, weil sein kranker Magen revoltierte. Burgunder war ein dicker saurer Wein, der in einer Art von Kinderwagen lag, wie ein Baby. Reiche Leute hatten einen komischen Geschmack, wie es schien. Daß er falsch angezogen war und mit den unterschiedlichen Bestecken falsch hantierte, hatte Kringelein bald bemerkt, denn er war ja nicht dumm und sehr bereit, zu lernen. Ein verdammtes nervöses Zittern war er den ganzen Abend nicht losgeworden, und mit Verlegenheiten durch Trinkgelder, falsche Ausgänge, mit verwirrten Fragen und kleinen Peinlichkeiten aller Art war der Abend voll gewesen. Aber er hat auch seine großen Momente gehabt, dieser erste Abend eines reichen Mannes. Zum Beispiel die Schaufenster. In Berlin sind die Schaufenster auch nachts beleuchtet, und die Fülle der Welt liegt darin zu Haufen gestapelt. »Das alles kann ich mir kaufen«, ist ein fieberhafter und berauschend neuer Gedanke für einen Kringelein. Oder zum Beispiel ist Kringelein im Kino gewesen - in Berlin kann man um halb zehn Uhr abends noch ins Kino gehen - und hat sich einen Logenplatz geleistet. Auch in Fredersdorf geht man ins Kino, dreimal wöchentlich ist Vorstellung in Zickenmeiers Lokalitäten, wo sonst der Gesangverein seine Übungen abhält. Auch Kringelein war schon dabeigewesen, ein- oder zweimal, er saß mit seiner geizigen Anna ganz vorn, auf dem billigsten Platz, zwischen den Fabrikarbeitern, schraubte den Kopf steil aufwärts und starrte die riesengroßen und verzerrten Gestalten auf der Leinwand an. Daß der Film, von einem teuren Platz aus besehen, ein völlig anderes Gesicht zeigte, daß er dem Leben selber glich, wenn man nur Geld genug dafür bezahlen konnte, war eine der großen Erkenntnisse des Abends. Kringelein schüttelte in der Erinnerung noch lächelnd den Kopf. Nebstbei: Dieser Film aus St. Moritz zeigte eine wunderbare, eine unwahrscheinliche Welt. Kringelein in seiner Barecke beschließt, nach St. Moritz zu fahren. Nicht nur für die Preysings sind diese Berge und Seen und Täler hingepflanzt . . . denkt er; sein Herz trommelt bei diesem Gedanken, der ihn immer wieder überfällt. In Menschen, denen der Tod sicher ist, lebt eine süße, bittere und triumphierende Freiheit. Kringelein findet nur kein Wort für das, was ihn manchmal aufpumpt, daß er mit einem heftigen Seufzen sich Luft schaffen muß ...

»Erlauben Sie -«, sagte Doktor Otternschlag mitten in seine kreiselnden Gedanken und schob seine knochigen Knie unter Kringeleins Tischchen. »Es ist kein einziger Platz mehr frei in dieser verdammten Bar. Total verbautes Lokal. Louisiana-Flip«, sagte er zum Kellner und legte seine dünnen Finger auf die Tischplatte zwischen sich und Kringelein, wie zehn kalte, schwere Stangen aus Metall.

»Sehr erfreut«, sagte Kringelein vornehm; »außerordentlich erfreut, den Herrn nochmals zu sehen. Der Herr waren so gütig gegen mich - glauben nicht, daß ich das vergesse. Nein, wirklich -«

Otternschlag, dem seit ungezählten, verödeten Jahren niemand gesagt hatte, daß er gütig sei, mit dem seit zehn Jahren überhaupt keine Menschenseele Gespräche geführt hatte, spürte einen leichten Hohn, vermischt mit einer gewissen Annehmlichkeit, bei den wiederholten Dankesbezeigungen des Herrn aus Fredersdorf. »Na - prost«, sagte er und kippte seinen Flip hinunter. Kringelein, der etwas Sinnloses bestellt hatte, das er sich nun nicht zu trinken getraute, nippte an der kupfernen Flüssigkeit im flachen Nikkelbecher. »Der Betrieb hier hat etwas Verwirrendes zunächst«, sagte er schüchtern. »Hm«, erwiderte Doktor Otternschlag. »Zunächst ja. Wird auch nicht schöner, wenn man Stammgast ist. Nein. Noch'n Louisiana-Flip.«

»In Wirklichkeit sieht doch alles anders aus, als man sich's vorstellt«, sagte Kringelein, den sein scharfer Cocktail nachdenklich machte. »Man lebt ja heutzutage auch in der Provinz nicht außerhalb der Welt. Man liest die Zeitung. Man geht ins Kino. Man sieht alles in den illustrierten Blättern. Aber in Wirklichkeit schaut es eben doch anders aus. Ich weiß zum Beispiel: Barstühle sind hoch. Sie sind aber gar nicht so hoch, finde ich. Und der Neger da hinter ist der Mixer, das weiß ich schon; ist aber gar nichts Besonderes, wenn man's in der Nähe hat. Es ist zwar der erste Neger, den ich in meinem Leben sehe. Aber er ist ja gar nicht fremd. Er spricht sogar Deutsch, man möchte glauben, er ist nur angestrichen -?«

»Ne, der ist soweit echt. Kann nur nicht viel. Wer sich hier schläfrig trinken will, hat lang zu tun.«

Kringelein horchte in das Stimmendurcheinander, in das Klirren, Sausen, hohe Lachen von Frauen vorn an der Bar. »Richtige Bardamen sind das wohl nicht?« fragte er. Otternschlag drehte ihm die heile Hälfte seines Profils zu. »Sie vermissen etwas an Weiblichkeit?« sagte er. »Nee, richtige Bardamen sind's nicht, das hier ist ein solides, ehrenfestes Lokal. Alle Weiber nur mitgenommen von den Herren. Richtige Bardamen sind es nicht, und richtige Damen sind es auch nicht. Suchen Sie Anschluß?«

Kringelein räusperte sich. »Danke, durchaus nicht. Ich hätte übrigens heute abend schon Anschluß haben können. Jawohl. Ja. Eine junge Dame hat mich zum Tanzen aufgefordert.«

»So? Sie? Wo denn?« fragte Doktor Otternschlag, und sein halber Mund lachte schief.

»Ich war da in einem Lokal. Kasino sowieso heißt es, nicht weit vom Potsdamer Platz«, sagte Kringelein und bemühte sich um den abgehackten und welterfahrenen Ton, den Otternschlag ihm vormachte. »Großartig. Großartig, sage ich Ihnen. Diese Beleuchtung. Feenhaft direkt!« Er suchte ein ausdrucksvolleres Wort, beließ es aber dann dabei. »Feenhafte Beleuchtung. Kleine Springbrunnen mit verschiedenen Lichtern, und das wechselt immerfort. Teuer natürlich, man muß Sekt trinken. 25 Mark nehmen sie einem für die Flasche ab. Leider vertrage ich nur sehr wenig, ich bin nicht ganz gesund, verstehen Sie -«

»Weiß ich. Bin im Bilde. Wenn einem Mann die Hemdkragen so um zwei Zentimeter zu weit werden, dann braucht er mir nichts mehr zu erzählen.«

»Sind Sie Arzt?« fragte Kringelein und fuhr mit einem kühlen Erschrecken unwillkürlich mit zwei Fingern in seinen Kragen. Ja, er war zu weit geworden ...

»Gewesen. Alles mal gewesen. Als Arzt von der Regierung nach Südwestafrika geschickt. Sauklima. Gefangengenommen worden September 14. Gefangenenlager in Nairrti, Britisch-Ostafrika. Scheußlich. Heimgekommen gegen Ehrenwort, nicht zu kämpfen. Die große Schweinerei mitgemacht als Arzt bis zum Schluß. Granate in die Visage. Diphtheriebazillen in der Wunde herumgeschleppt bis 1920. Isoliert gelegen zwei Jahre. Na. Genug. Punkt dahinter. Alles mal gewesen. Wer fragt danach?«

Kringelein starrte verschreckt den zerstörten Menschen an, dessen Finger starr und ohne Leben auf dem Tisch zwischen ihnen lagen. Die Bar machte ihre Sorte von Geräuschmusik dazu, man ahnte einen Charleston aus dem gelben Pavillon. Kringelein hatte nur das wenigste von Otternschlags Telegrammbericht kapiert. Trotzdem schoß ihm stechendes Wasser in die Augen. Er war so schandbar leicht zum Weinen bereit seit seiner Operation, die nichts geholfen hatte.

»Und haben Sie denn niemanden, der - ich meine -? Sind Sie denn allein für sich?« fragte er unbeholfen, und zum erstenmal fiel Otternschlag seine hohe und angenehme Stimme auf, eine Menschenstimme, eine klingende, suchende, tastende Stimme. Er streckte seine kalten Finger vor sich hin auf die Tischplatte und nahm sie gleich wieder zurück. Kringelein schaute nachdenklich die vielen weißlichen vernähten Narben in Otternschlags Gesicht an, und plötzlich schloß er sich auf und begann zu sprechen.

Allein - damit kenne er sich aus, so sagte er ungefähr, auch er sei allein in Berlin, überhaupt allein. Er habe die Fäden abgeschnitten, er habe verschiedene Verbindungen gelöst (so gewählt drückte er sich aus), und nun sei er allein in Berlin. Wenn man sein ganzes Leben in Fredersdorf gelebt hätte, sei man wohl etwas dumm für die große Stadt - aber nicht so dumm, um die eigene Dummheit nicht zu merken. Er kenne wenig vom Leben, aber nun möchte er es kennenlernen, er möchte das wirkliche große Leben kennenlernen, eigens dazu sei er hier. »Aber«, so sagte Kringelein, »wo ist das wirkliche Leben? Ich habe es noch nicht erwischt. Ich war im Kasino, ich sitze hier mitten im teuersten Hotel, aber es ist immer noch nicht richtig. Ich habe immer den Verdacht, das richtige, das wirkliche, das eigentliche Leben spielt sich ganz woanders ab, das sieht ganz anders aus. Wenn man nicht dazugehört, dann ist es gar nicht so leicht, hineinzukommen, verstehen Sie?«

»Ja, wie stellen Sie sich das mit dem Leben vor?« erwiderte darauf Doktor Otternschlag. »Gibt es das Leben überhaupt, wie Sie sich es vorstellen? Das Eigentliche geschieht immer woanders. Wenn man jung ist, denkt man: Später. Später denkt man: Früher war es das Leben. Wenn man hier ist, dann denkt man, es ist dort, in Indien, in Amerika, am Popokatepetl oder sonstwo. Aber wenn man dort ist, dann hat sich das Leben gerade weggeschlichen und wartet ganz still hier, hier, von wo man davongerannt ist. Mit dem Leben geht es, wie es dem Schmetterlingsjäger mit dem Schwalbenschwanz geht. Wenn man ihn fortfliegen sieht, ist er wunderbar. Wenn man ihn gefangen hat, sind die Farben abgegangen und die Flügel lädiert.«

Weil Kringelein zum erstenmal einige zusammenhängende Sätze aus Doktor Otternschlags Mund zu hören bekam, machten sie ihm Eindruck, aber er glaubte sie nicht. »Das glaube ich nicht«, sagte er bescheiden.

»Glauben Sie nur. Es ist alles so wie beim Barstuhl«, erwiderte Otternschlag; er hatte die Ellbogen auf seine Knie gestützt, und seine Hände, die in der Luft hingen, zitterten dünn.

»Was für ein Barstuhl?« fragte Kringelein.

»Ihr Barstuhl von vorhin. Barstühle sind gar nicht so

hoch, sagten Sie vorhin. Ich habe mir Barstühle höher vorgestellt, nicht wahr? Sagten Sie doch? Na eben. Alles stellt man sich höher vor, bis man's gesehen hat. Sie kommen da angereist aus ihrem Provinzwinkel mit verdrehten Ideen über das Leben. Grand Hôtel denken Sie. Teuerstes Hotel, denken Sie. Gott weiß, was für Wunder Sie erwarten von so einem Hotel. Sie werden schon merken, was los ist. Das ganze Hotel ist ein dummes Kaff. Genau so geht's mit dem ganzen Leben. Das ganze Leben ist ein dummes Kaff, Herr Kringelein. Man kommt an, man bleibt ein bißchen, man reist ab. Passanten, verstehense. Zu kurzem Aufenthalt, wissense. Was tun Sie im großen Hotel? Essen, schlafen, herumlungern, Geschäfte machen, ein bißchen flirten, ein bißchen tanzen, wie? Na, und was tun Sie im Leben? Hundert Türen auf einem Gang, und keiner weiß was von dem Menschen, der nebenan wohnt. Wennse abreisen, kommt ein andrer an und legt sich in Ihr Bett. Schluß. Setzense sich mal so ein paar Stunden in die Halle und sehense genau hin: aber die Leute haben ja kein Gesicht! Sie sind nur Attrappen alle miteinander. Sie sind alle tot und wissen's gar nicht. Schönes Kaff, so ein großes Hotel. Grand Hôtel bella vita, was? Na, Hauptsache: man muß seinen Koffer gepackt haben ...«

Kringelein dachte längere Zeit nach. Dann schien es ihm, daß er Otternschlags Ansprache begriffen habe. »Ja. Jawohl«, sagte er zustimmend. Es lag etwas zuviel Gewicht in dem einen Wort.

Otternschlag, der gerade fortgedöst war, erweckte sich. »Wollten Sie etwas von mir? Ich soll Sie am Ende ins Leben einführen? Treffliche Wahl, die Sie da getroffen haben, trefflich. Ich stehe immerhin zur Verfügung, Herr Kringelein.«

»Ich wollte dem Herrn nicht lästig fallen«, sagte Kringelein betrübt und achtungsvoll. Er dachte nach. Er kam mit den eleganten Sätzen, die er sich zurechtgelegt hatte, nicht aus. Seit er im Grand Hôtel wohnte, bewegte er sich wie in einem fremden Land. Er sprach die deutschen Worte wie eine fremde Sprache, die er aus Büchern und Journalen gelernt hatte. »Sie waren so überaus gütig«, sagte er. »Ich hatte gehofft - aber für Sie sieht wohl alles anders aus als für mich. Sie haben es hinter sich. Sie sind satt. Ich habe es vor mir - da ist man ungeduldig - verzeihen Sie gütigst -«

Otternschlag schaute Kringelein an, sogar das vernähte Lid über dem gläsernen Auge schien zu blicken. Er sah Kringelein überaus deutlich. Er sah die dünne Gestalt in dem Beamtenanzug aus solidem, grauem Kammgarn, der schon etwas glänzte. Sah unter dem Schnurrbart eines Vereinsvorstandes eine traurige und sehnsüchtige Linie um die Lippen, in denen gar kein Blut mehr war. Sah den abgemagerten Hals in dem weiten, abgenützten Stehkragen, die Schreiberhände mit den ungepflegten Nägeln, sah sogar die gewichsten Schaftstiefel, die leise einwärts gerichtet unter dem Tisch auf dem dicken Teppich standen. Und zuletzt sah er Kringeleins Augen, blaue Menschenaugen hinter dem Buchhalterkneifer, Augen, in denen eine ungeheure Bitte, Erwartung, Verwunderung, Neugier stand: Hunger nach dem Leben - und Wissen um den Tod.

Gott mochte wissen, welche Wärme aus diesen Augen in das ausgekühlte Dasein dieses Doktor Otternschlag kam oder ob es pure Langeweile war, daß er sagte: »Schön. Gut. Sie haben recht. Oh, wie recht haben Sie. Ich habe es hinter mir. Satt bin ich, ja. Bis auf die letzte kleine Formalität habe ich es hinter mir. Und Sie meinen also, daß Sie es noch vor sich haben? Sie sind bei Appetit, wie? Seelisch, meine ich. Was stellen Sie sich vor? So das übliche Männerparadies? Sekt? Weiber? Rennen, Spielen, Saufen? Tiens! Und da waren Sie also in so'n Nepp reingefallen, gleich den ersten Abend? Und sofort Anschluß?« sagte Otternschlag unbewegt, aber dankbar für das Warme in Kringeleins Schielaugen.

»Ja, sehr bald. Eine Dame wollte durchaus mit mir tanzen. Sehr hübsches Fräulein. Vielleicht nicht ganz - ich meine, so ein bißchen Großstadtpflanze (er sagte Großstadtpflanze, wie er es immer im Mickenauer Tageblatt gelesen hatte), aber hochelegant. Auch wohlerzogen.«

»Wohlerzogen auch! Sieh - sieh! Und der Anschluß?« murmelte Otternschlag.

»Ich kann ja leider nicht tanzen. Man müßte tanzen können, es ist scheinbar sehr wichtig -«, sagte Kringelein, den sein Cocktail fieberhaft unternehmend und zugleich traurig machte.

»Sehr wichtig. Sehr. Überaus wichtig«, erwiderte Doktor Otternschlag mit einer überraschenden Wachheit im Ton. »Tanzen muß man können. Dieses Aneinanderklammern im gleichen Takt, dieses schwindlige Drehen und Sichhalten zu zweit, nicht wahr? Man darf keiner Dame einen Korb geben. Tanzen muß man können. Oh, wie recht haben Sie, Herr Kringelein. Lernen Sie es schnell, so rasch Ihre Zeit es erlaubt. Damit Sie nie mehr einer Dame nein sagen müssen, Herr Kringelein - Sie heißen doch Kringelein, wie?«

Kringelein schaute neugierig und beunruhigt hinter seinem Kneifer hervor in Otternschlags Gesicht. »Wie meinen Sie das?« fragte er und kam sich gefoppt vor. Aber Otternschlag blieb ernst. »Glauben Sie mir«, sagte er, »glauben Sie es mir, Kringelein: Wer nicht im Geschlecht lebt, der ist ein toter Mann. Kellner, ich möchte zahlen.«

Auch Kringelein zahlte nach diesem abrupten Abschluß und stand betreten auf. Hinter Doktor Otternschlags Skelettschultern verließ er die Bar, stolperte zum Portier und empfing seinen Schlüssel.

»Briefe für mich da?« fragte Otternschlag, der Kringelein ganz plötzlich vergessen zu haben schien, den Nachtportier.

»Nein«, sagte der Portier, ohne überhaupt nachzuschauen - denn ein Portier ist nicht wie der andere, und Seelenfeinheit wird nicht mit dem Mützenschild zugleich erworben. »Den Schlüssel von Madame hat Mademoiselle mit hinaufgenommen«, sagte er gleich darauf französisch zu einer Dame, Kringelein konnte es beinahe verstehen, dank seiner Sprachkenntnisse aus der Auslands-Korrespondenz.

Die Dame ging an ihm vorbei, es atmete ein zarter, bittersüßer Duft aus ihrem goldenen Abendmantel, der sich am Hals öffnete. Kringelein starrte die Dame an, ungezogen vor bodenloser Verwunderung. Die Dame hatte schwarzes glattes Haar mit einem Diadem darin, dunkelblaue, längliche Augenlider, dunkelblaue Schatten unter den Augen. Schläfen, Wangen und Kinn waren elfenbeinweiß, mit blauen Adern. Der Mund karminrot, fast lila und überaus geschwungen, in zwei starren Bogen hochgezogen, die sich zu den Nasenflügeln hinaufwölbten. Das Haar war in zwei glatten schwarzen Flügeln weit in die Wangen hineingelegt, und dort, wo es der Haut anlag, war ein Schatten von zarter Ockerfarbe äußerst künstlich hingesetzt. Die Dame sah hoch aus, obwohl sie kaum mittelgroß war, das kam (sogar Kringelein erfaßte es) von den ausgeglichenen Proportionen ihres Körpers und von ihrem schwerelosen Gang. Sie war begleitet von einem kleinen alten Herrn, der einen Zylinder in der Hand trug und wie ein Musiker aussah. »Kannst du morgen schon um halbneun im Theater sein, mein Lieber?« fragte die Dame, gerade als sie an Kringelein vorüberschritt. »Ich möchte eine halbe Stunde noch vor der Probe arbeiten.«

Kringelein, der etwas ähnlich Kunstvolles wie diese Dame noch nie erblickt hatte, machte vor Verwunderung ein belustigtes Gesicht, zupfte Otternschlag am Ärmel und raunte halblaut: »Was ist denn das für eine?«

»Kennen Sie nicht? Mensch! Die Grusinskaja«, sagte Otternschlag ungeduldig und stelzte zum Lift hinüber. Kringelein blieb mitten in der Halle stehen. ›Die Grusinskaja! Donnerwetter, die Grusinskaja!‹ dachte er. Denn der Ruhm der Grusinskaja war so groß, daß er sogar bis Fredersdorf gedrungen war. ›Die gibt es also wirklich. So sieht sie aus. Man liest nicht nur in den Zeitungen von ihr, sie ist wirklich auf der Welt. Man steht neben ihr, man streift an sie an, die ganze Halle riecht nach ihr, wenn sie vorbeigeht. Ich muß es Kampmann schreiben -‹

Er setzte sich schnell in Bewegung, um die Grusinskaja noch einmal und genau zu betrachten. Vor dem Lift spielte sich soeben eine winzige Zeremonie von Höflichkeiten ab. Ein ausnehmend wohlgewachsener Mensch, eleganter und hübscher Kerl, trat mit zwei betonten Schritten von der Lifttür zurück und gab der Grusinskaja den Weg frei, mit einer nachlässigen und zugleich verehrungsvollen Handbewegung, als handle es sich nicht um den Vortritt in einen Aufzug, sondern um ein Königreich, das ein Eroberer einer Herrscherin zu Füßen legt. Otternschlag, der ganz für sich allein auf der andern Seite Spalier bildete, zog ein Gesicht und brummte in sich hinein: Sir Walter Raleigh. Kringelein hingegen war so in Schuß geraten, daß er an Otternschlag vorbei und hinter den breiten Schultern des höflichen jungen Menschen in den Lift hineindrängte. So kam es, daß sein Wohltäter allein zurückblieb, denn mehr als vier Personen durften nicht mitfahren. Sie standen ziemlich eng aneinandergedrückt in dem kleinen Gefängnis aus Glas und Holz. Der hübsche junge Mensch insbesondere kroch ganz in einen Winkel.

»Ah. Also auch in Berlin, Baron?« fragte der alte Kapellmeister Witte ihn. Und Baron Gaigern antwortete:

»Ja. Jawohl. Ich bin jetzt auch hier.« Kringelein hörte achtungsvoll diesem Gespräch zwischen feinen Leuten zu. Der Einarmige drehte die Kurbel, der Lift hielt in der ersten Etage. Über den himbeerroten Läufer marschierten sie zu ihren Zimmern, voran die Grusinskaja, dahinter Witte, dahinter der Baron, dahinter Otto Kringelein. Die Türen Nummer 68, 69, 70 wurden geöffnet. Es war zwei Uhr, eine alte Standuhr in der Gangbiegung schlug umständlich. Ganz dünn hörte man die Musik im gelben Pavillon ihren Kehraus spielen.

Die Grusinskaja verweilte einen Augenblick zwischen den beiden Türen zu ihrem Zimmer. »Nun gute Nacht, Lieber«, sagte sie zu Witte; wenn sie gut war, sprach sie Deutsch mit ihm. »Schönen Dank für heute abend. Es war eigentlich ganz gut, nicht wahr? Acht Vorhänge. Sage übrigens: Wer war dieser junge Mensch? Haben wir ihn nicht schon irgendwo gesehen? In Nizza?«

»Ja, recht, in Nizza, Lisa. Er hat sich mir einmal vorgestellt. Wir spielten ein paarmal Bridge miteinander. Er scheint Elisaweta sehr zu verehren.«

»Ah«, sagte die Grusinskaja kurz. Sie streckte eine Hand aus ihrem Mantel hervor und streichelte gedankenabwesend über Wittes Ärmel. »Wir sind herrlich müde. Gute Nacht. Lieber. Sage mir: es ist der schönste Mensch, den ich in meinem Leben gesehen habe, dieser Baron -«, fügte sie russisch hinzu. Es klang so kalt, als spräche sie von einem Ding, das auf Auktionen ausgestellt und verkauft wird . . .

Kringelein, der an seiner Tür herumgezögert hatte, horchte hungrig und erlebnisgierig nach den fremden Lauten. Er hatte ein undeutliches Gefühl, daß die Welt größer und erregender sei und noch anders, als er in Fredersdorf sie sich vorgestellt hatte.

Dann schließen sich die Türen im Hotel, Doppeltüren fallen hinter jedem Menschen ins Schloß und lassen ihn allein mit sich und seinen Geheimnissen.

Nicht der leiseste mondäne Schimmer liegt am Morgen zwischen acht und zehn über den Räumen des großen Hotels. Keine Lichter brennen, keine Musik spielt, keine einzige Frau ist zu sehen - man wollte denn ein Reinemachemädchen in blauer Schürze, das mit feuchten Sägespänen die Halle ausfegt, als reizvolle Weiblichkeit estimieren. Rohna jedenfalls tut es nicht. Er ist schon wieder auf seinem Posten, dieser tüchtige Graf Rohna, still, beflissen, frisch rasiert, mit einem seidenen, aber diskreten Taschentuchzipfel aus der Brusttasche wimpelnd. Er findet es zweitklassig, daß angesichts der Gäste reingemacht wird, es gehört sich nicht, aber es untersteht leider nicht seiner Kompetenz, sondern geht die Ober-Inspektrice an. Übrigens sehen die Gäste gar nicht hin. Die Gäste, die man morgens im großen Hotel trifft, sind alles solide, fleißige und geschäftstüchtige Herren. Sie sitzen in der Halle und verkaufen in allen Weltsprachen Papiere, Baumwolle, Schmieröl engros, Patente, Filme, Terrains, sie verkaufen Pläne, Gedanken, ihre Energie, ihren Kopf und ihr Leben. Sie frühstücken reichlich, das Frühstückszimmer hängt voll Zigarrenrauch, obwohl eine schüchterne Tafel an der gelben Damasttapete die Raucher anfleht, das doch lieber nebenan, im grauen Salon, zu tun. Auf allen Tischen liegen Zeitungen, alle Telefonzellen sind besetzt und belagert, und der Portier Senf hat gar keine Aussicht, vor ein Uhr mittag eine Nachricht aus der Klinik zu erhalten. Im Korridor der fünften Etage, gleich hinter der Wäscherei, wird den Pagen eine Art Parade abgenommen, bevor sie an ihren Dienst gehen, und vorne zwischen Portal eins und drei unterscheidet sich das Grand Hôtel nicht sehr von einer Börse.

Nimmt man beispielsweise Herrn Generaldirektor Preysing von der Saxonia Baumwoll A.-G., nimmt man diesen braven, durchschnittsmäßigen Geschäftsmann als Muster, dann ersieht man bald, was die Männer seiner Kaste zwischen acht und zehn im Grand Hôtel treiben.

Generaldirektor Preysing, ein großer, etwas zu korpulenter, schwerer Mann, war zu einer unmöglichen Zeit im Hotel angekommen, um sechs Uhr zwanzig morgens, und zwar deshalb, weil in dem unglückseligen Fredersdorf nur Personenzüge hielten. Es war ihm bisher trotz großer Bemühungen nicht gelungen, einen D-Zug hinzubekommen, man mußte zufrieden damit sein, daß das Werk ein Anschlußgleis zur Verladung seiner Güter erhalten hatte. Dies aber nur nebenbei. Preysing war also etwas übermüdet und durchgeschüttelt im Hotel angekommen und hatte mit heftigem innerem Murren zur Kenntnis genommen, daß sein reserviertes Appartment eines der teuersten war. Erste Etage, mit Salon und Bad, Nr. 71, Preis fünfundsiebzig Mark. Preysing war ein sparsamer Mensch; seinen Wagen nahm er beispielsweise grundsätzlich nicht mit nach Berlin, um die Verpflegungskosten für den Chauffeur zu sparen. Aber da er nun einmal die teuren Zimmer mit Bad bezahlte, saß er zunächst lange und genußvoll in der Badewanne (darin ganz ähnlich dem anderen Hotelgast aus Fredersdorf, Herrn Kringelein), hernach legte er sich ein wenig ins Bett, wurde aber das übernächtige und fröstelnde Gefühl der durchreisten Nacht nicht los. Er stand also wieder auf, zog sich an, packte pedantisch seinen Koffer aus und hängte die Anzüge über die mitgebrachten Bügel. Jeder Stiefel, jedes Wäschepaket, jeder Gegenstand steckte in einem sauberen Leinenfutteral, und auf jedem Futteral stand ordentlich das rotgestickte Kreuzstichmonogramm K. P.

Preysing, während er die Krawatte knüpfte, schaute geistesabwesend auf die Straße hinaus, die in Morgennebeln ertrank. Es war noch früh, halb hell, Straßenkehrmaschinen bürsteten den Asphalt, die gelben Autobusse kamen wie Schiffe durch den Morgen. Preysing schaute hinunter, sah aber nichts. Er hatte keinen leichten Tag vor sich. Man mußte sich sammeln und alles gut überlegen. Er klingelte den Hausdiener herbei und übergab ihm persönlich seine Stiefel zum Putzen, sogar eigene Stiefelcreme hatte er mitgebracht, braune und weiße. Das Zimmer war schon erfüllt mit dem undefinierbaren Geruch hastiger Geschäftsreisen: Kofferleder, Odol, Kölnisches Wasser, Terpentin, Zigarrenrauch. Preysing holte mit den pedantischen, langsamen und sauberen Bewegungen, die für ihn charakteristisch waren, seine Brieftasche hervor und zählte sein Geld. In dem inneren Fach lag ein solides Paket von Tausendmarkscheinen; man konnte bei Verhandlungen nie wissen, wozu man Bargeld brauchte. Preysing leckte Daumen und Zeigefinger ab beim Geldzählen, es war die Bewegung eines kleinen Mannes, der seinen Weg gemacht hatte. Er steckte die Brieftasche ein und heftete die innere Brusttasche seines grauen Kammgarnanzuges noch überdies mit einer Sicherheitsnadel zu. Er wanderte eine Weile im Zimmer auf und ab, in rotledernen Reisepantoffeln, und stumm an Dialogen mit den Leuten von den Chemnitzer Strickwaren bauend. Einen Aschenbecher, den er suchte, fand er nicht, und es war ihm unbehaglich, die Asche seiner Zigarre am Tintenfaß abzustreifen. Auch hier stand der gleiche bronzene Adler, der Herrn Kringelein in Nummer 70 entzückt hatte. Generaldirektor Preysing trommelte ein paar Minuten gedankenvoll auf seine ausgebreiteten Flügel, sodann brachte der Hausdiener die geputzten Stiefel, und um sieben Uhr fünfzig konnte Preysing sein Zimmer verlassen, so daß er beim Hotelfriseur als zweiter drankam. Obwohl er Sorgen hatte, saß er rund, solid, mit sauberen Backen und der Miene eines gutgelaunten Mannes beim Frühstück, als um acht Uhr dreißig verabredetermaßen Herr Rothenburger ihn aufsuchte. Herr Rothenburger war völlig kahl, er hatte nicht einmal Augenbrauen und Wimpern, und das gab ihm ein ewig erstauntes Aussehen, das schlecht zu seinem skeptischen Beruf paßte. Er war ein Zwischending zwischen Börsenmakler und Bankier, er agentierte auch sonst zuweilen, er saß außerdem sogar im Aufsichtsrat von diesem und jenem kleinen Unternehmen, er wußte alles, sagte alles weiter und hatte seine Hände in allem. Er war es, der zuerst den neuen Börsenwitz kolportierte und zuerst jene schwarzen Gerüchte aussprengte, die Kurse zum Wackeln brachten. Alles in allem ein lächerlicher, gefährlicher und nützlicher Mann, Herr Rothenburger.

»Tach, Rothenburger«, sagte Preysing und streckte ihm zwei Finger hin, zwischen denen er seine Zigarre hielt. »Tach, Preysing«, sagte Rothenburger, schob den Hut ins Genick, setzte sich und legte eine Aktenmappe auf den Tisch. »Auch wieder im Lande?«

»Tja -«, sagte Preysing. »Nett, daß Sie gekommen sind. Was soll's sein? Tee, Kognak, Schinken mit Setzei?«

»Einen Kognak meinetwegen. Wie steht's zu Hause? Frau Gemahlin, Fräulein Töchter? Alles wohl?«

»Danke, es geht. Sie waren so liebenswürdig, zur silbernen Hochzeit zu gratulieren -«

»Na, selbstverständlich doch. Und wie hat sich die Firma dabei gezeigt?«

»Mein Gott, was heißt hier Firma? Den alten Wagen habe ich ins Geschäft gesteckt und einen neuen dafür bekommen -«

»Jaja. L'état c'est moi. Die Firma bin ich, kann ein Preysing sagen. Und wie geht's dem Herrn Schwiegervater?«

»Danke. Ausgezeichnet. Die Zigarre schmeckt ihm noch.«

»Mein Gott, ich kenne ihn so lange. Wenn ich denke, wie

er angefangen hat, mit sechs Jacquard-Webstühlen - in so'ner kleinen Bude - und jetzt. Fabelhaft.«

»Ja, das Werk macht sich«, sagte Preysing, es war Absicht dabei.

»Man spricht davon. Sie sollen sich ja eine wunderbare Villa gebaut haben, ein wahres Schloß - mit einem Park -«

»Na. Ja. Es ist ganz hübsch geworden. Das ist nun die Liebhaberei meiner Frau. Sie ist eine großartige Hausfrau, wissen Sie, darin geht sie ganz auf. Ja, es ist jetzt ganz hübsch bei uns in Fredersdorf. Sie müssen mal zu uns kommen.«

»Danke. Danke bestens. Sehr freundlich. Vielleicht ist mal eine kleine Geschäftsreise zu schieben - gegen Ersatz der Spesen -«

Nachdem so weit die Formalitäten und Liebenswürdigkeiten erledigt waren, sammelten sich die beiden Herren und kamen auf das Eigentliche. »Bißchen unruhiger Tag gestern auf der Börse, wie?« fragte Preysing.

»Unruhig? Ich danke. Dalldorf ist'n Sommervergnügen dagegen. Aber seit der Hausse in Bega ist die ganze Welt besoffen. Jeder glaubt, er kann Geschäfte machen ohne Dekkung. Aber gestern hat's gekracht, sag' ich Ihnen, dreißig Prozent runter, vierzig Prozent runter. Da gibt's viele, die sind tot, und wissen's noch gar nicht. Wer sich in Bega festgelegt hat - haben Sie Bega?«

»Gehabt. Bin rechtzeitig rausgegangen«, sagte Preysing; er log nur nebenbei und auf jene durchschnittsmäßige und hergebrachte Weise, die im Geschäft üblich ist, und Rothenburger wußte das.

»Na, lassen Sie nur, die erholen sich bald wieder«, sagte er tröstend, genau als wenn Preysings Nein ein Ja gewesen wäre. »An was soll man sich überhaupt noch halten, wenn ein Bankhaus wie Küsel in Düsseldorf Pleite macht? Ein solches Haus! Ihre Saxonia ist ja auch unter den Leidtragenden, nicht wahr?«

»Wir? Nee, durchaus nicht. Wie kommen Sie darauf?«

»Nein? Ich dachte. Man hört so allerhand - aber wenn Sie am Bankrott von Küsel nichts verlieren, dann weiß ich wirklich nicht, warum Saxonia Baumwolle so gefallen sind?«

»Ja. Ganz meine Meinung. Das weiß ich auch nicht. Achtundzwanzig Prozent ist kein Pappenstiel. Es haben sich Papiere aus der Branche gehalten, die viel schlechter sind als unsere.«

»Ja. Chemnitzer Strickwaren haben sich gehalten«, erwiderte Herr Rothenburger darauf ohne Umwege. Preysing schaute ihn an, es hingen Rauchringe blau zwischen den zwei Geschäftsgesichtern. »Na, nun reden Sie mal Deutsch«, sagte Preysing nach einer kleinen Pause.

»Deutsch müssen Sie selber reden, ich habe keine Geheimnisse, Preysing. Sie haben mir Auftrag erteilt, Saxonia Baumwolle bestens zu kaufen, ich habe gekauft: Saxonia Baumwolle für die Saxonia Baumwolle. Gut. Wir haben den Kurs ganz anständig hochgetrieben, wirklich, 184 ist sehr anständig gewesen. Man hat davon gesprochen, daß Sie mit England einen großen Abschluß machen - der Kurs ist gestiegen. Man hat gesprochen, daß Sie sich mit Chemnitzer Strickwaren fusionieren werden - der Kurs ist gestiegen. Plötzlich schmeißen die Chemnitzer alle Aktien von der Saxonia auf den Markt - der Kurs fällt natürlich. Er fällt viel mehr, als es logisch ist. Die Börse ist immer unlogisch. Die Börse ist ein hysterisches Weibsbild, das kann ich Ihnen sagen, Preysing, ich bin seit vierzig Jahren mit ihr verheiratet. Sie haben Geld beim Bankrott Küsel verloren. Bon. Aus dem englischen Geschäft ist nichts geworden. Auch gut - aber trotzdem ist achtundzwanzig Prozent Verlust an einem Tag zuviel. Das hat etwas zu bedeuten.«

»Jawohl! Aber was hat es zu bedeuten?« fragte Preysing, und ein langer Aschenkegel fiel von seiner Zigarre in seinen kalt gewordenen Kaffee. Preysing war kein Diplomat. Seine Frage war dumm und ungeschickt.

»Es hat zu bedeuten, daß Chemnitzer Strickwaren abspringt, das wissen Sie so gut wie ich. Sie kommen in Eilmärschen hier angereist, um zu retten, was zu retten ist. Aber was soll ich Ihnen da raten? Sie können die Chemnitzer nicht zur Liebe zwingen. Wenn Chemnitz seinen ganzen Aktienbesitz in Ihrem Werk auf den Markt schmeißt, so heißt das: danke. Wir haben kein Interesse mehr an der Saxonia Baumwolle. Fragt sich nur, was für Sie aus der unangenehmen Situation herauszuholen ist. Wollen Sie weiter Ihre eigenen Aktien aufkaufen? Sie kriegense jetzt billig.«

Preysing gab zunächst keine Antwort, sondern dachte nach, und das machte ihm große Mühe. Er war ein braver Mensch, dieser Generaldirektor Preysing, korrekt, geradlinig, sauber innen und außen. Ein Geschäftsgenie war er nicht, es fehlte ihm an Phantasie, an Überredungsgabe, an Schwung. Sooft man ihm entscheidende Entschlüsse auflud, rutschte er herum wie auf Glatteis. Wenn er die Unwahrheit sagte, fehlte es ihm an Überzeugungskraft. Er brachte nur kleine schwächliche Mißgeburten von Geschäftslügen zustande. Er stotterte leicht, und unter seinem Schnurrbart bedeckten kleine Schweißtropfen die Oberlippe.

»Schließlich, wenn die Chemnitzer die Fusion nicht wollen, ist es ihre Sache; sie brauchen uns nötiger als wir sie. Wenn sie nicht dieses neuartige Färbeverfahren erworben hätten, dann hätten wir überhaupt kein Interesse daran«, sagte er endlich und dachte, daß er es klug gemacht habe. Rothenburger hob zehn dicke Finger in die Luft und ließ sie wieder auf den Frühstückstisch fallen, gerade neben die Honigschale. »Aber Chemnitz h a t nun einmal das Färbeverfahren. Und die Saxonia h a t nun mal ein Interesse daran –«, sagte er freundlich. Preysing lagen zehn Antworten zugleich auf der Zunge. ›Wir haben kein Geld bei Küsel verloren‹, wollte er sagen, und: ›Das englische Geschäft hat sich durchaus nicht zerschlagen.‹ Und: ›Chemnitzer Strickwaren drücken unsern Kurs, gerade weil sie fusionieren wollen: sie verschaffen sich dadurch bessere Bedingungen.‹ Aber zuletzt sagte er nichts von alledem, sondern stieß nur heraus: »Nun, man wird ja sehen. Ich habe übermorgen eine Besprechung mit den Chemnitzern.«

»Pf«, machte Rothenburger und pfiff Rauch aus seinem Hals. »Eine Besprechung? Wer kommt von denen? Schweimann? Gerstenkorn? Scharfe Herren. Bei denen muß man helle sein. Da hätte Ihr Schwiegervater rangemußt, nehmen Sie mir's nicht übel. Na, dann ist also Polen noch nicht verloren? Muß ich mal auf der Börse erzählen. Hilft's nichts, so schadet's nichts. Na, und wie ist es nun? Geben Sie neuen Auftrag, Baumwollaktien zu kaufen? Wenn heut keiner da ist, der hält, werden wir einen schönen Einbruch erleben, das sagt Ihnen Rothenburger. Also?« Und Herr Rothenburger ließ seine Aktenmappe aufspringen und holte einen Orderzettel hervor.

Preysing war zwischen den Augenbrauen rot geworden, als Rothenburger die unzarte Erwähnung seines Schwiegervaters machte, es trat ein kleiner, wolkiger roter Fleck oberhalb seiner Nasenwurzel zutage und verflüchtigte sich wieder. Er nahm seinen Füllfederhalter aus der Tasche, zögerte nur einen Augenblick und unterschrieb das Papier. »Bis zu vierzigtausend, limitiert mit 170«, sagte er kühl und setzte einen dicken trotzigen Querstrich unter seinen Namen. Protest gegen seinen Schwiegervater, Protest gegen Herrn Rothenburger lag darin.

In niederträchtiger Laune blieb Preysing im Frühstückszimmer zurück. Er hatte ein wenig Ohrensausen, denn sein Blutdruck war nicht ganz in Ordnung; ein pressendes Gefühl im Hinterkopf störte ihn oft gerade bei wichtigen Besprechungen. Er hatte einige Mißschläge im letzten Jahr gehabt, und dies hier ließ sich auch nicht gerade erfreulich an. Eine hübsche Aufgabe war es nicht, das Chemnitzer Werk, das von der Fusionierung abspringen wollte, bei der Stange zu halten. Und zu Hause saß der Alte im Rollstuhl und hatte in seinem Altersschwachsinn eine pfiffige Schadenfreude, sooft dem Schwiegersohn etwas schief ging. Die Verhandlungen mit der Reichseisenbahn wegen des D-Zuges hatten zu nichts geführt. Das neue Färbeverfahren, mit dem man ganz billigen Waren Töne verleihen konnte, die bisher nur teure Qualitäten angenommen hatten, war von der Chemnitzer Strickwarenaktiengesellschaft vor der Nase weggeschnappt worden. Mit dem großen Abschluß nach England zog man seit Monaten herum, zweimal war Preysing schon in Manchester gewesen, und sooft er zurückkam, gingen die Verhandlungen schlechter als vorher, man konnte sie beinahe als abgebrochen betrachten. Nun hatte der Alte die Geschichte mit Chemnitz ausgekocht, er hatte pfiffige Vorverhandlungen geführt, der alte Gerstenkorn war nach Fredersdorf gekommen, hatte die Anlagen besichtigt, es ging hin und her und hin und her; der berühmte Handelsrechtler Doktor Zinnowitz hatte einen Vorvertrag geboren, der allerdings noch nicht unterschrieben war: für zwei Chemnitzer Aktien sollte es eine Saxonia geben. Es war ein gutes Geschäft für das Werk - und schließlich kein schlechtes für die Chemnitzer -, die Börse wußte davon, die Welt (die Welt der Textilbranche) wußte davon, plötzlich fiel es den Chemnitzern ein, Extratouren zu tanzen. Und gerade jetzt, wo alles ganz dreckig stand, schickte der Alte ihn, diesen unglückseligen Preysing, daher, die Geschichte zu leimen. »Pfui Teufel!« sagte Preysing, der versehentlich einen Schluck seines kalten Kaffees mit der Zigarrenasche getrunken hatte, und erhob sich. Der Rücken tat ihm weh von der Fahrt im Personenzug, er gähnte krampfhaft, die Augen tränten ihm. Mürb und trostbedürftig wanderte er in das Telefonzimmer und verlangte ein dringendes Gespräch mit Fredersdorf 48.

Fredersdorf 48 war nicht die Fabrik, sondern Preysings

Villa. Es dauerte nicht einmal sehr lange, bis der Anschluß kam, und Preysing legte sich behaglich mit den Ellbogen auf die Pultplatte, um sich in seinem Gespräch mit seiner Frau zu beruhigen. »Tag, Mulle«, sagte er. »Ja, ich bin es. Schläfst du noch, Mulle? Liegst du noch im Bett?«

»Was denkst du eigentlich?« antwortete das Telefon mit einer entfernten, aber kugelrunden und gepolsterten Stimme, einer Stimme, die der Generaldirektor treu und anhänglich liebte. »Es ist halb zehn! Ich habe schon gefrühstückt und meine Blumen gegossen. Und du?«

»All right«, sagte Preysing etwas zu munter. »Ich habe nachher eine Besprechung mit Zinnowitz. Scheint bei euch die Sonne?«

»Ja«, sagte das Telefon; es lächelte ganz schwach, sehr vertraut und heimatlich. »Das Wetter ist hübsch. Denk dir, alle blauen Krokusse sind über Nacht aufgegangen.«

Preysing konnte durch das Telefon die Krokusse sehen, er sah das Frühstückszimmer mit den Korbmöbeln, den Kaffeewärmer aus Bast, den gedeckten Tisch mit den gestrickten Mützchen über den Eierbechern. Auch Mulle sah er, sie trug den blauen Schlafrock und Pantoffel und hielt die Kakteengießkanne mit dem spitzen Schnabel in der Hand. »Weißt du, Mulle, hier ist es ungemütlich«, sagte er; »du hättest mitkommen müssen. Jawohl, wirklich.«

»Ach geh«, sagte das Telefon geschmeichelt und lächelte Mulles freundliches Lächeln.

»Ich bin so an dich gewöhnt - du, aber höre mal: meinen Rasierapparat habe ich vergessen, jetzt muß ich hier täglich zum Friseur laufen.«

»Habe ich schon bemerkt«, sagte das Telefon. »Du hast ihn im Badezimmer liegenlassen. Weißt du, kaufe dir doch einen andern; im Warenhaus bekommt man ganz billige, das kostet auch nicht mehr als täglich rasieren lassen und ist appetitlicher.«

»Ja. Das ist wahr. Da hast du recht«, sagte Preysing dankbar. »Wo sind die Kinder? Ich möchte ihnen guten Tag sagen.«

Das Telefon brummte einige unverständliche Dinge in den Hintergrund, und dann rief es mit heller Stimme: »Tag, Peps!«

»Tag, Pepsin!« rief Preysing erfreut. »Wie geht's dir?«

»Gut! Und dir?«

»Auch gut. Ist Babe auch da?«

Ja, auch Babe war da, auch sie fragte mit ihrer siebzehnjährigen Stimme, wie es gehe und ob das Wetter gut sei, und ob Peps etwas aus Berlin mitbrächte, und daß die Krokusse aufgegangen seien, und daß Mulle nicht erlauben wolle, Tennis zu spielen, und es sei ganz warm, und ob Schmidt den Platz zurechtmachen dürfe, und dann rief Mulle etwas dazwischen und dann Pepsin, und zuletzt schrie und lachte das Telefon mit drei Stimmen, bis das Telefonfräulein sich einmischte und Preysing das Gespräch beendete. Nachher stand er noch einen Augenblick in der Zelle, und ohne daß er es hätte ausdrücken können, war ihm so, als halte er in den Händen Sonne auf einem warmen Fensterbrett und blauen Krokus.

Es war ihm viel leichter, als er die Zelle verließ. Es gab Leute, die den Generaldirektor einen Familiensimpel nannten, und diese Leute hatten nicht unrecht. Während er ein zweites Telefongespräch anhängig machte und mit seiner Bank verhandelte - ziemlich erregt verhandelte, denn es ging um die Deckung für die Vierzigtausend, für den unvernünftig großen, beinahe verzweifelten Auftrag, den er da ganz auf eigene Kappe Herrn Rothenburger gegeben hatte -, während dieser unangenehmen zehn Minuten, die der Generaldirektor in der Telefonzelle Nr. 4 verbrachte, wandelte Kringelein die Treppen hinunter, genoß bei jedem Schritt den Himbeerroten, auf dem es sich so außerordentlich vornehm daherging, und landete bei der Portierloge. Schon wieder trug er eine Blume am Knopfloch, es war die vom vorigen Abend, er hatte sie über Nacht ins Zahnputzglas gestellt, und sie war noch verhältnismäßig frisch - eine weiße Nelke, deren Gewürzduft Kringelein als unerläßliche Komplettierung seiner Elegang empfand.

»Der Herr, nach dem Sie gestern gefragt haben, ist jetzt angekommen«, meldete der Portier. »Welcher Herr?« fragte Kringelein verwundert. Der Portier sah im Buch nach. »Preysing, Herr Generaldirektor Preysing aus Fredersdorf«, sagte er und schaute Kringelein forschend in das spitze kleine Buchhaltergesicht. Kringelein atmete so tief, daß es ein Seufzer wurde. »Ach ja. So. Es ist gut. Danke. Und wo -?« fragte er mit erblassenden Lippen.

»Im Frühstückszimmer wahrscheinlich.«

Kringelein ging davon und strammte sich gewalttätig hoch. Er bekam ein ganz hohles Kreuz vor Anspannung. ›Guten Tag, Herr Preysing‹, dachte er. ›Schmeckt das Frühstück? Ja, ich wohne auch im Grand Hôtel, jawohl. Oder haben Sie etwas dagegen? Ist es unsereinem vielleicht verboten? Oho. Unsereiner kann auch leben, wie es ihm gefällt.‹

›Ach‹, dachte er gleich darauf, ›warum denn Angst vor Preysing? Der kann mir nichts tun. Ich sterbe ja bald, mir kann keiner was tun.‹ Es war wieder das verschmitzte Gefühl der Freiheit da, wie damals im Mickenauer Forst bei den Himbeeren. Mit Mut vollgeblasen betrat er das Frühstückszimmer, er bewegte sich nun schon ziemlich sicher in den fashionablen Räumlichkeiten. Er suchte Preysing. Er wollte mit Preysing sprechen, das wollte er. Er hatte eine Abrechnung mit Preysing. Eigens deshalb war er ins Grand Hôtel gekommen. ›Guten Tag, Herr Preysing‹, wollte er sagen -

Aber Preysing war nicht im Frühstückszimmer. Kringelein schlurfte die Korridore entlang, steckte den Kopf ins Schreibzimmer, in den Lesesaal, er untersuchte die Zeitungsbox, er verstieg sich dazu, den Pagen 14 nach Herrn Preysing zu fragen. Unwissendes Kopfschütteln überall.

Kringelein, der jetzt hitzig geworden war, bis obenhin angestopft mit Dingen, die er loswerden wollte, kam auf die Schwelle eines Zimmers, das er noch nicht kannte. »Kennen Sie Herrn Preysing aus Fredersdorf, verzeihen Sie gütigst?« fragte er den Telefonisten. Der nickte nur, konnte aber nicht antworten, weil er den Mund voll Zahlen hatte. Er zeigte mit dem Daumen über seine Schulter. Kringelein wurde rot. Denn in diesem Augenblick verließ Preysing gedankenvoll die Zelle Nr. 4.

Und nun begab sich folgendes: Kringelein schrumpfte zusammen; sein Halswirbel brach gewissermaßen ab, sein Kopf duckte sich, sein gestrammtes Kreuz fiel ein, seine Fußspitzen drehten sich nach innen, sein Rockkragen stieg im Genick hoch, seine Knie ließen nach, und über den traurigen Beinen schlug die Hose Querfalten. Innerhalb einer Sekunde wurde aus dem reichen, vornehmen Herrn Kringelein ein armer kleiner Buchhalter; ein subalternes Wesen stand da, das völlig vergessen zu haben schien, daß es in ein paar Wochen nicht mehr lebte und dadurch sehr im Vorteil war gegen Herrn Preysing, der sich noch jahrelang durch widerhaarige Dinge durchzufressen hatte. Dieser Buchhalter Kringelein trat zur Seite, er klebte sich flach an die Tür von Zelle Nr. 2, er machte Front und flüsterte mit geneigtem Gesicht, ganz wie in der Fabrik: »Wünsche guten Morgen, Herr Generaldirektor.«

»Morgen«, sagte Preysing, ging vorüber und sah ihn gar nicht. Kringelein stand noch eine volle Minute so flach an die Wand geschlagen da und schluckte schamvoll seinen bitteren Speichel. Auch Schmerzen hatte er plötzlich wieder, schraubende Schmerzen in seinem halbierten, kranken, moribunden Magen, der insgeheim und selbständig die Rauschgifte langsamen Sterbens erzeugte.

Indessen setzte Preysing seinen Weg fort in die Halle, wo der bekannte Handelsrechtler Doktor Zinnowitz ihn schon erwartete.

Seit zwei Stunden saßen Doktor Zinnowitz und Generaldirektor Preysing über Aktenstücke gebeugt in einer stillen Ecke des Wintergartens, der bis zur Mittagszeit ziemlich leer war. Preysings Aktenmappe hatte ihren ganzen Inhalt geleert, sein Aschenbecher war mit Zigarrenenden angefüllt, seine Handrücken bedeckte eine dünne Feuchtigkeit, wie immer bei schweren geschäftlichen Verhandlungen. Doktor Zinnowitz, ein älterer kleiner Herr mit dem Gesicht eines chinesischen Zauberers, räusperte sich abschließend wie vor einem Plädoyer, legte eine dozierende Hand auf das Aktenkonvolut und sagte:

»Lieber Preysing, ich ziehe die Summe: Wir gehen mit einem reichlichen Minus in die morgige Konferenz. Unsere Aktien stehen schlecht, figürlich und tatsächlich« (wobei er auf den Kurszettel der BZ. am Mittag tippte, die ein Boy kurz vorher gebracht hatte und die einen neuerlichen Kursrückgang von sieben Prozent für Saxonia Baumwollaktien verzeichnete). »Unsere Aktien stehen schlecht, und der psychologische Moment, wenn ich mich so ausdrücken darf, ist für diese wichtige Zusammenkunft schlecht gewählt. Sie wissen selber: Wenn die Chemnitzer morgen ›nein‹ sagen, dann ist die Fusion erledigt. Noch einmal anknüpfen kann man nicht. Und es ist möglich, daß sie unter den jetzigen Verhältnissen nein sagen. Ich behaupte nicht, daß es sicher ist, aber es ist möglich, es ist sogar wahrscheinlich.«

Preysing hörte ungeduldig zu; er war nervös. Ihn irritierten die formvollen Sätze des Anwalts. Zinnowitz sprach immer wie in der Generalversammlung, auch wenn er ganz allein war. Wenn er seine Fingerknöchel auf die Tischplatte stützte, wurde aus dem leichten Korbtischchen des Wintergartens ein schicksalsvoller, grün überzogener Konferenztisch.

»Soll man abblasen?« fragte Preysing.

»Abblasen kann man nicht, ohne den schlechtesten Eindruck zu erwecken«, bemerkte Zinnowitz. »Es fragt sich auch noch, ob durch eine Verschiebung etwas gewonnen oder verloren wird. Es gibt immerhin Chancen, die durch ein Hinausschieben ganz verloren werden könnten.«

»Welche Chancen?« fragte Preysing. Er konnte die törichte Angewohnheit nicht loswerden, Dinge zu fragen, die er ohnedies wußte. Dadurch zogen sich Verhandlungen mit ihm stets in die Breite und bekamen etwas zugleich Pedantisches und Verworrenes.

»Sie kennen die Chancen so gut wie ich«, sagte Doktor Zinnowitz, was einer Zurechtweisung gleichkam. »Es handelt sich immer wieder um den Stand der englischen Angelegenheit. Manchester, Burleigh & Son in Manchester, das ist meiner Meinung nach der springende Punkt. Chemnitzer Strickwaren wollen den englischen Markt für ihre Fertigfabrikate bekommen. Burleigh & Son haben diesen Markt zum großen Teil in der Hand, sie haben laufende große Aufträge für fertige Strickwaren, aber sie selber produzieren nur Rohware; und sie möchten gerne ihre rohe Baumwolle nach Deutschland exportieren und dafür die Fertigwaren von Chemnitz nach England bringen. Sie haben ein großes Interesse daran, mit den Chemnitzern zusammenzugehen. Warum sie das nicht einfach und direkt tun, wissen Sie, lieber Preysing, ebenso genau wie ich: das Chemnitzer Unternehmen ist den Engländern nicht solide genug, nicht fundiert genug. Sie zucken zurück, weil ihnen die Basis wacklig scheint. Etwas anderes ist es, wenn die Saxonia A.-G. sich mit Chemnitz fusioniert. Davon verspricht Burleigh & Son sich viel. Man scheint dort anzunehmen, daß Ihr - verzeihen Sie, mein Lieber - etwas verschlafener Betrieb eine Auffrischung bekäme und die etwas zu unternehmenden Chemnitzer einen Rückhalt. Folglich: hat Burleigh & Son an der Saxonia nur dann ein Interesse, wenn Sie sich mit Chemnitzer Strickwaren fusionieren. Und Chemnitz wieder will nur fusionieren, wenn Sie das Geschäft mit Burleigh & Son und damit den englischen Markt in der Tasche haben. Jetzt wartet ein Unternehmen immer darauf, daß der Vertrag zwischen Ihnen und den anderen perfekt wird. Wenn ich Ihnen meine Meinung aufrichtig sagen darf: Die Verhandlungen sind reichlich ungeschickt geführt worden, sonst hätten wir nicht in so eine Sackgasse kommen können. Wer hat mit Manchester verhandelt?«

»Mein Schwiegervater«, sagte Preysing schnell. Das stimmte nicht, und Zinnowitz, der von dem Machtkampf in der Saxonia Baumwoll A.-G. hinreichend informiert war, wußte auch, daß es nicht stimmte. Er wischte mit der flachen Hand über den Tisch und schob Preysings Antwort weg. Lassen wir das, sagte seine Bewegung.

»Ich bin«, setzte er fort, »mit den Chemnitzern dauernd in Tuchfühlung geblieben« (er liebte es, stramme Ausdrücke aus seiner Reservehauptmannszeit ins Gespräch zu werfen), »und ich kann Ihnen die Stimmung ganz genau schildern. Schweimann ist ganz von der Fusionierung abgekommen, und Gerstenkorn wackelt schon. Warum? Der große SIR-Konzern hat bei den Chemnitzern vorgefühlt, ob sie verkaufen würden, nicht fusionieren, sondern glatt verkaufen. Natürlich würden Schweimann und Gerstenkorn im Aufsichtsrat bleiben, extra noch bekämen sie bezahlte Posten, und jetzt haben sie doch immer das Risiko. Umgekehrt aber: Wenn die Sache mit Burleigh im reinen wäre, dann - ich glaube es, es ist meine unmaßgebliche Meinung -, dann würden sie das SIR-Angebot schwimmen lassen und mit Ihnen fusionieren. So also steht es dort. Aber wie es bei Ihnen mit Manchester steht, darüber bin ich nicht ganz im Bilde. Ihr Schwiegervater schrieb mir etwas undeutlich -«

Preysing machte schon wieder einen Knoten in die klaren Ausführungen des Justizrates. »Ist das mit dem SIR-Angebot sicher oder nur geredet? Wieviel hat man Chemnitz geboten?« fragte er.

»Das gehört eigentlich nicht zur Sache«, sagte Zinnowitz,

der es nicht wußte. Preysing schob die Unterlippe, auf der die Zigarre lag, vor und dachte nach. Es gehört doch dazu, dachte er, aber er konnte sich und dem andern nicht ganz klarmachen, wieso. »Die Sache mit Burleigh steht nicht gerade schlecht -«, sagte er zögernd. »Gerade gut aber auch nicht, wie es scheint«, erwiderte der Anwalt. Preysing griff nach seiner Mappe, zog die Hand zurück, griff nochmals hin, nahm die Zigarre aus dem Mund - sie hatte ein zerbissenes Ende -, und erst beim dritten Zugriff holte er einen blauen Deckel hervor, in den Briefe und Briefkopien eingeheftet waren. »Hier ist die laufende Korrespondenz mit Manchester«, sagte er schnell und reichte das Faszikel dem Justizrat zu. Im nächsten Augenblick schon tat es ihm leid. Eine neue Schicht kühlen Schweißes trat aus den Poren seiner Handrücken; er versuchte an seinem Ehering zu drehen, eine Gewohnheitsbewegung, die keinen Erfolg hatte. »Ich muß Sie aber bitten: Streng vertraulich!« sagte er flehend. Zinnowitz warf ihm nur einen Seitenblick über die Briefe hinweg zu, Preysing schwieg. Jetzt hörte man das feine Klappern, mit dem im großen Speisesaal die Tische gedeckt wurden. Es roch, wie es in allen Hotels der Welt kurz vor dem Lunch riecht, ein hellbräunlicher Bratenduft, der vor der Mahlzeit hungrig macht und nachher unerträglich ist. Preysing wurde hungrig. Flüchtig dachte er an Mulle zu Hause und an ihren gedeckten Tisch mit den Kindern.

»Tja -«, sagte Doktor Zinnowitz, legte die Briefe weg und schaute mit einem nachdenklichen und zugleich geistesabwesenden Blick auf Preysings Nasenwurzel.

»Ja?« fragte Preysing.

»Ich komme nun«, setzte Zinnowitz nach ein paar stummen Augenblicken sein Plädoyer fort, »auf den Ausgangspunkt zurück. Vorläufig laufen die Verhandlungen mit Burleigh & Son noch, folglich haben wir noch diese wichtige Chance in der Hand, um auf die Chemnitzer einen Druck auszuüben. Verschieben wir die Konferenz und Burleigh springt ab, was nach dem letzten Brief vom - vom 27. Februar sehr möglich ist, dann haben wir diese Chance nicht mehr. Dann haben wir überhaupt keine Chance. Dann sitzen wir zwischen zwei Stühlen, statt a u f zwei Stühlen.«

Plötzlich wurde Preysings Stirn dunkelrot; eine Blutwolke zog unter seiner etwas gefalteten Haut herauf, und die Adern wurden dick. Er hatte zuweilen solche Anfälle von Wut, von Blutandrang, von einer jähzornigen Stoßkraft.

»Das ganze Gerede hat keinen Zweck. Die Fusion müssen wir einfach bekommen«, sagte er laut mit einem Fausthieb auf den Tisch. Doktor Zinnowitz wartete einen Augenblick mit seiner Antwort. »Ich denke, die Saxonia wird ohne die Fusion auch nicht Bankrott machen«, sagte er. »Nein. Gewiß nicht. Von Bankrott spricht niemand«, sagte Preysing hitzig. »Aber wir müßten einschränken. Wir müßten Arbeiter in der Spinnerei entlassen. Wir müßten - ach was. Ich muß die Fusion durchsetzen, dazu bin ich hier. Ich muß es durchsetzen, einfach. Es hat auch noch - da sind noch innere Gründe. Es handelt sich um den Einfluß im inneren Betrieb, Sie verstehen mich. Schließlich ist der ganze Aufbau der Fabrik meine Arbeit, meine Organisation. Dann möchte man auch Geltung haben. Der alte Herr wird alt. Und mein Schwager paßt mir nicht. Ich sage Ihnen das ganz aufrichtig. Sie kennen den Jungen ja, er paßt mir nicht. Der Junge hat aus Lyon Usancen mitgebracht, die mir nicht ins Geschäft passen. Ich bin nicht für Bluff. Ich mag solche Blender nicht. Ich mache meine Abschlüsse auf solider Basis. Ich baue keine Kartenhäuser! Vorläufig bin ich da, und ich habe zu reden -«

Doktor Zinnowitz besah sich voll Interesse den hitzigen Generaldirektor, der mehr sagte, als er verantworten konnte. »Man kennt Sie in der Branche als das Muster eines korrekten Geschäftsmannes«, bemerkte er höflich; ein Unterton des Bedauerns klang mit. Preysing stoppte ab. Er nahm das blaue Heft und stopfte es aufgeregt wieder in die Mappe.

»Wir sind uns also einig«, sagte Zinnowitz. »Die Konferenz soll morgen stattfinden, und wir wollen, wenn irgend möglich, die Unterschrift des Vorvertrages forcieren. Wenn ich nur wüßte -«

»Hören Sie«, sagte er eine Minute später, während deren er schweigsam nachgedacht hatte. »Wenn Sie mir ein paar von den Briefen mitgeben könnten? Die aussichtsreicheren, verstehen Sie, die vom Anfang der Verhandlungen? Ich spreche nachmittag Schweimann und Gerstenkorn. Es könnte nichts schaden, wenn man - ich würde nicht alle Briefe zeigen natürlich, nur einige -«

»Das geht nicht«, sagte Preysing. »Wir haben uns Burleigh & Son gegenüber zur strengsten Diskretion verpflichtet.« Zinnowitz lächelte nur dazu. »Die Spatzen in der Burgstraße pfeifen es von den Dächern«, äußerte er. »Übrigens, wie Sie es für richtig halten. Sie haben es zu verantworten. Hic Rhodus, hic salta. Wenn wir die Verhandlungen mit den Leuten in Manchester geschickt ausnützen, wäre alles zu gewinnen. Es ist der einzige Punkt, von dem aus diese etwas verfahrene Sache mit Chemnitz ins Lot gebracht werden könnte. Man müßte Schweimann ein paar von den Briefen in die Hand spielen, ganz nebenbei, ganz zufällig. Eine Auswahl, versteht sich. Einige Abschriften. Aber wie Sie wollen. Sie haben die Verantwortung . . .«

Schon wieder hatte Preysing eine Verantwortung. Die vierzigtausend Deckung für Rothenburgers Aktienkäufe lagen ihm noch schwer im Magen, er hatte tatsächlich Sodbrennen vor Aufregung, und seine Schläfen sausten dick und heiß. »Das gefällt mir nicht, das ist krumm«, sagte er. »Die Verhandlungen mit Chemnitz haben angefangen lange vor der Angelegenheit mit Burleigh. Es war zwischen uns und Gerstenkorn auch nie mit einem Wort die Rede davon. Plötzlich dreht alles nach dieser Seite. Wenn die Chemnitzer uns nur als Anhängsel des englischen Geschäftes akzeptieren wollen - und so sieht es beinahe aus -, wie kommen wir überhaupt dazu, uns über unsere Korrespondenz auszuweisen? Nee. So etwas tue ich nicht -«

›Borniert wie ein Waldesel‹, dachte Doktor Zinnowitz und ließ das Schloß seiner Aktenmappe zuschnappen. »Bitte«, sagte er mit verkniffenen Mundwinkeln und stand auf.

Plötzlich fiel Preysing um. »Haben Sie jemanden, der ein paar von den Briefen abschreiben könnte? Ein paar Abschriften mit Durchschlägen würde ich Ihnen schließlich machen lassen. Die Originale gebe ich nicht aus der Hand«, sagte er eilig und laut, als müßte er jemanden überschreien. »Es muß ein Verläßlicher und Diskreter sein. Ich hätte auch noch einiges zu diktieren, das ich in der Konferenz brauche. Die Schreibmädchen, die das Hotel stellt, passen mir nicht. Man hat immer das Gefühl, sie erzählen dem Portier alle Geschäftsgeheimnisse. Es müßte bald nach Tisch sein.«

»Leider hat niemand aus meiner Kanzlei Zeit«, sagte Zinnowitz kühl und schwach verwundert. »Wir haben ein paar große Sachen laufen, meine Leute müssen schon seit Wochen Überstunden machen. Aber warten Sie einmal - Flämmchen könnte man Ihnen schicken. Flämmchen ist richtig. Ich lasse mit Flämmchen telefonieren.«

»Mit wem?« fragte Preysing, unangenehm berührt von dem Diminutiv.

»Flämmchen. Flamm zwo. Die Schwester von meiner Flamm eins, die kennen Sie doch? Sie sitzt seit zwanzig Jahren in meiner Kanzlei. Flamm zwo hilft öfters auch bei uns aus, wenn wir mehr Schriftsätze haben, als die Kanzlei leisten kann. Ich habe sie auch schon auf Reisen mitgehabt, wenn Flamm eins unabkömmlich war, sie ist sehr flink und intelligent. Die Abschriften müßte ich bis fünf Uhr in Händen haben. Ich mache das dann ganz inoffiziell, gehe mit den Chemnitzer Herrn zu Abend essen. Flämmchen kann mir die Abschriften direkt in die Kanzlei bringen. Ich telefoniere gleich mal mit Flamm eins, daß sie ihre Schwester herschicken soll. Für welche Zeit haben Sie morgen das Konferenzzimmer belegt?«

Doktor Zinnowitz und Generaldirektor Preysing, zwei korrekte Herren mit zwei vielbenutzten Aktenmappen unter den Armen, verließen den Wintergarten, überquerten den Korridor und gelangten an der Portierloge vorbei in die Halle, in der viele ähnliche Herren sich mit ähnlichen Aktenmappen und ähnlichen Dialogen beschäftigten. Aber auch einige Damen tauchten schon wieder auf, frisch gebadet und morgendlich neu parfümiert, sie hatten sauber lakkierte Lippen und zogen mit einer eleganten und sorglosen Bewegung ihre Handschuhe an, bevor sie durch die Drehtür auf die Straße hinaustraten, die gelben Sonnenschein auf grauen Asphalt spülte.

Gerade als sie die Halle überquerten, um zum Telefonzimmer zu gelangen, hörte Preysing seinen Namen. Der Page Nr. 18 lief durch die Gänge und rief in regelmäßigen Abständen mit seiner hellen, leicht überschlagenden Bubenstimme: »Herr Direktor Preysing! Herr Direktor Preysing aus Fredersdorf! Herr Direktor Preysing!«

»Hier!« rief Preysing, streckte eine Hand aus und erhielt eine Depesche; er sagte: »Verzeihung«, öffnete und las die Depesche, während er neben Doktor Zinnowitz durch die Halle schritt. Seine Haarwurzeln wurden kalt, während er las, er setzte mechanisch seinen runden, steifen Hut auf.

In der Depesche stand: Verhandlungen mit Burleigh & Son endgültig gescheitert. Brösemann.

›Es hat keinen Zweck mehr. Sie brauchen das Fräulein nicht zu schicken, Herr Doktor. Es hat keinen Zweck. Manchester ist erledigt‹, dachte Preysing, während er immer weiter zum Telefonzimmer ging. Er steckte die Depesche in die Manteltasche und hielt sie dort krampfhaft zwischen

Daumen und Zeigefinger fest. ›Hat gar keinen Zweck mehr. Ich brauche keine Abschriften mehr machen lassen‹, dachte er und beabsichtigte auch, es zu sagen. Aber er sagte es nicht. Er räusperte sich, er hatte noch den Ruß der nächtlichen Bahnfahrt im Hals. »Jetzt ist das Wetter doch noch ganz hübsch geworden«, sagte er.

»Wir haben Ende März«, erwiderte Zinnowitz, der das Geschäftliche abgetan hatte und ein Privatmensch geworden war, der Seidenstrümpfen nachblinzelte. »Zelle zwei wird sofort frei«, sagte der rot und grün stöpselnde Telefonist. Preysing lehnte sich an die gepolsterte Zellentür und starrte mechanisch in das Guckloch, auf einen breiten Rükken drinnen. Zinnowitz redete etwas, das er nicht auffaßte. Eine ungeheure Wut auf Brösemann stieg ihm zu Kopf, auf dieses Rindvieh von einem Prokuristen, der solche Depeschen losließ, gerade wenn man einen steifen Rücken brauchte für eine so schwere Verhandlung. Wahrscheinlich steckte der Alte hinter der Depesche mit seiner altersschwachen Bosheit und Schadenfreude: Da hast du den Mist, nun zeige, was du kannst. Es war ihm zum Weinen, diesem Generaldirektor mit seinen übernächtigten Nerven, seinem Kopf voll Sorgen, seinem korrekten Gewissen inmitten von unklaren Dingen und trüben Verwicklungen. Er versuchte seine Gedanken einzufangen, die sich drehten und vor ihm davonliefen. Doktor Zinnowitz neben ihm sprach im Ton des abgebrühten Genießers von einer neuen Revue, ganz in Silber, alles in Silber. Die Zellentür, gegen die er sich hilfsbedürftig gelehnt hatte, drückte gegen seine Schulterblätter, wurde dann mit sanfter Gewalt aufgestoßen, und ein großer, auffallend hübscher und freundlicher Mensch in blauem Mantel zwängte sich heraus. Statt zu murren, entschuldigte sich dieser Mensch noch mit ein paar höflichen Worten. Preysing starrte ihm völlig geistesabwesend ins Gesicht, das er sonderbar nah und deutlich sah, auch er gebrauchte einige weltläufige Entschuldigungen, Zinnowitz war schon in der Telefonzelle und bestellte Flamm zwo, Flämmchen, ein tüchtiges altes Mädchen, das Briefe abschreiben sollte, die keinen, absolut keinen Zweck mehr hatten. Preysing wußte genau, daß diese Sache abgestoppt werden mußte, aber er brachte die Energie dafür nicht zusammen. »Geordnet«, sagte Doktor Zinnowitz, aus der Zelle tretend. »Um drei Uhr ist Flämmchen hier. Schreibmaschinen gibt's ja genug im Hotel. Um fünf Uhr bekomme ich die Briefe. Ich spreche noch telefonisch vor der Konferenz. Wir werden diese Attacke schon reiten. Wiedersehen, Mahlzeit.«

»Mahlzeit«, sagte Preysing zu den drehenden, spiegelnden Scheiben der Drehtür, die den Anwalt auf die Straße hinausschraubte. Draußen war Sonne. Draußen verkaufte ein kleiner, armer Mann Veilchen. Draußen kümmerte sich keiner um Fusionen und Vertragsschwierigkeiten. Preysing holte seine rechte Hand aus der Manteltasche und nahm ihr mit der linken das Telegramm weg, das sie krampfhaft festgehalten hatte, so lange, bis Doktor Zinnowitz in einem Autotaxi verschwunden war. Er ging zu einem Tisch in die Halle, strich sorgfältig das Papier glatt, legte es sauber zusammen und steckte es in die innere Brusttasche seines gepflegten dunkelgrauen Anzuges.

Fünf Minuten nach drei Uhr knarrte das Telefon Herrn Preysing aus seinem dünnen Nachmittagsschlaf. Er fuhr von der Chaiselongue hoch, Stiefel, Kragen und Rock hatte er abgelegt und fand sich nun mit jenem verwahrlosten und übelschmeckenden Gefühl wieder, das solchen gestohlenen Schlafminuten in Hotels zu folgen pflegt. Die gelben Schutzvorhänge waren zugezogen, das Zimmer voll trockener Zentralheizungsluft, auf der rechten Wange hatte Preysing das Muster seines Reisekissens abgedrückt, das Telefon jammerte ungeduldig. Eine Dame für Herrn Direktor warte in der Halle, meldete der Portier. »Schicken Sie die Dame herauf«, sagte Preysing und begann hastig, sich zu restaurieren. Unerwartete Schwierigkeiten wurden in höflichster Form telefonisch gemacht. Das Hotel hatte Grundsätze und Vorschriften. Der Empfangschef Rohna selbst teilte sie unter Entschuldigungen und mit dem bedauernden Lächeln des Weltmannes Herrn Preysing mit. Es war nicht gestattet, Damenbesuch auf dem Zimmer zu empfangen, es konnte leider keine Ausnahme gemacht werden. »Aber Herrgott, das ist kein Damenbesuch. Das Fräulein ist meine Sekretärin, ich muß mit ihr arbeiten, das sehen Sie doch selber ein«, sagte Preysing ungeduldig. Das telefonische Lächeln des Empfangschefs verstärkte sich. Man bat den Herrn Direktor, sich doch gütigst mit der Dame in das Diktatzimmer zu bemühen, das eigens für solche Zwecke den Herren zur Verfügung stand. Preysing hängte ab, er knallte den Hörer auf die Gabel. Er kam sich auf eine abscheuliche Art aus seiner Ordnung gebracht vor. Er wusch sich die Hände, gurgelte mit Mundwasser, kämpfte mit Kragenknopf und Krawatte und schob in die Halle hinunter.

In der Halle saß Flämmchen, Fräulein Flamm zwo, die Schwester von Fräulein Flamm eins. Unähnlichere Schwestern konnte es auf der ganzen Welt nicht geben. Preysing erinnerte sich an Flamm eins ungefähr als einer vertrauenswürdigen Person mit mißfarbenem Haar, einem Schreibärmel am rechten, einer Schutzmanschette aus Papier am linken Arm und mit saurer Miene unerwünschte Besucher im Vorzimmer von Doktor Zinnowitz zurückhaltend. Flamm zwo hingegen, Flämmchen, hatte nicht das geringste von dieser Gediegenheit. Sie saß in einen Klubstuhl hingelehnt, als wenn sie hier zu Hause wäre, sie wippte mit Schuhen aus blitzblauem Leder, sie sah aus, als ob sie sich köstlich amüsieren wollte, und war im ganzen höchstens zwanzig Jahre alt.

»Doktor Zinnowitz schickt mich wegen der Abschriften. Ich bin das Flämmchen, das er Ihnen versprochen hat, soll ich sagen«, äußerte sie ohne Feierlichkeiten. Mitten auf dem Mund hatte sie einen Kreis roter Schminke sitzen, ganz achtlos und nebenbei hingetupft, nur weil es modern war. Als sie aufstand, zeigte es sich, daß sie größer war als der Generaldirektor, hochbeinig, mit einem fest zugezogenen Ledergürtel um die auffallend schmale Mitte und prachtvoll gewachsen von oben bis unten. Preysing wurde wütend auf Zinnowitz, der ihn in blödsinnige Situationen brachte. Er verstand nun die Bedenken des Empfangschefs. Parfümiert war sie auch. Er hatte Lust, sie heimzuschicken. »Ich glaube, wir müssen uns beeilen«, sagte sie mit einer tiefen, etwas heiseren Stimme, wie kleine Mädchen sie so oft haben. Pepsin, die älteste Tochter des Generaldirektors, hatte als kleines Kind eine ähnliche Stimme gehabt.

»Sie sind also die Schwester von Fräulein Flamm? Ich kenne Fräulein Flamm«, sagte er, es klang mehr grob als erstaunt. Flamm zwo schob die Unterlippe ein wenig vor und blies die Locke weg, die unter ihrer kleinen Filzmütze in die Stirn hing. Das bißchen goldfarbene Gekräusel hob sich hoch und fiel langsam wieder über die Stirn zurück. Preysing, der das nicht sehen wollte, sah es doch. »Stief«, sagte das Flämmchen. »Stiefschwester. Ich bin aus der zweiten Ehe meines Vaters. Aber wir stehen ganz gut miteinander.«

»Aha«, sagte Preysing; er schaute sie aus trüben Augen an. Nun sollte sie also Briefe abschreiben, die erledigt waren, völlig sinnlos, völlig unwesenhaft. Seit Monaten hatte er an dem Zusammengehen mit Burleigh & Son gebaut und kombiniert; er konnte sich nicht so schnell umstellen. Er war einfach nicht imstande, diese Sache in sich durchzustreichen und auszulöschen. Endgültig gescheitert. Brösemann. Endgültig. Ein Brief an Brösemann war auch zu diktieren, ein gesalzener. An den Alten wegen der Vierzigtausend auch. Wenn Chemnitz morgen aussprang, waren die Vierzigtausend für die Stützung des Kurses zum Fenster hinausgeschmissen. »Los. Gehen wir also ins Schreibzimmer«, sagte Preysing, höchst verfinstert, er ging ihr voraus in den Korridor. Flämmchen lachte belustigt hinter seinem kleinen Nackenwulst her.

Schon von weitem hörte man die Schreibmaschinen wie feines Maschinengewehrfeuer, das Glöckchen klingelte in regelmäßigen Abständen. Als Preysing die Tür öffnete, stürzte sich Zigarrenrauch heraus wie eine blaue Riesenschlange. »Feine Akustik«, sagte Flämmchen und zog ihre runden Nasenlöcher hoch. Drinnen lief ein Herr auf und ab, Hände im Rücken verschränkt, Hut im Nacken, und diktierte in zerkautem Amerikanisch. Es war der Manager einer Filmgesellschaft, er hängte einen kurzen Kennerblick an Flämmchens Erscheinung und diktierte weiter. »Nee«, sagte Preysing und haute die Tür wieder zu; »mache ich nicht. Ich will das Zimmer allein haben. Diese ewigen Schikanen hier im Hotel!«

Diesmal trabte er hinter Flämmchen her den Korridor zurück. Er war jetzt wütend, und mitten in dieser Wut stieg ihm das Wiegen von Flämmchens Hüften mit einem sanften Prickeln ins Blut. Auch in der Halle wurde Flämmchen angestarrt. Sie war ein Prachtexemplar von Weibsperson, darüber schien kein Zweifel möglich. Preysing war es reichlich unangenehm, mit einem so auffallenden Wesen quer durch die Halle zu ziehen, er ließ sie einfach stehen und verhandelte mit Rohna wegen eines ungestörten Aufenthaltes im Schreibmaschinenzimmer. Flämmchen, völlig unberührt von den Blicken ringsherum (mein Gott, wie war sie das gewöhnt), puderte sich ohne viel Aufmerksamkeit die Nase, holte, mitten in der Halle stehend, mit einer burschikosen Bewegung ein kleines Zigarettenetui aus ihrer Manteltasche und begann zu rauchen. Preysing näherte sich ihr wie einem Gebüsch von Brennesseln.

»Wir müssen zehn Minuten warten«, sagte er. »Bon«, sagte Flämmchen. »Aber nachher müssen wir fix machen.

Um fünf soll ich bei Zinnowitz sein.« - »Sind Sie denn so pünktlich?« fragte Preysing unfreundlich. »Na und ob«, erwiderte Flämmchen und lachte verschmitzt, wobei ihre Nase ganz kurz wurde, wie bei einem Baby, und ihre hellbraunen Augen ganz in die Winkel rollten. »Na, dann setzen Sie sich mal solange hin«, sagte Preysing. »Und lassen Sie sich was geben. Kellner, geben Sie dem Fräulein was«, sagte er taktlos und verzog sich. »Pfirsich Melba«, bestellte Flämmchen und nickte zufrieden mit dem Kopf. Sie blies auch wieder ihre Locke fort, ohne Erfolg. Sie war so edel gebaut wie ein Rassepferd und so tolpatschig unbefangen wie ein junger Hund.

Baron Gaigern, der sich seit einiger Zeit in der Halle umhertrieb, schaute ihr aus der Entfernung mit blankem Entzücken zu. Nach einer Weile näherte er sich ihr, grüßte und sagte halblaut: »Darf ich mich zu Ihnen setzen, gnädige Frau? Aber Sie erkennen mich gar nicht mehr? Wir haben doch in Baden-Baden zusammen getanzt?«

»Nö. Ich war noch nie in Baden-Baden«, sagte Flämmchen und besah sehr genau den jungen Menschen.

»Ach! Gnädige Frau! Verzeihen Sie! Jetzt sehe ich - ich muß mich geirrt haben. Eine Verwechslung!« rief der Baron scheinheilig. Flämmchen lachte dazu. »Mir dürfen Sie mit diesem alten Schwindel nicht kommen«, sagte sie trocken. Gaigern lachte auch. »Also ohne Schwindel. Darf ich hier sitzenbleiben? Ja? Sie haben ganz recht. Sie sind mit gar niemandem zu verwechseln. So wie Sie schaut man nur einmal aus, gnädige Frau. Wohnen Sie hier? Kommen Sie zum Fünfuhrtee tanzen? Bitte, bitte, ich möchte mit Ihnen tanzen. Wollen Sie?«

Er legte seine Hände auf die Tischplatte. Flämmchens Hände lagen schon dort. Es war ein wenig Luft zwischen den Fingern von ihm und ihr, und dieses bißchen Luft begann sogleich zu vibrieren. Sie schauten einander an, gefielen sich gut und verstanden einander, die beiden hübschen jungen Menschen. »Herrgott, Sie haben ein Tempo«, sagte Flämmchen entzückt.

Und ebenso entzückt antwortete Gaigern: »Sie versprechen also? Sie kommen zum Fünfuhrtee?«

»Da kann ich nicht. Ich habe zu tun. Aber abends bin ich frei.«

»Oh. Oh. Abends kann i c h nicht. Aber morgen? Oder übermorgen um fünf Uhr? Hier? Im gelben Pavillon? Bestimmt?« Flämmchen leckte ihren Eislöffel ab und schwieg spitzbübisch. Was war auch viel zu sagen? Man machte Bekanntschaften, wie man eine Zigarette anzündete. Man tat ein paar Züge, gerade so viele wie schmeckten, dann trat man den kleinen Funken aus.

»Wie heißen Sie denn?« fragte Gaigern schon. »Flämmchen«, sagte Flämmchen bereitwillig. Gleich darauf trat Preysing mit Besitzermiene an den Tisch. Gaigern erhob sich, grüßte und trat mit einer höflichen Bewegung hinter seinen Stuhl. »Es kann losgehen«, sagte Preysing verärgert. Flämmchen streckte Gaigern eine Handschuhhand hin, Preysing sah mißvergnügt zu. Er erkannte den jungen Mann aus der Telefonzelle wieder, und wiederum sah er dieses Gesicht so überaus deutlich, so mit allen Poren und kleinsten Linien hingezeichnet. »Wer ist denn das?« fragte er, schräg neben Flämmchen hintrudelnd. »Ach - ein Bekannter«, antwortete sie.

»So. Sie haben wohl viele Bekannte?«

»Es geht. Man muß sich ein bißchen rar machen. Ich habe ja auch nicht immer Zeit.«

Aus dunklen Gründen befriedigte diese Antwort den Generaldirektor. »Haben Sie eine feste Stellung?« fragte er. »Momentan nicht. Momentan suche ich was. Na, es kommt schon wieder was. Es ist noch immer was gekommen«, sagte Flämmchen philosophisch. »Am liebsten möchte ich ja zum Film. Aber da kommt man schwer an. Wenn ich erst mal ankäme, dann würde ich mir schon weiterhelfen. Aber man kommt verflucht schwer an.« Sie sah sorgenvoll und komisch Herrn Preysing ins Gesicht. Jetzt glich sie einer ganz jungen Katze. Alle Tierzierlichkeit schien sich in ihrem Gesicht zu treffen und abzuwechseln. Preysing, weit von solchen Erkenntnissen entfernt, öffnete das Maschinenschreibzimmer und fragte dabei: »Warum denn gerade Film. Alle habt ihr den Filmrappel.« In das Alle war seine Tochter Babe eingeschlossen, die Fünfzehnjährige, die vom Film schwärmte.

»Ach, nur so. Ich mache mir da keine Illusionen. Aber ich fotografiere mich gut, das sagen alle«, sagte Flämmchen und nahm den Mantel ab. »Stenogramm oder gleich in die Maschine?«

»Maschine, bitte -«, sagte Preysing. Er war jetzt etwas frischer und besser gelaunt. Er hatte die Tatsache, daß Manchester in die Brüche gegangen war, aus seinem Hirn verdrängt, und als er die ersten, so hoffnungsreichen Briefe dieser Korrespondenz aus der Aktentasche nahm, überkam ihn ein geradezu angenehmes Gefühl. Flämmchen hielt noch bei ihren eigenen Angelegenheiten. »Fotografiert werde ich ja oft, für Zeitungen und so, und Reklamebilder für Seife sind von mir gemacht worden. Wieso das kommt? Mein Gott - das sagt ein Fotograf dem andern. Ich habe einen sehr guten Akt, wissen Sie. Aber es wird miserabel bezahlt. Zehn Mark für die Aufnahme. Da stellen Sie sich mal hin. Nee - am liebsten wäre es mir, wenn mich jetzt im Frühjahr wieder jemand als Sekretärin auf Reisen mitnehmen würde. Voriges Jahr war ich mit einem Herrn in Florenz, er hat für ein Buch gearbeitet, ein Professor. Reizender Mensch war das. Ach was - es wird dieses Jahr wieder etwas kommen«, sagte sie und rückte die Maschine zurecht. Es war augenscheinlich, daß sie Sorgen hatte, aber daß diese Sorgen nicht schwerer wogen als das Stirnlöckchen, das von Zeit zu Zeit hochgeblasen wurde. Preysing, der die sachliche Bemerkung über den guten Akt nicht in seiner Begriffswelt unterbringen konnte, wollte etwas Geschäftliches sagen. Statt dessen sagte er - und starrte dabei Flämmchens Hände an, die Papier einspannten: »Was Sie für braune Hände haben? Wo nehmen Sie denn die viele Sonne her?«

Flämmchen betrachtete ihre Hände, streifte auch ihren Ärmel ein wenig hoch und sah ihre braune Haut ernsthaft an. »Das kommt noch vom Schnee. Ich war Skifahren in Vorarlberg. Ein Bekannter hatte mich mitgenommen. Fein. Sie hätten mich sehen sollen, wie ich zurückgekommen bin. Also, kann's losgehen?«

Preysing wanderte durch den Zigarrendunst des Zimmers bis in die entfernteste Ecke und begann zu diktieren:

»Datum, haben Sie das Datum, Fräulein? Geehrter Herr Brösemann. Bröse - haben Sie? Bezugnehmend auf Ihr Telegramm von heute morgen muß ich Ihnen mitteilen -«

Flämmchen schrieb mit der rechten Hand weiter und nahm mit der linken ihr Mützchen ab, das sie zu stören schien. Das Zimmer ging nach einem dunklen Luftschacht, die grünen Bürolampen brannten. Mitten in das Geschäftliche hinein mußte Preysing an eine alte Kommode denken, eine alte Kommode aus Birkenholz, die in Fredersdorf in der Diele stand.

Erst nachts fiel ihm das wieder ein, als er von Flämmchen geträumt hatte und aufwachte. Ihr Haar besaß die Farbe und den geflammten Glanz und die Maserung aus hell und schattig wie altes Birkenholz. Er sieht dieses Haar deutlich vor sich, wie er nachts in seinem Bett liegt, die trockene Luft des Hotelzimmers atmet und die Lichter der Laufreklamen an den zugezogenen Vorhängen vorüberhuschen. Die Aktentasche auf dem Tisch im finstern Zimmer geht ihm auf die Nerven. Er steht nochmals auf und schließt sie in den Koffer ein, er spült den Mund nochmals mit Odol und wäscht nochmals die Hände. Das Appartement ärgert ihn, es ist teuer und unbequem, es besteht aus einem winzigen Zimmer mit Sofa, Tisch und Stühlen, einem engen Schlafzimmer und dem Bad daneben. Der Wasserhahn leckt ein wenig, tröpfelt, tröpfelt, tröpfelt Preysing in Schlaf. Er reißt sich nochmals hoch und stellt seinen Reisewecker ein. Er hat vergessen, den Rasierapparat zu kaufen, und muß zeitig zum Friseur. Er schläft ein, und abermals träumt er von dem Schreibmädchen und dem birkenen Haar. Er wacht wieder auf, sieht wieder die Laufreklamen an den Vorhängen vorbeiziehen, und die kreisende Nacht in dem fremden Bett scheint ihm unappetitlich und konfus. Er hat eine Höllenangst vor der Sitzung mit Schweimann und Gerstenkorn, seine Brust klopft dumpf. Seit er die englischen Briefe aus der Hand gegeben hat, ist ihm wunderlich undurchsichtig zumute, und er kann ein unsauberes Gefühl in den Handflächen nicht loswerden. Ganz zuletzt und schon wieder halb schlafend hört er noch, wie jemand draußen leise pfeifend über den Teppich geht, er hört den Herrn von Nr. 69, der ein Paar sorglose Lackpumps vor seine Tür stellt, als wenn das Leben ein Vergnügen wäre.

Auch Kringelein in Nr. 70 hörte es und erwachte davon. Er hatte von der Grusinskaja geträumt. Sie war bei ihm im Gehaltsbüro erschienen und hatte unbezahlte Rechnungen vorgelegt. Er tastet sich zurecht, dieser Buchhalter Otto Kringelein aus Fredersdorf, der Mann mit der Torschlußpanik, der Mann, der das Leben noch an einem Zipfel erwischen will, bevor er stirbt. Er hat einen unermeßlichen Hunger, aber er kann sehr wenig vertragen. Manchmal übernimmt in diesen Tagen sein schwacher Körper das Kommando, treibt ihn in sein Zimmer zurück, mitten aus dem Rummel heraus. Kringelein beginnt seine Krankheit zu hassen, obwohl er ohne sie niemals aus Fredersdorf herausgefunden hätte. Er hat sich eine Medizin gekauft. Hundts Lebensbalsam, davon trinkt er von Zeit zu Zeit hoffnungsvoll einen Schluck, er drückt den bitteren Zimtgeschmack hinunter, er fühlt sich auch besser danach.

Er steckt seine kalten Finger vor sich hin in die Dunkelheit und kalkuliert. Es ist unangenehm, daß seine Finger immer schon zu sterben anfangen wollen, während er schläft. Im Zimmer schleichen mit gebückten Gesichtern Zahlen herum, bis er Licht macht und ganz wach wird. Leider kann der reiche Herr Kringelein eine Lebensgewohnheit des armen Herr Kringelein absolut nicht loswerden: er muß rechnen. In seinem Kopf treiben immerfort Zahlen ihr Unwesen, sie stellen sich in Kolonnen untereinander und addieren und subtrahieren sich ohne sein Zutun. Kringelein besitzt ein kleines Büchlein, in Wachstuch gebunden, noch aus Fredersdorf, davor sitzt er stundenlang. Er trägt seine Ausgaben ein, die irrsinnigen Ausgaben eines Mannes, der das Leben genießen lernt, ein Monatsgehalt verbraucht in zwei Tagen. Manchmal ist ihm so schwindlig, daß er alle Wände mit der Tulpentapete auf sich herabfallen sieht. Manchmal ist er glücklich, nicht ganz glücklich, nicht so, wie er dachte, daß reiche Leute glücklich sind, aber immerhin: glücklich. Manchmal auch sitzt er auf seinem Bettrand und denkt, daß er bald sterben muß. Er denkt sehr fest daran, erschreckt, mit kalten Ohren und schielend vor Herzensangst. Trotzdem kann er sich nichts darunter vorstellen. Er hofft, daß es nicht viel anders sein wird als die Narkose. Nur daß nach der Narkose das Aufwachen kommt und die Übelkeit und die schneidenden Schmerzen - blaue Schmerzen, hat Kringelein sie insgeheim getauft - und daß diese ganze Schinderei, die er schon kennt, diesmal vorher auszuhalten sein wird, nicht nachher. Wenn er so weit gedacht hat, beginnt er zu zittern, ja, das kommt vor, daß Kringelein vor dem Tode zittert, obwohl er sich ihn nicht vorstellen kann.

Es ist viel Schlaflosigkeit hinter verschlossenen Doppeltüren im schlafenden Hotel. Doktor Otternschlag zwar legt um diese Stunde eine kleine Spritze auf den Waschtisch, wirft sich ins Bett und entschwebt in wolkenleichte Morphiumregionen. Aber Kapellmeister Witte, der im linken

Flügel wohnt, in Nr. 221, er kann nicht schlafen, alte Leute schlafen so wenig. Sein Zimmer ist das Gegenstück zu dem von Doktor Otternschlag, auch in seiner Wand kollert das Wasser, der Lift rumpelt auf und ab, es ist beinahe ein Dienerschaftszimmer, das er bewohnt. Er sitzt an seinem Fenster, legt die Stirn mit den Musikerbuckeln an die Scheiben und starrt auf die Feuermauer gegenüber. Fetzen Beethovenscher Symphonie gehen ihm durch das Hirn - er hat sie nie dirigiert. Er hört Bach - das ungeheure »Laß ihn kreuzigen« aus der Matthäuspassion. Ich habe mein Leben vertan, denkt der alte Witte, alle ungesungene Musik seines Lebens ballt sich zu einem bitteren Klumpen in seiner Kehle, den er hinunterschluckt. Um halbneune früh ist Ballettprobe, man sitzt am Klavier, man spielt immer denselben Marsch zu den Pliés der Mädchen, immer denselben Frühlingswalzer, die Mazurka, das Bacchanal. Man hätte Elisaweta verlassen müssen, als es noch Zeit war, denkt er; jetzt geht es nicht mehr. Elisaweta ist eine arme alte Frau geworden, die man nicht verlassen darf. Jetzt müssen wir bei ihr aushalten, die kurze Zeit, die es noch dauert...

Und auch Elisaweta Alexandrowna Grusinskaja kann nicht schlafen, sie spürt die Zeit fortrinnen, mitten bei Nacht, eilig, immerfort: zwei Uhren ticken im finstern Zimmer, eine aus Bronze auf dem Schreibtisch und die kleine Armbanduhr auf dem Nachttischchen. Beide zeigen die gleichen Sekunden an, und trotzdem tickt eine rascher als die andere, es macht Herzklopfen, wenn man hinhört. Die Grusinskaja dreht das Licht an, steht auf, schlüpft in ihre ausgetretenen Pantoffel und geht zum Spiegel. Auch im Spiegel ist die Zeit, im Spiegel zuallererst. In den Kritiken ist sie, in den abscheulichen Unhöflichkeiten der Presse, im Erfolg der häßlichen verrenkten Tänzerinnen, die jetzt in Mode sind, im Defizit der Tournee, im schwachen Applaus, in den ordinären Redensarten des Managers Meyerheim - überall, überall ist die Zeit. In den ermüdeten

Fußgelenken sind die vertanzten Jahre, auch in der Atemnot bei den zweiunddreißig klassischen Touren und auch im Blut, das oft mit dem heißen, stoßweisen Aufwallen des Klimakteriums den Hals hinauf in die Wangen schießt. Es ist heiß im Zimmer, obwohl die Balkontür offensteht, draußen schreien Autohupen die ganze Nacht durch. Die Grusinskaja nimmt ihre Perlen aus dem kleinen suit-case, zwei Hände voll kühler Perlen, und legt ihr Gesicht hinein. Nichts, die Lider bleiben heiß und schmerzen von Schminke und Rampenlicht, die Gedanken bohren, die beiden Uhren rennen wie Pferde. Unter dem Kinn trägt die Grusinskaja eine Kautschukbinde, die Hände und Lippen sind dick eingefettet. Sie sieht sich so häßlich am Spiegel vorbeigehen, daß sie schnell das Licht auslöscht. Im Finstern schluckt sie ein Veronal, sie fällt in das zornige Weinen einer trostlosen und leidenschaftlichen Frau, dann in Wolken, endlich in Schlaf.

Nebenan kommt jemand heim im Lift, es könnte der junge Mensch aus Nizza sein. Die Grusinskaja nimmt ihn mit in ihren dichten Veronaltraum; den Herrn von Nr. 69 - den schönsten Menschen, den sie je gesehen hat . . .

Wenn er heimkommt, pfeift er leise, nicht unangenehm, nur vergnügt. In seinem Zimmer wird er rücksichtsvoll, zieht seinen Pyjama an und hübsche Slippers aus blauem Leder und schleicht nur mehr lautlos, wie ein Zwischending zwischen Wildkatze und schönem Jungen. Wenn er durch die Halle geht, ist es so, als würde in einer kalten Stube ein Fenster voll Sonne geöffnet. Er tanzt wunderbar, kühl und leidenschaftlich. Er hat immer ein paar Blumen in seinem Zimmer stehen, er liebt Blumen, er riecht daran; wenn er allein ist, streichelt er die Blumen, er leckt sogar an ihren feinen Blättern - wie ein Tier. Auf der Straße tänzelt er wie ein Boxer hinter Damen her, manche sieht er nur an und freut sich, manche spricht er an, manche begleitet er heim oder er nimmt sie mit sich in ein Hotel minderen Ranges. Wenn er dann morgens mit scheinheiligem Katergesicht zurückkehrt in die vornehme und sittlich ziemlich einwandfreie Halle des Grand Hôtel und seinen Schlüssel vom Portier verlangt, muß der Portier lachen. Zuweilen ist er auf eine liebenswürdige und übermütige Weise, die niemand übelnehmen kann, betrunken. Morgens ist es in dem Zimmer unter dem seinen etwas unangenehm, denn dann trainiert er, man hört seinen Körper mit einem sachten Plumps taktmäßig auf den Fußboden fallen. Er trägt kleine flotte Schmetterlingskrawatten und weit ausgeschnittene Westen. Seine Anzüge liegen so weit und bequem auf seinen Muskeln wie die Haut bei rassereinen Hunden. Manchmal rast er mit seinem kleinen Viersitzer davon, und man sieht ihn zwei Tage nicht. Stundenlang liegt er in Autoniederlagen herum, sieht Wagen an, steckt den Kopf zu dem Motor unter die Haube, atmet Benzin, Öl, warmgelaufenes Metall, klopft auf die Bereifung, streichelt den Lack, das Leder der Karosserie, blau, rot, beige - wenn man ihn allein ließe, würde er vielleicht auch dies alles ablecken. Er kauft Straßenhändlern Schnürriemen ab, unbrauchbare Feuerzeuge, kleine Hühner aus Kautschuk und zehn Schachteln Streichhölzer. Plötzlich kriegt er Sehnsucht nach Pferden, steht um sechs Uhr früh auf, fährt mit dem Autobus zum Tattersall, schnuppert glückselig die Luft voll Sägespänen, Sattelzeug, Pferdemist und Schweiß, schließt Freundschaft mit einem Gaul, reitet in den Tiergarten, frißt sich satt an dem grauen Frühnebel über den Märzbäumen und kehrt besänftigt ins Hotel zurück. Man hat ihn schon im Wirtschaftshof hinter der Servicetreppe getroffen, wie er dort stand neben einem Gully voll Spülicht und Abfällen und die fünf Stockwerke hinaufstarrte, bis dahin, wo die Antenne unter dem ungefärbten Himmel hängt. Vielleicht wären ihm Absichten auf das einzige hübsche, unmoralische und auch schon gekündigte Stubenmädchen des Hotels zu-

zutrauen. Er macht sehr viel Bekanntschaften im Hotel, hilft mit Briefmarken aus, gibt Ratschläge für Fernflüge, nimmt alte Damen in seinem Auto mit, macht den Vierten beim Bridge und kennt sich in den Weinbeständen des Hotels aus. Am rechten Zeigefinger trägt er einen Siegelring aus Lapislazuli mit dem Gaigernschen Wappen, einem Falken über Wellen. Abends, wenn er sich ins Bett legt, redet er mit seinem Kissen, und zwar auf bayrisch. »Grüß Gott«, sagt er etwa, »guten Abend, ja, du bist gut, du bist mein liebes Bett, brav bist du.« Er schläft ganz schnell ein, und niemals stört er Nachbarn durch unziemliches Schnarchen, Gurgeln und Stiefelwerfen. Sein Chauffeur erzählt im Kuriersaal unten, daß der Baron ein ganz anständiger Mensch sei, aber ziemlich einfältig. Aber auch ein Baron Gaigern wohnt hinter Doppeltüren, auch er hat seine Geheimnisse und Hintergründigkeiten - - -

»Sonst gibt's nichts Neues?« sagt er zu seinem Chauffeur. Er sitzt nackt mitten auf dem Teppich in seinem Zimmer und massiert seine Schenkel. Er hat einen prächtigen Körper mit dem etwas zu vorgewölbten Brustkasten des Boxers, er ist hellbraun auf der Haut der Schultern und der Beine, und nur zwischen Oberschenkeln und Rumpf liegt eine helle Zone, so weit eben eine kleine Sporthose im Sommer den Körper bedeckt hat. »Wenn du sonst nichts Neues weißt!«

»Danke. Es genügt«, antwortet der Chauffeur. Der Chauffeur liegt auf der Chaiselongue mit dem unechten Kelim, die Zigarette klebt an seiner Unterlippe fest, und er raucht. »Glaubst du, die warten in Amsterdam ewig auf die Sache? Fünftausend hat Schalhorn schon herausgebuxt, glaubst du, das geht ewig so weiter? Emmy hockt da seit einem Monat in Springe und wartet, daß man abliefert. In Paris war's Dreck. In Nizza war's Dreck. Wenn du's heute nicht schaffst, ist es wieder Dreck. Wenn Schalhorn mit den Fünftausend hängenbleibt, haut er uns auf den Kopf.«

»Ist Schalhorn Chef?« fragt der Baron still und schüttet sich Kölnisch Wasser in die Handmuscheln.

»Losgehen muß ein Chef können, das sage ich«, murrt der Chauffeur.

»Losgehen, wenn's Zeit ist, jawohl. Wie du arbeitest und wie Schalhorn arbeitet, das paßt mir nicht. Drum passiert euch immer was. Bei mir ist noch nichts passiert; und Schalhorn ist noch immer auf seine Rechnung gekommen. Wenn Emmy in Springe nervös wird, dann kann ich sie nicht brauchen, das habe ich ihr das letztemal gesagt. Wenn sie nicht einmal stillsitzen kann in ihrem Kunstgewerbeladen und Möhl ruhig die antiken Fassungen kopieren läßt -«

»Wir pfeifen auf die antiken Fassungen. Erst schaff die Perlen her, dann kannst du antike Fassungen machen lassen. Das sind alles nur Ideen von dir. Erst hat das gut ausgesehen, die Perlen sind Fünfmalhunderttausend wert, schön, wenn man zwei Monate Spesen abrechnet, bleibt noch was. Vielleicht kann man sie wirklich in antiken Fassungen besser aus der Hand kriegen, gut, zugegeben. Jetzt sitzt Möhl in Springe und macht egal die Schmuckstücke von deiner Großmutter nach, Emmy wird meschugge, Schalhorn wird meschugge. Verlaß dich nur nicht auf das Frauenzimmer, das sag' ich dir; die kann dir eine Suppe einbrocken, wenn sie die Geduld verliert. Also, was wird's? Wann hört der Baron auf, sich zu amüsieren, und arbeitet wieder mal ein bißchen?«

»Du hungerst wohl schon, was? Die Zweiundzwanzigtausend aus Nizza hast du schon vergessen und riskierst große Schnauze«, sagte der Baron, noch ziemlich liebenswürdig; er hatte jetzt schwarzseidene Socken an, mit weißseidenen Sockenhaltern, und seine munteren Lackpumps, mit denen er tanzen zu gehen pflegte. Sonst war er noch nackt.

Etwas an dieser legeren und achtlosen Nacktheit reizte den Chauffeur, vielleicht der lockere Fall der Schultern oder die geschmeidige Art, wie sich die Rippen aus der Haut hoben und mit Luft vollspannten. Er spuckte seinen Zigarettenrest mitten ins Zimmer und stand auf.

»Daß du es weißt«, sagte er, über den Tisch gebeugt, »wir haben die Nase voll von dir. Du gehörst überhaupt nicht zu uns. Du kannst keinen Ernst machen, verstehste. Du hast es nicht in dir, und aus dir wird nischt, verstehste. Ob du spielen gehst oder Pferde wettest oder ob du einer alten Tunte mal Zweiundzwanzigtausend in Liebe und Güte abnimmst oder ob du Perlen um Fünfmalhunderttausend holen sollst - das ist dir schnurzegal. Das ist alles ein und dasselbe, glaubst du. Da ist aber noch ein Unterschied, und wenn einer nicht zur richtigen Zeit Ernst machen kann, dann soll er nicht Chef spielen. Und wenn du nicht von selber losgehst, dann wird man dir's beibringen, verstehste?«

»Kusch«, sagte Gaigern freundlich und legte mit einem stillen kleinen Jiujitsu-Griff die Chauffeurfaust beiseite. »Zum Losgehen brauche ich dich nicht. Sorg du nur für unser Alibi heute abend. Zwölf Uhr achtundzwanzig kannst du dann mit den Perlen nach Springe fahren, morgen acht Uhr sechzehn bist du zurück. Um neun lasse ich bei dir anklingeln, da mußt du in deiner Klappe sein, dann laden wir irgend jemanden ein und fahren spazieren. Wenn du bei dem Spektakel, der morgen im Hotel losgehen wird, eine Miene verziehst, lasse ich dich verhaften. Ob sonst was Neues los ist, hab' ich dich vorhin gefragt?«

Der Chauffeur nahm seine Faust mit den roten Striemen um das Handgelenk in die Tasche zurück. Es sah aus, als wollte er nicht antworten - aber er antwortete doch. »Sie fährt jetzt immer schon um halb sieben ins Theater, weil sie nervös ist«, murrte er, notdürftig gebändigt. »Nach der Vorstellung ist ein Abschiedssouper beim französischen Botschafter. Wird nicht länger dauern als bis zwei. Morgen um elf fährt sie ab, zwei Tage nach Prag, dann nach Wien. Bin nur neugierig, wann du ihr da heute noch zwischen Vorstellung und Souper die Perlen abnehmen willst, wenn alles in Güte gehen soll. So was Günstiges wie dieses Winkelloch von einem unbeleuchteten Theaterhof gibt's auf der Welt nicht mehr«, setzte er hinzu und versuchte noch ein wenig aufzumucken, aber er sah den Baron nicht an, der sich indessen in einen Smokingherrn verwandelte.

»Sie trägt die Perlen gar nicht mehr. Sie läßt sie einfach im Hotel«, sagte Gaigern und band seine schwarze Krawatte. »Sie hat es eigens einem dummen Jungen von Interviewer erzählt, du kannst es in der Zeitung lesen.«

»Was? Sie läßt sie einfach - sie hat sie auch nicht unten in den Hotelsafe zur Aufbewahrung gegeben? Was? Man kann einfach in ihr Zimmer gehen und sie holen?«

»Ungefähr«, sagte Baron Gaigern. »Jetzt möchte ich Ruhe haben«, sagte er höflich zu dem dummen und staunenden Mund seines Gefährten. Er sah den schwärzlichroten Schlund und zwei Zahnlücken. Er empfand eine brennende und plötzliche Wut auf die Sorte von Menschen, denen er sich attachiert hatte. Seine Nackenmuskeln zogen sich gewalttätig zusammen. »Ab«, sagte er nur noch. »Um acht das Auto vor dem Hauptportal.« Der Chauffeur schaute geduckt in Gaigerns Gesicht und marschierte davon mit den vielen ungesagten Dingen, die ihm im Hals steckengeblieben waren. »Der Herr auf Nr. 70 ist harmlos«, flüsterte er als letzte Meldung noch, er hob sogar mit einer Lakaienbewegung den blauen Pyjama vom Boden auf. »Ein reicher Sonderling, er hat eine große Erbschaft gemacht und schmeißt jetzt das Geld hinaus.« Der Baron hörte nicht mehr hin. Der Chauffeur spuckte, zwischen den beiden Türen stehend, abergläubisch dreimal hinter sich, dann zog er lautlos die Klinke zu.

Kurz vor acht Uhr abends sieht man den Baron in der Halle auftauchen, munter und sehr in Schwung, angetan mit Smoking und blauem Trenchcoat, und nicht einmal der Hoteldetektiv Pilzheim ahnt, daß dieser liebenswürdige

Apollo emsig dabei ist, sich ein Alibi zu verschaffen. Doktor Otternschlag, der mit dem erschöpften Kringelein in der Halle Kaffee trinkt, bevor sie gemeinsam in die Theatervorstellung der Grusinskaja gehen, hebt einen seiner steifen Finger und zeigt geradezu auf den Baron. »Sehen Sie, Kringelein: So müßte man sein«, sagt er voll Spott und Neid.

Der Baron steckt dem Pagen Nr. 18 eine Mark in die Hand: sagt: »Grüßen Sie das Fräulein Braut von mir!« und tritt an die Portierloge. Portier Senf schaut ihm mit beflissener, aber übernächtigter Miene entgegen. Es ist nun der dritte Abend, an dem Portier Senf private Sorgen wegen der Frau in der Klinik zu verbergen hat.

»Haben Sie mir die Theaterkarte besorgt? Fünfzehn Mark? Fein«, sagt er zum Portier. »Wenn nach mir gefragt werden sollte: ich bin also im Deutschen Theater, nachher im Klub des Westens. Ich gehe in den Klub des Westens«, sagte er und geht zwei Schritte weiter, zum Grafen Rohna. »Denken Sie, wen ich dort traf: Rützow, den langen Rützow! Der war doch mit Ihnen und meinem Bruder bei den vierundsiebziger Ulanen? Er ist jetzt in der Autobranche. Ihr seid alle so tüchtige Menschen; nur ich bin zu nichts nutz, eine Lilie auf dem Felde, wie? Ist mein Chauffeur draußen, Portier?« Mit ihm weht warme Luft aus der Drehtür, die Halle lächelt ihm wohlwollend nach. Er steigt in seinen kleinen Viersitzer und fährt hinter seinem Alibi her. Um halb elf Uhr ruft er sogar aus dem Klub des Westens das Hotel an. »Hier Baron Gaigern. Hat jemand nach mir gefragt? Ich bin hier im Klub des Westens, komme nicht vor zwei nach Hause, eher später. Mein Chauffeur kann schlafen gehen.«

Zur gleichen Zeit, da diese Stimme aus dem Telefon ein kavaliermäßiges und sorgloses Alibi herstellte, klebte Gaigern selbst an der Vorderfront des Grand Hôtel zwischen zwei nachgeahmten Sandsteinen. Seine Situation war nicht gerade gemütlich, aber sie machte ihm Freude, sie füllte ihn ganz voll mit der heißen Freude des Jägers, Kämpfers und Bergsteigers. Er hatte legererweise seinen dunkelblauen Pyjama anbehalten für die Unternehmung, an den Füßen trug er leichte Boxerschuhe mit Chromledersohlen, und über die Schuhe waren für alle Fälle noch Wollsocken gezogen, ein Paar Wollsocken vom Schneesport des Winters her, ein kleiner Schutz gegen unerwünschte Zurücklassung von Fußspuren. Gaigern hatte den Weg zum Zimmer der Grusinskaja aus seinem eigenen Fenster gestartet, er mußte nicht ganz sieben Meter zurücklegen und befand sich schon in der Mitte seiner Strecke. Die falschen Sandsteine des Grand Hôtel waren den roh behauenen Grundquadern vom Palazzo Pitti nachgeahmt, es sah pompös aus, und wenn es nicht abbröckelte, war alles gut. Gaigern bettete seine Zehen mit Vorsicht in die Vertiefungen des Bewurfs. An den Händen trug er Handschuhe, die ihm unterwegs überaus hinderlich wurden. Ausziehen konnte er sie auch nicht, während er da wie ein Käfer an der Außenwand der zweiten Etage hinkroch. »Verdammt«, sagte er, als Mörtel und Bewurf unter seinen Händen abbrach und ein Stockwerk tiefer auf einem zinnbelegten Fenstervorbau aufklatschte. Er spürte seine Kehle trocken werden und regulierte seinen Atem wie ein Läufer auf der Aschenbahn. Er bekam wieder Halt, balancierte einen lebensgefährlichen Augenblick auf einer Zehenspitze und landete dann das zweite Bein um einen halben Meter weiter vorwärts. Er pfiff leise. Er war jetzt sehr aufgeregt, deshalb pfiff er und tat kaltblütig wie ein kleiner Junge. An die Perlen, um die es ging, dachte er in diesen Minuten mit keinem Gedanken. Die Perlen hätte man schließlich auch auf andere Weise bekommen können. Ein Schlag auf Suzettens Kopf mit dem abgegrasten Hütchen, wenn sie abends mit dem suit-case aus dem Theater kam. Ein Überfall nachts bei der Grusinskaja; schließlich - vier Schritte über den Korridor, ein Nachschlüssel und eine harmlose Miene, wenn man im falschen Zimmer erwischt wurde. Aber dies lag ihm nicht, dies lag ihm ganz und gar nicht. »Jeder muß nach seiner Natur handeln«, hatte Gaigern seinen Leuten zu erklären versucht, diesem kleinen Trupp gescheiterter Menschen, die er seit zweieinhalb Jahren am Rand der Meuterei hinbalancierte. »Ich fange nicht Wild in Fallen; ich fahre nicht auf Berge mit der Drahtseilbahn. Was ich mir nicht mit meinen Fäusten holen kann, das habe ich nicht, das spüre ich nicht.«

Es ist begreiflich, daß solche Reden eine Welt des Unverständnisses zwischen ihm und seinen Leuten auftaten. Das Wort Mut war ihnen nicht geläufig, obgleich sie alle eine genügende Portion davon besaßen. Emmy in Springe mit ihrem festen nußbraunen Kopf hatte es einmal zu erklären versucht. »Er macht sich einen Sport daraus«, sagte sie, sie war mit Gaigern sehr vertraut, und wahrscheinlich hatte sie recht. Jetzt jedenfalls, zehn Minuten vor halb elf Uhr, an der Fassade des Grand Hôtel hinkletternd, glich er durchaus einem Sportsmann, einem Touristen in einem schweren Kamin, einem Expeditionsleiter auf Vorstoß in gefährliche Gegend.

Die gefährliche Gegend war die erkerartige Ausbuchtung, hinter der das Badezimmer der Grusinskaja lag. Hier hatte die Fantasie des Architekten auf glatter Fläche bestanden, auch keinen Fenstersims gab es hier, das Badezimmer versteckte sich nach innen, es ging in eben jenen Hof, in dem der Baron einmal zu den Antennen hinaufstarrend beobachtet worden war. Jenseits dieser glatten zweieinhalb Meter aber begannen schon die dünnen Eisenstäbe, die den Balkon von Nr. 68 eingitterten. Leise keuchend, dazwischen pfeifend, dazwischen fluchend, verweilte Gaigern auf dem letzten Vorsprung, der ihm vor diesem glatten Wegstück Halt gab. Seine Schenkelmuskeln bebten, und in den Fußgelenken hatte er das warme, pulsierende Vibrieren der Überanstrengung. Im übrigen war er zufrieden mit seiner

Lage, und die hundertmal überdachten Umstände stimmten.

Gegen die Straße, die wimmelnde Ameisenstraße der Großstadt unten, nämlich war Gaigern völlig gedeckt durch die großen Scheinwerfer, die das Hotel erst kürzlich an seiner Front angepflanzt hatte. Wer hinaufsah, wurde von weißen Lichtbündeln geblendet. Ganz unmöglich war es, einen kleinen dunkelblauen Mann zu sehen, der im Rükken dieser aggressiven Lichtbündel im schwarzen Schatten seinen Weg nahm. Gaigern hatte den Trick einem Zauberkünstler im Varieté abgesehen; der hatte auch solches Geblinker in das Publikum werfen lassen, während er vor seinem dunklen Samthintergrund seinen Hokuspokus trieb. Damen in der Mitte zersägte und Skelette über die Bühne schweben ließ. Hinter dem zweiten Scheinwerfer ausruhend, schaute Gaigern auf die Straße hinunter; er hatte einen merkwürdig schrägen Blickpunkt gewonnen, und das Stückchen Welt unten sah verdreht und flachgedrückt zu ihm herauf. Die Mauer, die hinunter und hinunter ging, schnitt ihm ein gefährliches, ein feindseliges und übelwollendes Gesicht. Er beugte den Kopf vor - justament -, sah hinunter und vermied Atem und Wimpernschlag. Von Schwindel keine Spur: nur im Puls unter den Handschuhen das süßliche, aufregende Ziehen, das Bergsteiger kennen. Der runde Turm in Ried, im Gaigernschen Schlößchen, war höher gewesen. Wenn man in Feldkirch nachts durchbrannte, mußte man am Blitzableiter entlangrutschen. Die »drei Zinnen« in den Dolomiten waren auch kein reiner Spaß. Die zweieinhalb Meter bis zum Balkon waren nicht einfach, aber es gab Schlimmeres. Gaigern schaute nicht mehr hinunter, er schaute ein bißchen über sich hinauf. Gegenüber spielte am Dach eine Laufreklame, aus einem Sektglas sprangen elektrische Glühlampen als Schaum. Himmel war keiner da, die Stadt hört dicht über den Dächern, Drähten und Antennen auf. Gaigern bewegte die

Finger im Handschuh, sie klebten, wahrscheinlich blutete er. Er versuchte seinen Atem, es ging wieder. Er sammelte seine Kraft, spannte sich und schnellte mit einem Hechtsprung ins Leere. Die Luft zischte an seinen Ohren vorbei, und dann hing er schon an den Balkonstäben, die ihre Kanten hart in seine Finger schnitten. Er ließ sich eine Sekunde mit trommelndem Herzen so hängen, dann zog er sich mit einer guten Zugstemme auf, kam über das Gitter und ließ los. Ja, jetzt lag er auf dem Balkon, vor der offenen Tür vom Zimmer der Grusinskaja.

»Na also«, sagte er zufrieden und blieb zunächst liegen, wo er lag, auf dem Steinboden des kleinen Balkons, er holte mit weit offenem Mund Luft, hörte weit oben ein Flugzeug propellern und sah dann auch hoch über seinen aufgeschlagenen Augen das runde Schimmerlicht der Kabine still in den rötlichen Großstadtwolken ziehen. Die Straße unten warf großen, dicken Lärm herauf - Gaigern war ein paar Augenblicke auf einer Insel der Müdigkeit und des halben Bewußtseins -, unten stritten Autohupen um die Vorfahrt, denn im kleinen Saal gab die Liga der Menschenfreunde ein Fest, und viele Abendmäntel krabbelten wie Goldkäfer aus Wagentüren, drei Stufen herauf und in Portal zwei hinein. Herrgott, was gäbe ich jetzt für eine Zigarette, dachte Gaigern mit ausgepumpten Nerven, aber daran war hier nicht zu denken. Liegend streifte er den rechten Handschuh ab und begann den Schnitt am Zeigefinger auszusaugen, er konnte keine blutenden Pfoten zu seiner Arbeit brauchen. Er schluckte ärgerlich den dünnen metallenen Geschmack, sein nasser Rücken spürte die freundliche Kühle des Steinbodens. Zwischen den Balkonstäben durch maß er die Strecke ab und erwog die schwierige Heimkehr. Er hatte ein Seil mit. Man mußte sich nachher beim Balkon anseilen und mit einem Pendelschlag hinüberspringen. »Gratuliere!« sagte er zu sich selbst im verbindlichen Offizierston seiner früheren Existenz. Er zog sich die Handschuhe wieder an, wie vor einem feierlichen Besuch, richtete sich auf und trat von dem Balkon in das Zimmer der Grusinskaja. Die Tür bewegte sich nicht, nur der Vorhang bauschte sich schwach, auch die Parkettdielen blieben stumm und wohlwollend. Im dunklen Zimmer tickten zwei Uhren, eine fast doppelt so schnell als die andere. Es roch auffallend nach Begräbnis und Krematorium. Von der Lichtreklame gegenüber kam ein dreieckiger gelblicher Schein über den Fußboden bis an die Bordüre des Teppichs. Gaigern nahm seine Taschenlampe heraus, eine billige zylinderförmige kleine Taschenlampe, wie Köchinnen mit leichtsinnigem Lebenswandel sie zu besitzen pflegen, und leuchtete vorsichtig in den Raum. Er hatte Plan und Möblierung im Kopf, dank seiner kurzen Dialoge auf der Türschwelle mit Suzette. Er hatte sich in Bereitschaft gesetzt, jede Heimtücke dieses Zimmers zu parieren, die Perlen in jedem Versteck ausfindig zu machen, Koffer zu sprengen, Schränke aufzubrechen und Geheimschlösser zu enträtseln. Aber als er dem schmalen Lichtoval seiner Lampe folgte und sich selbst dreimal aus dem Ankleidespiegel entgegenkommen sah, wurde er auf beinahe komische Weise überrascht.

Auf dem Tischchen des Ankleidespiegels nämlich lag friedlich und unbehütet das suit-case, und der kleine Lichtstrahl spiegelte sich unschuldig in seinem Leder. ›Nur ruhig!‹ dachte Gaigern, es war ein Kommando, denn er spürte das Jagdfieber hitzig in seinem Kopf rumoren. Er steckte zunächst die blutende rechte Hand in seine Tasche wie einen Gegenstand; sie hatte dort drinnen liegenzubleiben, sie mußte verhindert werden, Unfug zu machen und Spuren zu hinterlassen. Die Lampe nahm er in den Mund. Mit der linken, behandschuhten Hand faßte er vorsichtig das suitcase an. Ja, es lag da, er konnte die Finger an das mattglänzende Leder legen. Er hob die kleine Tasche auf, sie war nicht leer. Er legte sein Lämpchen hin, ließ es verlöschen und stand einen Augenblick nachdenklich. Es roch hier auf eine atembeklemmende Weise nach Begräbnis, nach totem Großvater und feierlicher Trauerpredigt. Gaigern begann ins Finstere hinein zu lachen, als er begriff. Lorbeeren! dachte er in Suzettens Ton. ›Madame bekommt viele Lorbeeren, Monsieur. Der französische Gesandte hat uns einen großen Korb voll Lorbeeren geschickt.‹ Er kniete vor dem Ankleideschrank nieder - jetzt knarrten die Dielen böse und lebendig - und griff im Dunkeln mit der linken Hand nach dem Köfferchen. ›Nein, nein‹, dachte er und ließ es wieder los. An solchen Dingen klebte Pech. Brieftaschen, Koffer, Portemonnaies, das waren unheilvolle Dinge, sie hatten eine Neigung, sich nicht verbrennen zu lassen, aus Flüssen, in die man sie warf, wieder aufzutauchen, von Kanalräumern in Abwässern gefunden zu werden und zuletzt als Beweisstücke auf ungemütlichen Gerichtsverhandlungstischen zu liegen. Auch war ein suit-case von etwa vier Pfund Gewicht nicht angenehm zwischen den Zähnen heimzutragen, wenn man zweieinhalb Meter eisglatter Fassade vor sich hatte. Gaigern zog seine Hand zurück und dachte nach. Er schaltete sein Lämpchen ein und starrte die beiden Schlösser des Köfferchens versunken an. Gott weiß, mit welchem Geheimapparat die Grusinskaja ihren Schatz da verschlossen hielt. Gaigern holte versuchsweise ein bißchen Werkzeug hervor und schob an der runden Messingscheibe des Schlosses.

Das Schloß sprang auf.

Der Koffer war überhaupt unverschlossen.

Gaigern erschrak bei dem kleinen schnappenden Geräusch, so unerwartet kam es ihm; er sah überaus dumm aus in diesem Moment. »Na, das ist gut«, sagte er zwei- oder dreimal vor sich hin; »na, das ist gut.« Er hob den Deckel auf, ließ die Etuis aufspringen: Ja, da waren die Perlen der Grusinskaja.

Es waren im Grunde nicht sehr viele, nur ein kleines Häufchen von Blinkerkram, wenn man recht hinsah, es stand in keinem Verhältnis zu den Legenden, die um dieses Liebesgeschenk eines ermordeten Großfürsten für den Hals einer Tänzerin in die Welt gesprengt worden waren. Ein altmodisch anmutendes Sautoir, eine Kette mittelgroßer, aber völlig gleichmäßiger Perlen, drei Ringe, zwei Ohrringe mit unglaubwürdig runden und großen Perlen, sie lagen faul in ihren kleinen Samtbetten, und die Taschenlampe holte verschlafene Funken aus ihnen. Unter vielen Vorsichtsmaßnahmen holte Gaigern sie mit seiner behandschuhten Hand aus den Etuis und steckte sie in die Tasche. Es kam ihm so lächerlich vor, diese Perlen hier offen und unbehütet herumliegend zu finden, daß er etwas wie Enttäuschung oder Ernüchterung verspürte, die Müdigkeit einer ungeheuren Anspannung, die überflüssig gewesen war. Einen Augenblick überlegte er sogar, ob er nicht einfach versuchen sollte, aus dem Zimmer über den Gang in das seine zurückzukehren. Vielleicht haben die Weiber die Zimmertür auch offen gelassen, dachte er mit dem gleichen ungläubigen Lächeln, das seit dem Anblick der Perlen ununterbrochen seine Oberzähne auf törichte und kindliche Weise entblößte.

Jedoch die Tür war verschlossen. Auf dem Korridor hörte man in unregelmäßigen Abständen den Lift hochfahren und - klick - seine Gitter zufallen, denn das Zimmer Nr. 68 lag schräg gegenüber. Gaigern setzte sich für ein paar Minuten im Finstern in einen Fauteuil und pumpte sich Kraft ein für den Rückweg. Er hatte jetzt einen irrsinnigen Hunger nach Zigaretten, die er hier nicht rauchen durfte, um durch ihren Geruch keine Spur zu hinterlassen. Er war von der Vorsicht eines Wilden, der sein Tabu hütet. Er dachte an viele Dinge zugleich, am deutlichsten an den Gewehrschrank seines Vaters. Oben im Schrank standen immer die großen Blechbüchsen mit dem herzegowinischen Tabak, und in jede Büchse legte der alte Baron Gaigern jeden dritten Tag eine kleine Scheibe Mohrrübe. Gaigern kehrte in diesen süßscharfen Geruch heim, rannte die abgeschliffenen Treppen in Ried hinab und vergaß sich für eine unabmeßbare Zeitspanne in einem Unterstand, wo er als siebzehnjähriger Freiwilliger eingebuddelt lag und rauchte. Er holte sich ohne Sanftheit zurück an sein Unternehmen. »Hoppla, Flix«, sagte er sich. »Schlafe nicht. Geh los.« Er belegte sich zuweilen mit Spitznamen, redete sich gut zu, wurde zärtlich mit sich, lobte und beschimpfte seine Gliedmaßen. »Du Schwein«, sagte er vorwurfsvoll zu seinem zerschnittenen Finger, der klebte und blutete, »du Schwein, kannst du nicht Ruhe geben?« Und seine Schenkel klopfte er wie Pferde und lobte sie: »Brav seid ihr, brave Tiere, gute Tiere. Hoppla, Flix!«

Er verließ die Lorbeerdüfte von Nr. 68, steckte die Nase auf den Balkon, witternd, bekam sie voll jenes unerklärlichen Berliner Märzgeruches, Benzin und Tiergartenfeuchte, und während er sich an den leise gebauschten Vorhängen hinausschob, merkte er schon, daß etwas nicht so war, wie es sein sollte. Erst nach ein paar Sekunden kam ihm zu Bewußtsein, daß auf seinem Gesicht und seiner Gestalt jetzt eine Helligkeit lag, die vorher nicht dagewesen war; er sah die seidenen Reflexe auf den Ärmeln seines Pyjamas und tauchte unwillkürlich rasch wieder zurück in das Zimmerdunkel, wie ein Tier vom Rand einer Lichtung witternd wieder in Waldschwärze zurückgleitet. Da stand er nun atmend und gespannt. Mit außerordentlicher Schärfe hörte er die beiden Uhren ticken und dann weit, weit in der großen Stadt und sehr verirrt eine Stunde vom Kirchtum schlagen, elfmal. Die Häusermauer jenseits der Straße wurde bald hell, bald dunkel, sie zwinkerte und machte Kunststücke. »Verdammte Sauerei!« murrte Gaigern und ging auf den Balkon, diesmal ungeduldig und herrisch, als sei er in Nr. 68 zu Hause.

Die Scheinwerfer waren ausgegangen. Die neue Anlage muckte wieder einmal, auch im kleinen Festsaal saß die

Liga der Menschenfreunde im Finstern, und im Keller drehten eifrige Monteure an den Schaltanlagen und fanden nichts. Auf der Straße unten standen ein paar Leute und starrten erfreut die Hotelfront an, vor der die vier Scheinwerfer abwechselnd an- und ausgingen. Ein Schutzmann hatte sich eingefunden. Autos regten sich auf, weil der Fahrdamm nicht frei war. Die Lichtreklame gegenüber spielte, schrie Sektmarken in die Nacht und tat ihr möglichstes, um die Hotelfront zu beleuchten und sichtbar zu machen. Schließlich krochen zwei blaue Blusenmänner aus einem Fenster des Zwischenstocks, setzten sich auf das Glasdach, das vor Portal eins hinausgebaut war, und begannen die mißglückte Leitung zu untersuchen. Der Heimweg über die sieben Meter lebendig gewordener Hotelfront war verbarrikadiert. ›Gratuliere!‹ dachte Gaigern wieder und lachte zornig. ›Jetzt sitze ich drin. Jetzt kann ich die Tür aufbrechen, wenn ich hier 'raus will.‹

Er holte sein Werkzeug und die Lampe hervor, kratzte auch mit der gegebenen Vorsicht im Schlüsselloch von Nr. 68 herum, aber ohne Erfolg. Ein Schlafrock, der neben der Tür hing, wurde lebendig, fiel herunter, mit einer warmseidenen Berührung auf sein Gesicht, und erschreckte ihn maßlos. Er spürte hinterher seine Schlagadern am Hals arbeiten wie Maschinen. Auch der Korridor draußen war aufgewacht. Es trampte mit Schritten, hustete, der Lift klikkerte, auf - ab, auf - ab, ein Stubenmädchen rief etwas, rannte vorbei, ein anderes rief zurück. Gaigern ließ von dem widerspenstigen Türschloß ab und schlich wieder auf den Balkon. Drei Meter unter ihm ritten die beiden Monteure auf dem Glasdach herum, trugen Drähte im Mund und wurden von der Straße her bewundert. Gaigern unternahm eine seiner großen Frechheiten. Er lehnte sich über das Geländer und rief: »Was ist'n los mit dem Licht?«

»Kurzschluß«, sagte ein Monteur. »Wie lange kann's dauern?« fragte Gaigern. Achselzucken unten. ›Idioten‹, dachte

Gaigern grimmig. Die aufgeblasene und wichtigtuerische Art dieser beiden Patzer auf dem Glasdach verdroß ihn tief. In zehn Minuten geben sie es ja doch auf, dachte er, schaute noch ein wenig hinunter und zog sich dann ins Zimmer zurück. Plötzlich überfiel ihn das Bewußtsein einer Gefahr, aber das dauerte nur eine Sekunde und glättete sich wieder. Er blieb mitten im Zimmer stehen auf seinen Strumpffüßen, die keine erkennbaren Spuren hinterließen.

›Nur einschlafen darf ich nicht‹, dachte er. Zur Aufmunterung griff er in die Taschen nach den Perlen, sie waren warm geworden von seinem Körper, er zog die Handschuhe aus, weil er Lust bekam, das Glatte, Kostbare zu spüren. Seine Finger freuten sich. Zugleich dachte er, daß der Chauffeur nun nicht mehr den Zug nach Springe erreichen konnte und daß man alles anders einteilen mußte. Alles ging anders als der Plan. Die Perlen waren unverschlossen, statt Schwierigkeiten zu machen, und dafür war das bißchen Kletterei nun vermasselt. Mitten in seine Spekulationen kam ein unerwarteter Gedanke, über den er lächeln mußte. ›Was ist das bloß für eine Frau?‹ dachte er. ›Was ist das für eine Sorte von Frau, die ihre Perlen hier einfach herumstehen läßt?‹ Er schüttelte verwundert den Kopf und lachte tiefer. Er kannte viele Frauen, es war Angenehmes an ihnen, aber wenig Wunderbares. Daß eine wegging und alles, was sie besaß, neben die offene Balkontür stellte, zur freundlichen Bedienung, das fand er wunderbar. Sie muß schlampig wie ein Zigeuner sein, dachte er. Oder sie muß ein großes Herz haben, antwortete er sich. Er wurde nun schläfrig trotz allem. Er ging im Dunkeln zur Tür hin, hob den Schlafrock auf, der vorhin zu Boden gefallen war, und roch neugierig daran. Ein unbekanntes, zartbitteres und fast unmerkliches Parfüm stieg daraus, aber es paßte nicht zu der Tarlatanfrau, bei deren Tanzabenden sich Gaigern nun schon unzähligemal gelangweilt hatte. Übrigens wünschte er dieser Grusinskaja alles Gute, sie war ihm nicht unsympathisch. Er hängte den Schlafrock achtlos hin, hinterließ zehn leichtsinnige Fingerabdrücke auf seiner Seide und schlenderte mit der Miene des Müßiggängers wieder auf den Balkon. Unten flatterten die beiden Fledermäuse noch um ihren Kurzschluß. ›Gute Unterhaltung!‹ wünschte sich Gaigern, und dann blieb er bis auf weiteres zwischen Stoffportiere und Spitzenstore steif aufgerichtet und wachsam stehen wie ein Soldat im Schilderhaus.

Kringelein äugte hinter seinem Kneifer auf die Bühne. Da oben geschahen viele verwirrende Dinge, und alles ging viel zu schnell. Er hätte gern eines von den Mädchen genauer gesehen, eine kleine Braune in der zweiten Reihe, die immer lachte, aber dazu war keine Gelegenheit. Es gab keinen Stillstand im Ballett der Grusinskaja, alles flitterte und hüpfte immerfort durcheinander. Zuweilen traten die Mädchen zu beiden Seiten der Bühne in Reihen, legten die Hände aus den Gelenken herabgebogen an ihre Rockränder und ließen Raum frei für die Grusinskaja selber.

Dann kam sie hervorgekreiselt, wachsweiß an Gesicht und Armen, auf einer Zehenspitze, die so starr und sicher auf den Bühnenbrettern stand, als sei sie dort mit einer Schraube festgedreht. Zuletzt hatte sie kein Gesicht mehr, sie wurde nur mehr ein weißer Kreisel mit silbernen Streifen, und Kringelein fühlte sich ein wenig seekrank, noch bevor der Tanz aus war. »Fabelhaft«, sagte er verwundert. »Großartig. Diese Geläufigkeit in den Beinen. Prima ist das. Da muß man ja staunen.« Und er staunte dankbar, obwohl er sich nicht zum besten befand.

»Gefällt Ihnen das wirklich?« fragte Doktor Otternschlag verdrossen, er saß in der Loge und wendete die zerschossene Gesichtshälfte der Bühne zu, das sah grausam aus in dem Theaterlichtschein, der aus gelben Scheinwerfern von der Bühne her bis zu ihm kam. Schwere Frage für Kringelein: Wirklich. Ihm war im Grunde nichts mehr wirklich, seit dem Augenblick, da er seinen Einzug in Nr. 70 gehalten hatte. Alles schmeckte nach Traum und Fieber. Alles ging viel zu schnell, ließ sich nicht halten und sättigte nicht. Otternschlag hatte ihn auf seine inständigen Bitten um Belehrung und Gemeinsamkeit vom Morgen an die übliche Fremdentour geschleppt, Rundfahrt durch Berlin, Museum, Potsdam, zuletzt noch zum Funkturm hinauf, wo der Wind dreistimmig blies und Berlin unter einem Tuch aus Rußnebel lag, in das Lichter gestickt waren. Kringelein hätte sich nicht gewundert, wenn er aufgewacht wäre und sich nach einer schweren Narkose im Krankenhausbett wiedergefunden hätte. Er hatte kalte Füße; er hatte verkrampfte Hände und zusammengebissene Kiefer. Sein Kopf war eine heiße Kugel, in die man viel zu viel Dinge hineinwarf, die darin zu zischen und zu schmelzen begannen.

»Sind Se nun zufrieden? Sind Se nun glücklich? Sind Se nun einverstanden mit dem Leben?« fragte Otternschlag von Zeit zu Zeit. Und Kringelein antwortete stramm und gehorsam: »Jawohl.«

Das Theater war an diesem Abend, dem fünften Abend der Grusinskaja, schwach besucht, es war geradezu leer. Das schlecht besetzte Parkett sah zerzaust aus, wie von Motten angefressen. Im ersten Rang fror man und schämte sich zwischen den vielen unbenutzten Plätzen. Kringelein fror und schämte sich. Außer der Proszeniumsloge, die man auf Otternschlags Anraten gekauft hatte - Kringelein wollte von nun an immer auf den besten Plätzen sitzen, im Kino ganz hinten, im Theater ganz vorn und beim Ballett im ersten Rang -, außer dieser ihrer Loge, die vierzig Mark gekostet hatte, war nur noch eine einzige besetzt, und zwar durch den Impresario Meyerheim. Meyerheim hatte für diesen Abend die Claque gespart, es kam jetzt gar nicht mehr darauf an, und das Defizit war schon groß genug. Vor der großen Pause gab es ein kleines bißchen Applaus, Pimenoff ließ den Vorhang schnell hochgehen, die Grusinskaja kam und lächelte: sie lächelte in ein stummes Haus, der schwache Applaus war sofort nach seiner Geburt gestorben, die Leute gingen alle schnell fort, hinaus ans Büfett. Auch im Gesicht der Grusinskaja starb etwas, wie sie da oben stand, um sich für einen Beifall zu bedanken, der nicht mehr da war. Unter dem Schweiß und der Schminke wurde ihre Haut sehr kalt. Witte warf sein Taktstöckchen hin und raste die kleine eiserne Treppe hinauf zur Bühne. Er hatte Angst um Elisaweta. Oben stand Pimenoff wie bei einem Leichenbegängnis, die Kulissenarbeiter rammten Versatzstücke in seinen gebeugten, schlanken, alten Frackrücken - er trug jeden Abend zur Vorstellung seinen Frack, so, als könnte ihn Großfürst Sergei noch jeden Abend in die Loge befehlen. Michael, ein Leopardenfellchen aus getupftem Plüsch über der linken Schulter und mit nackten, gepuderten Schenkeln, wartete in demütiger Haltung neben dem Inspizienten. Sie alle zitterten vor einem Ausbruch der Grusinskaja, sie zitterten wahrhaftig und buchstäblich mit Knien, Händen, Schultern und Zähnen.

»Verzeihen Sie, Madame«, flüsterte Michael, »pardonnez moi. Ich bin schuld. Ich habe Sie irritiert . . .« Die Grusinskaja, die mit geistesabwesendem Blick durch den Staub und Lärm des Bühnenumbaues daherkam, ihren alten Wollmantel nachschleppend, blieb bei ihm stehen und schaute ihn mit einer Sanftmut an, die alle erschreckte. »Du? O nein, mein Lieber«, sagte sie leise, sie mußte erst ihre zersprungene Stimme sammeln und festigen, und sie hatte ihren Atem noch nicht ganz wiedergefunden nach dem schweren letzten Tanz. »Du warst gut. Du bist heute sehr gut in Form. Ich auch. Wir alle waren gut -«

Sie drehte sich plötzlich um und ging schnell davon, nahm den unbeendeten Satz mit sich fort in die Dunkelheit der Hinterbühne. Witte wagte es nicht, ihr zu folgen. Die Grusinskaja setzte sich auf eine Treppenstufe aus vergoldetem Holz, die da rückwärts zwischen Bühnengerümpel lag, und dort blieb sie während des ganzen Umbaues sitzen.

Zuerst legte sie die Hände um das fleischfarbene Seidentrikot auf ihrer rechten Wade, sie band auch mechanisch die Kreuzbänder des Ballettschuhes neu, und dann streichelte sie ein paar Minuten lang dieses müde, seidene, leicht beschmutzte Bein wie ein fremdes Tier - gedankenlos und etwas mitleidig. Später nahm sie ihre Hände von dort fort und legte sie um ihren nackten Hals. Die Perlen fehlten ihr sehr. Sie hatte sie sonst manchmal zur Beruhigung durch die Finger laufen lassen, wie einen Rosenkranz. Was noch? Was wollt ihr noch? dachte sie tief in sich. Besser tanzen als heute kann ich nicht. Ich habe niemals so gut getanzt wie jetzt. Nicht, wie ich jung war, nicht damals in Petersburg, nicht in Paris, nicht in Amerika. Damals war ich dumm und nicht sehr fleißig. Jetzt - oh, jetzt arbeite ich. Jetzt weiß ich. Jetzt kann ich tanzen. Was wollt ihr von mir? Noch mehr? Mehr habe ich nicht. Muß ich die Perlen verschenken? Hingeben? Meinetwegen. Ach, laßt mich, ihr alle. Ich bin müde.

»Michael«, flüsterte sie, als ein Schatten jenseits des herabgelassenen Hintergrundprospektes vorbeischlich, den sie erkannte. »Madame?« frage Michael voll Vorsicht und Scheu. Er hatte sich schon umgezogen, er trug nun ein braunes Samtwämschen und Pfeil und Bogen in der Hand, denn er mußte nach der Pause mit seinem Tanz des Bogenschützen beginnen. »Wollen Sie sich nicht fertigmachen, Gru?« fragte er und gab sich große Mühe, kein Mitleid in seiner Stimme durchkommen zu lassen, als er die Grusinskaja so klein und zerknittert zwischen dem Gerümpel kauern sah. Die Inspizientenklingeln trillerten an acht Stellen zugleich. »Michael, ich bin müde«, sagte die Grusinskaja. »Ich möchte nach Hause gehen. Die Lucille soll meine Nummern tanzen. Es wird sich kein Mensch darum kümmern. Es ist keine Affäre für die Leute, ob ich das tanze oder eine andere -.« Michael erschrak so sehr, daß alle seine Muskeln sich strammten. Die Grusinskaja auf ihrer Treppenstufe da unten hatte seine Knie nah vor ihren Augen, und sie sah, wie sich der schöne Springmuskel am Schenkel vorwölbte. Die unwillkürliche Bewegung in diesem Körper, den sie so genau kannte, tröstete sie ein wenig. Michael, blaß unter der Schminke, sagte: »Nonsens!« Er war unhöflich vor Schrecken. Die Grusinskaja begann sanft zu lächeln, sie streckte einen Finger aus und tupfte auf Michaels Bein. »Wie oft soll ich dir sagen, daß du mit Trikots tanzen sollst«, sagte sie voll einer wunderlichen Freundlichkeit. »Du wirst nie ganz warm, nie ganz geschmeidig werden ohne Trikot. Glaube mir das nur, du - Revolutionär.« Sie ließ ihre Hand ein paar Sekunden auf seiner warmen, gepuderten, zwanzigjährigen Haut liegen, unter der die Muskeln spielten. Nein, es kam keine Kraft aus der Berührung zu ihr. Die Klingeln schrien zum drittenmal; auf der Bühne, jenseits des Prospektes mit seinem gemalten Tempelchen, schurrten schon die Ballettschuhe der Mädchen über den Boden. Im Garderobengang rannte die angstvolle Suzette auf und ab wie ein verirrtes Huhn, weil Madame dasaß, anstatt sich umzukleiden. Witte, der schon unten an seinem Pult stand, nahm das Taktstöckchen in die Zitterhand und wartete mit starrem Blick auf das verspätete rote Lichtzeichen für den Anfang des nächsten Tanzes.

»Woran denken Sie?« fragte Doktor Otternschlag oben in der Loge. Kringelein hatte gerade ein bißchen an Fredersdorf gedacht, an den Sonnenfleck, der an Sommernachmittagen auf der schäbiggrünen Seitenwand des dunklen Gehaltsbüros zu flimmern pflegte - aber er kam sogleich und bereitwillig nach Berlin zurück, in das Theater des Westens, in den Vergoldungsrummel der Gründerjahre, in die rotsamtne Loge zu vierzig Mark.

»Heimweh?« fragte Otternschlag.

»Davon kann keine Rede sein«, erwiderte Kringelein weltläufig und voll Herzenskälte. Unten nahm Witte sein Stöckchen hoch, und die Musik begann. »Sauorchester«, sagte Otternschlag, dem die Rolle des freundlichen Mentors an diesem tristen Ballettabend nachgerade zum Halse herauswuchs. Aber diesmal ließ sich Kringelein nicht stören. Ihm war die Musik gerade recht. Er setzte sich in die Musik hinein wie in das warme Hotelbad. Im Magen hatte er ein Gefühl von Schwere und Kühle, wie eine Metallkugel lag es in seinem Leib. Das war nun ein schlimmes Symptom, hatte der Arzt gefunden. Es tat nicht einmal weh; es blieb immer an jener unangenehmen Grenze, da man einen Schmerz erwartet, der nicht eintritt. Das war nun alles. An so einem bißchen starb man nun. Die Musik kam daher und tröstete ein wenig mit ihren Pianissimoflöten über Bratschentremoli. Kringelein nahm sich hoch und schwamm auf der Musik davon, mitten in eine kleine Mondlandschaft hinein, wo an gemalten Meeresküsten ein gemaltes Tempelchen stand.

Unten nahm das Programm seinen Fortgang. Michael als Bogenschütze erschien mit mehlweißen Waden und braunem Samtwämschen, er spannte seinen Knabenkörper, schoß im Hechtsprung über die Bühne, federte hoch, er riß sich in die Luft hinauf wie an gespannten Seilen. Man entnahm seinen allegorischen Bewegungen, daß er einen Vogel schießen wollte, eine Taube, die zu dem Tempelchen gehörte. Er schüttete ein Feuerwerk von Sprüngen und Wirbeln über die Bühne und flog zuletzt seinen Pfeil nach in die rechte Kulisse.

Applaus. Pizzicato im Orchester. Die Grusinskaja erscheint auf der Bühne. Sie hat nun doch noch in atemloser Eile das Kostüm der verwundeten Taube angezogen, ein großer, rubinroter Blutstropfen baumelt an ihrem weißen Seidenleibchen. Sie ist sterbensmüde, aber ganz, ganz leicht, sie fließt mit winzigen, zuckenden Flügelschlägen ihrer Arme in ihren rührenden Tod hinein. Sie rafft sich dreimal hoch, aber sie kann nicht mehr fliegen. Zuletzt knickt ihr zarter, langer Hals nach vorne, sie legt den Kopf auf das

Knie und ist tot, eine arme, tote, erschossene Taube mit einer großen Herzwunde, auf die der Beleuchter mit blauer Scheibe einen Lichteffekt wirft.

Vorhang. Applaus. Ziemlich starker Applaus sogar, wenn man bedenkt, wie leer das Theater ist und wie wenig Hände da sind, um Lärm zu machen. »Dakapo?« fragt die Grusinskaja, die noch mitten auf der Bühne liegt. »Nein«, flüstert Pimenoff mit einem lauten, verzweifelten, schreienden Flüstern aus der Kulisse zu ihr hin. Der Applaus ist aus. Es ist aus. Die Grusinskaja liegt noch ein paar Minuten so da, flaumleicht, im Tanz gestorben und mit dem Staub des Bühnenbodens an Händen, Armen und Schläfen. Zum erstenmal in ihrem Leben kein Dakapo nach diesem Tanz. Ich kann nicht mehr, denkt sie. Nein, ich habe genug getan, ich kann nicht mehr.

»Platz für den Umbau!« schreit der Inspizient. Die Grusinskaja möchte nicht aufstehen, sie möchte hier liegenbleiben, mitten auf der Bühne, und einschlafen, wegschlafen von allem. Zuletzt kommt Michael zu ihr, er hebt sie auf und stellt sie auf die Füße. »Spassibo - danke«, sagt sie russisch und geht steif davon zu den Damengarderoben. Michael wandert in die erste Gasse links und macht sich bereit zum Pas de deux.

Die Grusinskaja schlich zu ihrer Garderobe und stieß mit der Spitze ihres Ballettschuhes die Tür auf; drinnen fiel sie auf den Stuhl vor dem Spiegel und starrte die staubige, etwas zerschlissene Seide dieses Schuhes an. Ihre Füße waren müde, unbeschreiblich müde, schwer, satt, übersatt des Tanzens. Unter dem harten Lampenlicht im Spiegel näherte sich das alte, besorgte Gesicht der Suzette, die mit dem Kostüm für das Pas de deux raschelte.

»Laß«, flüsterte die Grusinskaja ausgetrocknet. »Mir ist schlecht. Ich kann nicht. Laß! Laßt mich alle! - Etwas zu trinken«, fügte sie noch hinzu; sie hatte Lust, der Suzette in das ratlose und verwelkte Gesicht zu schlagen, weil sie plötzlich eine undefinierbare Ähnlichkeit mit ihrem eigenen Gesicht darin fand. »Fiche moi la paix!« sagte sie herrisch. Die Suzette verschwand. Die Grusinskaja saß noch ein paar Minuten schlaff da, dann riß sie plötzlich die seidenen Schuhe von ihren Gelenken. Genug, dachte sie, genug, genug.

Im Trikot, im Kostüm der Taube, trat die Grusinskaja ihre sonderbare Flucht an. Sie hatte nur die Ballettschuhe fortgeschleudert und andere angezogen, sie hatte den alten Mantel umgeworfen, und so, die Kehle angefüllt mit Kummer, desertierte sie aus dem Theater. Suzette, die mit einem Glas Portwein aus der Kantine gelaufen kam, fand nur die leere, schweigsame Garderobe. Am Spiegel steckte ein Zettel. »Ich kann nicht mehr. Die Lucille soll für mich tanzen.« Damit stolperte die Suzette auf die Bühne; nachher war das Theater zehn Minuten lang irrsinnig, und nachher stieg der Vorhang, und das Programm lief ab wie jeden Abend: mit russischen Nationaltänzen, mit Pas de deux und Bacchanal. Pimenoff und Witte lenkten den Abend wie zwei alte Generale, deren König entflohen ist und die einen Rückzug nach einer Niederlage zu decken haben.

Aber während auf der Bühne das Ballett bacchantische Musselinschleierchen bauschte und Körbe mit vierhundert Papierrosen tanzend über die Bretter streute, während Michael faunische Sprünge vollführte und Suzette in der Theaterkanzlei ratlose Telefongespräche mit dem englischen Chauffeur Berkley führte - währenddessen stolperte die Grusinskaja, blind, verzweifelt, auf ihrer Flucht durch die Tauentzienstraße.

Berlin war hell, laut und sehr voll. Berlin schaute ihr neugierig und voll Spott in das geschminkte, aufgelöste und halb bewußtlose Gesicht. Eine grausame Stadt war Berlin. Die Grusinskaja, die über die Straße an das andere, stillere Gehsteigufer hinüberwechselte, verfluchte diese Stadt. Ein Schüttelfrost hatte sich ihrer bemächtigt, obwohl die Luft an diesem Märzabend voll lauer Feuchte war und der alte Wollmantel dunstete. Die Grusinskaja stieß kleine, schluchzende Worte hervor, die in ihrer Kehle steckenblieben und weh taten. Sie glaubte zu weinen, aber sie weinte nicht. Ihre Augen unter den blauen Bühnenlidern wurden immer heißer, immer trockener. Nie mehr. Sie stolperte dahin, wie gejagt von diesem Gedanken, von aller Grazie verlassen mit unbeherrschtem Körper, der sich bei jedem Schritt vornüber senkte. Weißes Licht aus einem Blumenladen legte sich vor ihre Füße, sie blieb stehen und schaute. Große Schalen mit Magnolienzweigen, Kakteen, gewundene Gläser, aus denen Orchideen wuchsen. Ein Trost? Nein, nicht der mindeste Trost kam aus der sanften Blumenschönheit. Die Grusinskaja hatte kalte Hände, das spürte sie erst jetzt, und sie begann, in den Taschen des alten Mantels nach Handschuhen zu suchen. Ganz sinnlos war das, denn seit acht Jahren trug sie diesen Mantel nur mehr auf der Bühne, zum Schutz gegen die Zugluft, die durch alle Theater der Welt blies. Sie hatte eine Vision von Schnürböden, von eisernen Türen unter Notlampen, vom schrägen, glatten Abfall der Bühnenbretter vor ihren Füßen. Nie mehr, dachte sie, nie mehr, nie mehr. Der unmoderne Mantel war lang, er deckte das Kostüm zu, aber er hinderte beim Gehen. Sie raffte ihn höher, als sie das Blumenfenster verließ und sinnlos in stillere Straßen einbog. Im Vorüberstreifen sah sie einen Buddha, der ruhevoll mit goldenen Bronzehänden in einer Auslage stand und ihre einstürzende Welt beschwichtigen wollte. Nie mehr tanzen, nie mehr, nie mehr. Sie rief Worte zu Hilfe, die sie trösten sollten und die als Schluchzen aus der Kehle kamen. Sergei, rief sie, Gabriel, Gaston. Die Namen ihrer wenigen Liebhaber rief sie, auch Anastasia rief sie, ihre Tochter, und zuletzt sogar Ponpon, den kleinen Enkel in Paris, den sie nie gesehen hatte. Aber sie blieb allein, und niemand tröstete sie. Plötzlich blieb sie stehen und erschrak. Aber was tue ich denn? dachte sie. Ich bin aus dem Theater fortgelaufen? Das gibt es doch nicht. Das ist doch nicht möglich. Ich will zurück. Eine Kirchenuhr schlug elfmal, ganz langsam, ganz deutlich und nahe, obwohl kein Kirchturm zu sehen war. Die Grusinskaja nahm ihre Hände aus den Manteltaschen und ließ sie vor sich hinfallen; es war etwas von dem Tod der verwundeten Taube in der Bewegung. Zu spät, sagten die Hände. Die Vorstellung mußte gleich zu Ende sein. Die Grusinskaja legte den Kopf in den Nacken zurück und schaute die Straße an, in die ihre Flucht sie geworfen hatte. Sie wußte nicht, wo sie sich befand. Ein kleines Portal war von blauen und gelben Lichtern eingerahmt, und die Buchstaben sagten: Russische Bar. Die Grusinskaja ging hinüber, stellte sich vor den Eingang, sie putzte sich die Nase wie ein Kind und überlegte. ›Russische Bar‹, dachte sie, ›wenn ich nun hineinginge? Sie würden mich erkennen. Die Kapelle mit den roten Hemden wird den Grusinskaja-Walzer spielen. Welche Sensation -‹

›Gar keine Sensation‹, dachte sie gleich darauf sterbenstraurig. ›Ich kann nicht hineingehen. Wie sehe ich aus? Vielleicht erkennt mich niemand mehr. Und wenn man mich erkennt - so wie ich jetzt aussehe: Tant pis. Tant pis.‹

Sie winkte eine kleine zerrumpelte Autodroschke heran, und mit einem Gesicht, das plötzlich kalt und starr geworden war, ließ sie sich ins Hotel fahren.

Gaigern also stand wie eine Schildwache zwischen dem Vorhang und dem Store von Nr. 68 und wartete, daß die blauen Blusenmänner unten fertig würden. Aber sie wurden nicht fertig. Sie krochen hin und her an den Fenstersimsen der ersten Etage, sie hatten Drähte gebracht und kleine Zangen, sie riefen »Ho« und »Aha« mit großem Eifer, doch die Scheinwerfer blieben finster. Dafür war die ganze Hotelfront um so heller beleuchtet aus Bogenlampen, aus den

Eingangslichtern der fünf Portale und der Laufreklame von gegenüber, die bald eine Sektmarke und bald eine Schokoladensorte ankündigte. Übrigens konnte es im ganzen kaum zwanzig Minuten gedauert haben, daß Gaigern so stand und wartete, als die Tür von Nr. 68 geöffnet wurde, das elektrische Licht anging und unter seinem überaus nüchternen und hotelmäßigen Schein die Grusinskaja sichtbar wurde.

Das war von Gaigers Standpunkt aus gesehen eine absolute Schweinerei, eine völlig versaute Angelegenheit. Der Schreck fuhr ihm als ein kaltes Messer senkrecht die Rippen hinab und in den Magen. Was hatte, zum Donnerwetter, diese Frau zwanzig Minuten nach elf im Hotel zu tun? Wo kam man hin, wenn nicht einmal mehr mit der Dauer einer Theatervorstellung sicher zu rechnen war. Pech, dachte Gaigern mit verbissenen Zähnen. Vor Pech hatte er Angst. Und dies hier mit seinen verfluchten Komplikationen ließ sich an, als ob er in einer ungemütlichen Falle voll Pech säße. Der Schein des Lüsters durchsiebte den Spitzenvorhang, hinter dem er stand, und legte den Schatten des verzwirnten Musters auf den Balkon. Gaigern befahl sich Ruhe und gute Laune. Die Perlenschnüre in seinen Taschen hatten Körperwärme angenommen. Sie liefen wie Erbsen durch seine Finger. Einen Augenblick erschien es ihm ganz verrückt, ganz sinnlos, daß diese Handvoll runder, perlmutterner Körner ein Vermögen wert sein sollte. Vier Monate Lauern, sieben Meter Lebensgefahr - und wenn diese Gefahr vorbei war, wieder eine neue, immer eine Gefahr hinter der andern. Eine Kette von Gefahren, das war sein Leben. Eine Kette von Perlen, das war das Leben dieser Grusinskaja. Gaigern schüttelte lächelnd den Kopf mitten in seiner verzwickten Lage. Gaigern war kein Denker. Er hatte oft dieses verwunderte und belustigte und beinahe törichte Lächeln dem Leben gegenüber, das eine Sache war, die er nicht ganz begriff. Im übrigen nahm er sich zusammen, er drehte hinter dem Spitzenstore vorsichtig seine Front gegen das Zimmer und wartete.

Die Grusinskaja blieb zunächst fast eine Minute lang im Zimmer stehen, mitten unter den Glasschalen des Lüsters, und ihr Gesicht sah aus, als hätte sie sich verirrt. Sie wartete, bis der Wollmantel durch seine eigene Schwere von ihren herabhängenden Armen geglitten war, und dann trat sie über ihn weg an das Tischtelefon. Es dauerte ein paar Minuten, bis sie das Theater des Westens, und wieder ein paar Minuten, bis sie Pimenoff an den Apparat bekam, aber eine ungeheure Müdigkeit hinderte sie, ungeduldig zu werden.

»Hallo, Pimenoff? Ja, ich bin es, Gru. Ja, ich bin im Hotel. Du mußt mir verzeihen. Ja, es war mir plötzlich schlecht geworden. Das Herz, verstehst du? Es ging nicht mit dem Atem. Ja, ganz ähnlich wie in Scheveningen. Nein, jetzt ist es besser. Ich habe euch große Verlegenheit bereitet, ich weiß. Wie hat die Lucille es gemacht? Wie? Mittelmäßig also. Und das Publikum? Was sagst du? Nein, ich beunruhige mich nicht, du kannst mir sagen, ob es Skandal gegeben hat. Nein? Kein Skandal? Ganz ruhig? Wenig Applaus? Ein anderes Programm, meinst du? Gut, wir sprechen noch davon. Nein, ich gehe schlafen, nein, bitte, keinen Arzt, auch nicht Witte, nein, nein, nein, ich will niemanden, auch nicht Suzette. Ich will nur Ruhe haben. Ihr fahrt, bitte, in die französische Botschaft und entschuldigt mich. Danke. Gute Nacht, Lieber! Gute Nacht, Pimenoff! Höre Pimenoff: Grüße Witte. Michael auch. Ja, grüße alle von mir. Nein, macht euch keine Sorgen um mich. Morgen ist es wieder gut. Gute Nacht!«

Sie legte den Hörer auf die Gabel. »Gute Nacht, Lieber«, sagte sie nachher noch einmal leise, ganz allein im Hotelzimmer stehend.

Das Herz also; es ist ihr schlecht geworden, dachte Gaigern, der mit Mühe und Aufmerksamkeit den flinken französischen Worten gefolgt war. Deshalb kommt sie zur dümmsten Zeit hier angetrudelt. Sieht auch miserabel aus. Nun gut. Sie wird sich schlafen legen, und dann kann ich mich hoffentlich empfehlen. Nur die Ruhe nicht verlieren. Er rückte vorsichtig an den Balkonrand vor und visierte hinunter. Die beiden blauen Idioten saßen da und ratschlagten. Sie hatten zwei hübsche Blendlaternchen aufgehängt und sahen aus, als seien sie bereit, die ganze Nacht lang Überstunden zu machen. Gaigerns Hunger nach einer Zigarette begann sich anzufühlen wie eine Krankheit. Er riß den Mund auf und gähnte sich ihn voll feuchter Benzinluft. Die Grusinskaja drinnen im Zimmer näherte sich indessen dem dreiteiligen Ankleidespiegel, auf dessen Platte das geleerte suit-case stand - Gaigerns Brustkasten dröhnte von plötzlich anspringendem Herzklopfen -, aber sie schob das Lederköfferchen beiseite, ohne hinzusehen, drehte die Birne über dem Mittelspiegel an, umfaßte mit beiden Händen den Spiegelrand und zog sich so nahe an den Spiegel heran, als wollte sie sich hineinstürzen. Die Aufmerksamkeit, mit der sie ihr Gesicht dann prüfte, hatte etwas Grabendes, Gieriges und Schauriges. Merkwürdige Tiere sind die Frauen, dachte Gaigern hinter seinem Vorhang. Ganz fremde Tiere sind sie. Was sieht sie denn im Spiegel, daß sie ein so grausames Gesicht macht?

Er selbst sah eine Frau, die schön war, unzweifelhaft schön, obwohl die Schminke auf ihren Wangen sich auflöste. Ihr Nacken vor allem, zweimal gespiegelt von den Seitenspiegeln, war unvergleichlich zart und geschwungen. Die Grusinskaja starrte in ihr Gesicht wie in das Gesicht einer Feindin. Grausam sah sie die Jahre, die Falten, das Schlaffe, das Angestrengte, das Abwelkende, die Schläfen waren nicht mehr glatt, die Mundwinkel verfielen, die Augenlider lagen unter dem Blau zerknittert wie Seidenpapier. Während die Grusinskaja sich sah, überfiel ein neuer Schüttelfrost sie, heftiger als vorher auf der Straße. Sie versuchte ihre Lippen zu bändigen, aber es gelang nicht. Sie lief durch das Zimmer, drehte hastig das kalte Licht des Lüsters ab und die Stehlampe an, aber auch dies wärmte nicht. Sie riß mit ein paar ungeduldigen Bewegungen das Kostüm herunter, warf es ins Zimmer, und mit nacktem Oberkörper, bis über die Hüften im Trikot, trat sie an die Heizung und drückte ihre Brust gegen die graugetünchten Röhren. Sie dachte wenig dabei, sie suchte nur Wärme. Genug, dachte sie, genug. Nie mehr. Aus. Genug. In allen Sprachen flüsterte sie unwiderrufliche Schlußworte zwischen ihren klappernden Zähnen hervor. Sie ging ins Badezimmer, entkleidete sich vollends, sie streckte ihre Hände unter das fließende heiße Wasser, sie ließ das Warme auf die Pulsadern fließen, bis es zu schmerzen begann. Sie nahm eine Bürste und frottierte ihre Schultern damit, aber plötzlich ließ sie voll Überdruß alles sein, kam nackt und zitternd zurück quer durch das Zimmer und nahm das Telefon. Sie mußte mit ihren Zitterlippen zweimal ansetzen, bevor sie sprach.

»Tee«, sagte sie. »Viel Tee. Viel Zucker.« Sie ging wieder zum Spiegel, nackt, und schaute sich mit finsterer Strenge an. Aber ihr Körper war von einer tadellosen und einmaligen Schönheit. Es war der Körper einer sechzehnjährigen Ballettelevin, den die zuchtvolle und harte Arbeit eines Lebens unverwandelt erhalten hatte. Plötzlich schlug der Haß, den die Grusinskaja gegen sich selbst empfand, in Zärtlichkeit um. Sie griff mit den Händen um ihre Schultern und streichelte den matten Glanz. Sie küßte die Biegung des rechten Armes. Sie legte ihre kleinen und vollendeten Brüste in die Handflächen wie in Schalen, sie streichelte die feine Senkung der Magengrube und die schlanken Schatten der Hüften. Sie beugte den Kopf bis zu den Knien hinunter, und sie küßte diese armen, schmalen und eisenstarken Knie, als wenn es kranke und geliebte Kinder wären. »Bjednajaja, malenjkaja«, murmelte sie dazu; es war ein Kosename aus früherer Zeit. Bjednajaja, malenjkaja. Du Arme, du Kleine, hieß das.

Gaigern zwischen den Vorhängen machte ein achtungsvolles und mitleidiges Gesicht, ohne es zu wissen. Was er da zu sehen bekam, setzte ihn in Verlegenheit. Er kannte viele Frauen, aber er hatte noch nie eine von so zartem und vollendetem Körper gesehen. Doch dies war eigentlich Nebensache. Was ihn mit einer sanftsüßen Beklemmung anfüllte und ihn heiß bis in die Ohren machte, das war das Schutzlose, das Zitternde, das hoffnungslos Verwirrte und Armselige dieser Grusinskaja vor ihrem Spiegel. Obwohl er ein entgleistes Subjekt war und für 500 000 Mark gestohlene Perlen in der Tasche trug, war Gaigern weit davon entfernt, ein Unmensch zu sein. Er nahm seine Hände von den Perlen fort und aus den Taschen. Er spürte in seinen Handflächen, in seinen Armen eine ziehende Lust, diese kleine, einsame Frau aufzuheben, sie wegzutragen, sie zu trösten, sie zu wärmen, damit in Gottes Namen dieser abscheuliche Schüttelfrost und ihr fast irrsinniges Flüstern aufhören könne ...

Der Zimmerkellner klopfte an die Doppeltür, die Grusinskaja nahm ihren Schlafrock um - denselben, der Gaigern im Finstern vorhin erschreckt hatte - und schlüpfte in ihre vernachlässigten Pantoffel. Diskret wurde der Tee hereingeschoben. Die Grusinskaja schloß die Tür hinter dem abziehenden Kellner zu. Jetzt ist es soweit, dachte sie. Sie schenkte die Tasse voll Tee und holte vom Nachttisch die Schachtel mit Veronal. Sie schluckte ein Pulver, trank Tee, dann ein zweites. Sie stand auf und begann im Zimmer auf und ab zu gehen, sehr schnell, wie auf der Flucht, von einer Wand zur andern, vier Meter hin, vier Meter zurück.

Wozu das alles? dachte sie. Wozu lebt man? Worauf will ich noch warten? Wofür die Quälerei? Oh, ich bin müde, ihr wißt nicht, wie müde ich bin. Ich habe mir versprochen, abzutreten, wenn es Zeit ist. Tiens. Es ist Zeit. Soll ich warten, bis man mich auspfeift? Es ist Zeit, malenjkaja - Armes, Kleines. Gru fährt morgen nicht nach Wien, Gru sagt ab. Gru schläft. Ihr wißt nicht, wie kalt das ist, wenn man berühmt ist. Kein Mensch für mich da, kein einziger. Alle leben von mir, niemand hat für mich gelebt. Niemand. Kein einziger. Ich kenne nur Eitle oder Ängstliche. Allein war ich immer. Oh - und wer fragt noch nach einer Grusinskaja, die nicht mehr tanzt. Aus. Nein, ich werde nicht in Monte Carlo herummarschieren, steif und fett und alt, wie diese andern berühmten alten Weiber. »Mich hätten Sie sehen sollen, als Großfürst Sergei noch lebte!« - Nein, das ist nichts für mich. Und wohin sonst. In Tremezzo Orchideen züchten, zwei weiße Pfauen halten. Geldsorgen haben, ganz allein sein, ganz allein, verbauern, sterben? Das ist es: zuletzt doch sterben. Nijinsky sitzt im Irrenhaus und wartet auf den Tod. Armer Nijinsky! Arme Gru! Ich will nicht warten. Es ist soweit. Gleich - gleich - gleich -

Sie blieb stehen und horchte, als sei sie gerufen worden. In den Ohren lag ihr schon das schläfrige Summen des Veronals, die Gleichgültigkeit, die das freundliche Schlafmittel schenkte. ›Gaston!‹ dachte sie und ging zum Tisch. ›Lieber Gaston, du warst einmal gut zu mir. Wie jung du warst! Wie lange das her ist! Jetzt bist du Minister geworden, mit Bauch und Bart und Glatze. Adieu, Gaston! Adieu pour jamais, n'est ce pas? Es gibt ein so einfaches Mittel, nicht älter zu werden -«

Die Grusinskaja schenkte eine zweite Tasse voll Tee. Sie posierte jetzt ein wenig, sie spielte sich ein kleines, traurigsüßes Theater vor. Es war Form und Grazie in ihrer Verzweiflung und ihrem Entschluß. Mit einer heftigen Bewegung nahm sie die Veronalphiole und schüttete alle Tabletten auf einmal in den Tee, dann wartete sie, bis sie zergingen. Es dauerte zu lange. Sie klopfte mit dem Löffel ungeduldig in die Tasse. Sie stand auf, trat schon wieder vor den Spiegel und puderte mit einer mechanischen Bewegung ihr Gesicht, das sich plötzlich mit einem feinen, kühlen Schweiß bedeckt hatte. Ihre Lippen hörten auf zu zittern und lächelten starr wie auf der Bühne. Sie legte die Hände vors Gesicht und flüsterte: »Gott - Gott - Gott -« Auch sie spürte jetzt den Begräbnisduft, der aus den Blumenkörben aufstieg und verwelkt im Zimmer hing. Sie schob sich gelähmt zu dem Tisch, auf dem der Tee stand, und kostete von der Löffelspitze. Es schmeckte sehr bitter. Sie nahm mit der Zuckerzange ein Stück Zucker nach dem andern, tauchte es in den Tee und wartete, bis es zergangen war. Das mochte eine Minute dauern, auch länger. Die beiden Uhren rannten ihren atemlosen Wettlauf ins Stille.

Die Grusinskaja stand auf und ging zur Balkontür. Das Atmen machte ihr Mühe. Sie hatte Sehnsucht, den Himmel zu sehen. Sie zog den Spitzenvorhang zurück und stieß an einen Schatten.

»Bitte, erschrecken Sie nicht, gnädige Frau«, sagte Gaigern und verbeugte sich.

Die erste Bewegung, die die Grusinskaja machte, war nicht eine des Schreckens, sondern - sonderbar genug - eine der Scham. Sie zog ihren Kimono fester zusammen und schaute stumm und nachdenklich auf Gaigern. ›Was ist das nur?‹ dachte sie traumhaft. ›Das habe ich doch schon einmal erlebt?‹ Vielleicht geschah ihr sogar eine kleine Erleichterung, weil noch ein Aufschub zwischen sie und die Veronaltasse getreten war. Sie stand fast eine Minute so vor Gaigern und sah ihn an, und ihre geschwungenen, schmalen Brauen stießen über der Nasenwurzel zusammen. Ihre Lippen zitterten noch immer, und ein schneller und gehemmter Atem schleifte zwischen ihnen hervor.

Auch Gaigerns Zähne zeigten die Absicht zu klappern, aber er hielt sie ganz anständig fest. Er war noch nie in einer solchen Gefahr gewesen wie in diesem Augenblick. Alle seine Unternehmungen bisher - es waren nur drei oder vier - hatte er gut vorbereitet und so behutsam ausgeführt, daß nie auch nur ein Verdacht an ihn herangekommen war. Da stand er nun, mit Perlen für fünfmalhunderttausend Mark in der Tasche, erwischt im fremden Zimmer, und zwischen ihm und dem Zuchthaus lag nichts als die kleine weiße Hotelklingel mit dem Emailtäfelchen, das bat, dem Hausdiener zweimal zu schellen. Eine rasende, eine geradezu irrsinnige Wut brodelte in ihm hoch; er ließ sie nicht explodieren, er preßte sie in sich zusammen, bis Kraft und Ruhe daraus wurde. Es kostete ihn eine ungeheure Anstrengung, die Frau nicht niederzuschlagen. Er glich einer großen Lokomotive unter Dampf, mit Feuerung und einem Druck von vielen Atmosphären, von innen her vibrierend und bereit, alles niederzurennen. Vorläufig machte er eine Verbeugung. Er hätte eine wilde Flucht fassadenwärts antreten können. Er hätte die Grusinskaja totschlagen, er hätte sie durch Drohungen still machen können. Es war der Instinkt seiner liebenswürdigen Natur, der ihn statt Gewalt und Mord eine Verbeugung machen ließ, ohne Überlegung, aber in guter Haltung. Daß er unter den Augen blauweiß geworden war, wußte er nicht; ganz von fern spürte er sogar die Gefahr wie einen Genuß, wie eine Besoffenheit oder wie ein endloses Fallen im Traum.

»Wer sind Sie? Wie kommen Sie hierher?« fragte die Grusinskaja deutsch. Es klang beinahe höflich.

»Verzeihen Sie mir, gnädige Frau; ich habe mich in Ihr Zimmer geschlichen. Ich bin - es ist schrecklich, daß Sie mich hier gefunden haben. Sie sind früher nach Hause gekommen als sonst. Es ist Pech. Unglück. Erklären kann ich es Ihnen nicht.«

Die Grusinskaja trat ein paar Schritte ins Zimmer zurück, ohne ihn aus den Augen zu lassen, und drehte den Lüster mit seinem kalten Licht an. Es ist möglich, daß sie um Hilfe geschrien hätte, wenn ein struppiger und häßlicher Mann auf ihrem Balkon anzutreffen gewesen wäre. Aber dieser da - der schönste Mensch, den sie in ihrem Leben gesehen hatte, sie erinnerte sich jetzt durch Veronalschleier -, dieser machte ihr keine Angst. Was sie vor allem mit Vertrauen erfüllte, war merkwürdigerweise der hübsche blauseidene Pyjama, den Gaigern trug. »Aber was wollten Sie denn hier?« fragte sie und verfiel unwillkürlich in das weltläufigere Französisch.

»Nichts. Nur hier sitzen. Nur in Ihrem Zimmer sein«, sagte Gaigern leise. Er pumpte seinen Brustkasten groß mit Atem voll. Es kam jetzt darauf an, dieser Frau Geschichten zu erzählen, das merkte er mit einer dünnen Hoffnung. Die Diebesstrümpfe über seinen Schuhen störten ihn; mit einer geschickten Bewegung trat er sie sich verstohlen von den Füßen.

Die Grusinskaja schüttelte den Kopf. »In meinem Zimmer? Mein Gott - aber wozu denn?« fragte sie mit ihrer hohen, kleinen, russischen Vogelstimme, und eine wunderliche Art von Erwartung trat in ihr Gesicht.

Gaigern, noch immer in der Balkontür stehend, antwortete: »Ich will die Wahrheit sagen, gnädige Frau. Ich bin nicht zum erstenmal in Ihrem Zimmer. Manchmal schon, oft, ja, wenn Sie im Theater waren, habe ich hier gesessen. Ich habe die Luft geatmet. Ich habe eine kleine Blume für Sie hingelegt. Verzeihen Sie mir -«

Der Tee mit dem Veronal wurde kalt. Die Grusinskaja lächelte ein wenig, aber als sie es bemerkte, nahm sie das Lächeln sogleich aus ihrem Gesicht fort und fragte streng: »Wer hat Sie hereingelassen? Das Stubenmädchen? Oder Suzette? Wie sind Sie hereingekommen?«

Gaigern wagte einen Coup. Er deutete hinter sich hinaus in die Nachtluft über der Straße. »Von dort -«, sagte er. »Von meinem Balkon.«

Wieder überkam die Grusinskaja das Traumgefühl, dies schon einmal erlebt zu haben. Plötzlich war die Erinnerung da. In einem der Sommerschlößchen im Süden unten, in Abas-Tuman, wohin Großfürst Sergei sie mitzunehmen pflegte, war eines Abends ein Mensch, ein junger Mann, ein kindhaftes Bürschchen von Offizier, in ihrem Zimmer versteckt gewesen. Lebensgefahr stand auf dem Unternehmen; er starb auch später durch einen wenig geklärten Jagdunfall. Dreißig Jahre war das zumindest her. Während die Grusinskaja auf den Balkon hinaustrat und Gaigerns Hand nachblickte, die ohne viel Zeit in den Abend hinauszeigte, war plötzlich das Vergessene sehr deutlich wieder da. Sie sah das Gesicht des jungen Offiziers. Pawel Jerylinkow hatte er geheißen. Sie erinnerte sich an seine Augen und an ein paar Küsse. Sie fror, und zugleich spürte sie, wie der Mensch neben ihr auf dem kleinen Balkon Wärme ausstrahlte. Sie schaute flüchtig auf die sieben Meter Hotelfassade, die zwischen ihrem Balkon und dem nächsten lagen.

»Aber das ist ja gefährlich -«, sagte sie ziellos, mehr in der Erinnerung an Jerylinkow als in der gegenwärtigen Minute.

»Nicht sehr«, erwiderte Gaigern.

»Es ist kalt. Schließen Sie die Tür«, sagte die Grusinskaja unvermittelt und ging schnell vor ihm her ins Zimmer zurück.

Gaigern gehorchte, er kam hinter ihr her, schloß die Tür, zog die beiden Vorhänge zu und wartete dann mit hängenden Händen: ein auffallend hübscher, bescheidener, etwas törichter junger Mann, der romantische Streiche ausführt, um in das Zimmer einer berühmten Tänzerin zu gelangen. Schließlich besaß auch er ein wenig Talent zum Theaterspielen, auch sein Beruf verlangte das. Und nun spielte er Theater um Tod und Leben. Die Grusinskaja bückte sich, hob ihr weggeworfenes Kostüm vom Boden und trug es ins Badezimmer. Der Blutstropfen aus geschliffenem roten Glas blinkerte. Sie spürte einen schneidenden und wachen Schmerz dabei. Kein Dakapo. Kein Skandal, weil eine andre tanzte. Grausames Publikum. Grausames Berlin. Grausames Alleinsein. Sie war schon ein wenig jenseits dieser Schmerzen gewesen - nun waren sie wieder da und taten weh durch die ganze Brust. Sie vergaß für ein paar Sekunden ganz den Eindringling, der dem toten Jerylinkow ähnlich sah, aber plötzlich kehrte sie zu ihm zurück, stellte sich vor ihn hin, so nah, daß seine Wärme sie streifte, und fragte, ohne ihn anzusehen: »Warum tun Sie das? Warum tun Sie gefährliche Dinge? Warum sitzen Sie heimlich in meinem Zimmer? Wollen Sie etwas von mir?«

Gaigern machte einen Vorstoß. Gaigern ritt Attacke. Hoppla, Flix! dachte Gaigern. Er hob die Augen nicht zu ihr auf. »Aber Sie wissen es ja: Weil ich Sie liebe«, sagte er leise.

Er sagte es französisch, weil es ihm deutsch gar zu peinlich vorgekommen wäre. Hinterher wartete er stumm auf die Wirkung. Das ist ja einfach blödsinnig, dachte er dazu. Er schämte sich auf eine bohrende und niederträchtige Weise dieser Komödie. Geschmacklosigkeiten waren ihm ein Greuel. Immerhin - wenn sie jetzt nicht den Hausknecht rief, war er vielleicht gerettet -

Die Grusinskaja schluckte die kleinen französischen Worte mit offenem Mund. Sie gingen in sie hinein wie Medizin; es dauerte noch ein paar Sekunden, und dann hörte sogar der Schüttelfrost auf. Arme Grusinskaja! Es waren Jahre vergangen, ohne daß irgendein Mensch etwas Derartiges zu ihr gesprochen hatte. Ihr Leben rasselte an ihr vorbei wie ein leerer Expreßzug. Proben, Arbeit, Verträge, Schlafwagen, Hotelzimmer, Lampenfieber, grauenhaftes Lampenfieber, und wieder Arbeit und wieder Proben. Erfolg, Mißerfolg, Kritiken, Interviews, offizielle Empfänge, Streit mit Managern. Drei Stunden Soloarbeit, vier Stunden Ballettprobe, vier Stunden Vorstellung, einen Tag wie den andern. Der alte Pimenoff. Der alte Witte. Die alte Suzette. Sonst kein Mensch, nie ein Mensch, nie eine Wärme. Man legte die Hände auf die Heizkörper fremder Hotels, das war alles. Und dann, gerade wenn alles aus war, bodenlos zu Ende und Schluß mit dem Leben, da stand einer nachts im Zimmer und sprach die verschollenen Worte, von denen früher einmal die Welt voll gewesen war. Die Grusinskaja brach auseinander. Sie spürte etwas so rasend schmerzen wie bei einer Geburt. Aber es waren nur zwei Tränen, die sich endlich, endlich aus dem Krampf dieses Abends herauslösten, sie spürte diese Tränen in ihrem ganzen Körper, in den Zehen auch und in den Fingerspitzen auch und dann im Herzen, und zuletzt langten sie in ihren Augen an, rollten die steifgeschwärzten, langen Wimpern entlang und fielen in ihre aufgebreiteten Handflächen.

Gaigern sah diesem Phänomen zu, wie es sich entwikkelte, und ihm wurde heiß dabei. Armes Tier, dachte er. Armes Frauentier. Jetzt weint es. Blödsinnig ist das geradezu -

Nachdem die Grusinskaja die zwei ersten, schmerzhaften Tränen geboren hatte, ging es leichter. Es fing mit einem dünnen, leicht hinfließenden Tränenschauer an, der warm und kühl zugleich war wie ein Sommerregen - Gaigern mußte an Hortensienbeete im Garten von Ried denken, er wußte nicht, wieso - dann wurde ein leidenschaftliches Strömen daraus, ein schwarzes Strömen, weil die Augenbrauentusche sich vollends löste, und zuletzt warf die Grusinskaja sich auf ihr Bett und schluchzte viele russische Worte in ihre Hände, die sie gefaltet vor ihren Mund gepreßt hielt. Gaigern verwandelte sich bei diesem Anblick aus einem Hoteldieb, der nahe daran gewesen war, die Frau niederzuschlagen, in einen Mann, in ein großes, einfaches und gutmütiges Mannsgeschöpf, das keine Frau weinen sehen konnte, ohne helfen zu wollen. Er hatte jetzt keine Angst mehr, gar keine Angst; was ihm jetzt das Herz klein und schlagend machte, das war gewöhnliches Mitleid. Er ging zu dem Bett hinüber, stemmte seine Arme zu beiden Seiten des kleinen schluchzenden Körpers auf, und so, über die Grusinskaja gebeugt, begann er in ihr Schluchzen hinein zu flüstern. Es war nichts Besonderes, was er zu sagen hatte. Er würde ein weinendes Kind oder einen kranken Hund mit ähnlichen Worten getröstet haben. »Arme Frau«, sagte er etwa, »arme kleine Frau, arme kleine Grusinskaja, sie weint. Tut es gut, zu weinen, ja, tut es gut? Dann soll es weinen, das arme, gequälte Tierchen. Hat man ihm etwas getan? Waren die Leute schlecht zu dir? Ist es dir recht, daß ich bei dir bin? Soll ich hierbleiben? Hast du Angst? Weinst du darum? Ach du - dumme kleine Frau -«

Er hob einen Arm vom Bett, nahm die gefalteten Hände der Grusinskaja von ihrem Mund fort und küßte sie; sie waren naßgeweint und schwarz, wie die Hände eines kleinen Mädchens; auch ihr Gesicht war verschmiert von den Tuschetränen aus ihren Theateraugen. Darüber mußte Gaigern lachen. Obwohl die Grusinskaja noch weinte, sah sie die gutmütige Bewegung, die starke Männer in den Schultern haben, wenn sie lachen. Gaigern hatte sich von ihrem Bett losgelöst und war ins Badezimmer gegangen. Er kam mit einem Schwamm zurück und wusch ihr behutsam das Gesicht ab, auch ein Handtuch hatte er mitgebracht. Die Grusinskaja lag jetzt still und ausgeweint da und ließ es sich gefallen. Gaigern setzte sich an den Bettrand und lächelte zu ihr hinunter. »Nun?« fragte er. Die Grusinskaja flüsterte etwas, das er nicht verstand. »Du mußt es deutsch sagen«, verlangte er. »Du - Mensch -«, flüsterte die Grusinskaja. Das Wort traf ihn; es prallte wie ein scharf gespielter Tennisball an sein Herz, fast tat es weh. Die Damen, mit denen er sonst zu tun hatte, waren nicht reich an zärtlichen Worten. Bei ihnen hieß man Schnurzi, Bubi, Schätzchen oder »der große Baron«. Er horchte auf den Seelenklang, es rief ihn etwas an wie aus der Kindheit, wie aus einer Sphäre, die er verlassen hatte. Er schüttelte es ab. Wenn ich bloß eine Zigarette hätte, dachte er, mürb gemacht. Die Grusinskaja hatte ihm eine kurze Weile mit einem wunderlich verschwimmenden und beinahe glücklichen Ausdruck in die Augen geblickt. Nun setzte sie sich auf, angelte mit ihren langen Zehen nach dem herabgefallenen Pantoffel und wurde unvermittelt eine Dame.

»Oh - lala«, sagte sie. »Welche Sentimentalitäten. Die Grusinskaja weint? Wie? Das ist eine Sehenswürdigkeit. Sie hat es seit - sie hat es jahrelang nicht getan. Monsieur hat mich sehr erschreckt. Monsieur ist selbst schuld an dieser peinlichen Szene.« Sie sprach in der dritten Person, sie wollte Distanz schaffen, das plötzliche Du zurücknehmen, aber schon war ihr dieser Mensch zu nahe, als daß sie ihn »Sie« nennen konnte. Gaigern hatte nichts zu antworten. »Es ist schrecklich, wie das Theater die Nerven aufißt«, fuhr sie deutsch fort, da es ihr schien, als hätte er sie nicht verstanden. »Disziplin! O ja, Disziplin haben wir. Disziplin ist so sehr schlimm anstrengend. Disziplin ist, immer das tun, was man nicht zu tun wünscht, wie sagt man - keine Lust hat. Kennt man das: großes Müdesein von zu viel Disziplin?«

»Ich? O nein. Ich tue immer das, wozu ich Lust habe«, sagte Gaigern. Die Grusinskaja hob eine Hand, in die alle Grazie zurückgekehrt war. »O ja, Monsieur. Man hat Lust, in das Zimmer einer Dame zu kommen - man kommt. Man hat Lust, gefährlich über Balkone zu klettern - man tut es, und was für Lust hat Monsieur noch?«

»Ich möchte rauchen«, antwortete Gaigern aufrichtig. Die Grusinskaja, die anderes erwartet hatte, fand die Antwort chevaleresk und rücksichtsvoll. Sie ging zum Schreibtisch hinüber und bot Gaigern ihre kleine Tabatiere an. Wie sie dastand, mit dem abgetragenen, aber echten chinesischen Kimono, in den abgetretenen Pantoffeln, hatte sie alle gläserne und klirrende Anmut um sich gehängt, mit der sie seit zwanzig Jahren durch die Kontinente reiste. Wie verweint und überaus jammervoll sie dabei aussah, schien sie vergessen zu haben. »Also rauchen wir die Friedenspfeife«, sagte sie und hob ihre langen, zerknitterten Lider zu Gaigern auf. »Und dann sagen wir adieu!« Gaigern soff gierig den Rauch in Nase und Lungen. Ihm wurde leichter, obwohl seine Lage noch genug Bedenkliches hatte. Mit den Perlen in der Tasche durfte er dieses Zimmer nicht verlassen, soviel stand fest. Behielt er jetzt, da sie ihn kannte, die Perlen, dann mußte er noch in dieser Nacht flüchten und hatte morgen früh die Polizei hinter sich her. Das paßte durchaus nicht in sein Lebensprogramm. Alles kam jetzt darauf an, zu bleiben um jeden Preis, so lange, bis die Perlen in ihre Etuis zurückgezaubert waren.

Die Grusinskaja hatte vor dem Spiegel Platz genommen und puderte sich mit strengem Gesicht. Sie wischte ein paar Striche und Tupfen in ihre Haut und wurde schön. Gaigern trat zu ihr hin und schob seine ganze große Person zwischen das geleerte suit-case und die Frau. Er startete über ihre Schulter weg ein honigsüßes Verführerlächeln. »Warum lächelt man?« fragte sie in den Spiegel hinein.

»Weil ich im Spiegel etwas sehe, was du nicht sehen kannst«, sagte Gaigern. Er sagte einfach: du. Die Zigarette hatte ihn hochgebracht, und jetzt kam er in Zug. Nur immer los, dachte er und spornte sich an, nur hübsch im Zug bleiben. »Ich sehe wieder, was ich vorhin sah, als ich auf dem Balkon stand«, sagte er und beugte sich über die Frau, »ich sehe im Spiegel eine so schöne Frau, wie ich nie eine gesehen habe. Sie ist traurig, diese Frau. Sie ist nackt. Sie ist - nein, ich kann es nicht sagen, es macht mich verrückt. Ich habe nicht gewußt, daß es so gefährlich ist, in ein fremdes Zimmer zu schauen, während eine Frau sich entkleidet - - -«

Und wirklich, während Gaigern in seinem Klosterfranzösisch diese galanten Sätze zusammenstellte, sah er das Bild der Grusinskaja im Spiegel wie vorhin, und er spürte dabei Verwunderung und Wärme, wie früher auf dem Balkon. Die Grusinskaja hörte prüfend zu. Wie ausgekühlt ich bin, dachte sie traurig, als bei den heißen Worten kein Schauer sich regen wollte. Sie spürte die tiefe Beschämung der kalten Frau. Mit einer kunstvollen, gespielten Wendung drehte sie ihren langen Hals zu Gaigern. Gaigern nahm ihre kleinen Schultern in seine warmen, geschickten Hände, und dann küßte er die Grusinskaja sachlich in die schöne Furche zwischen den Schulterblättern.

Dieser Kuß, der zwischen zwei fremden Körpern kühl begann, dauerte lange. Er senkte sich wie eine feine heiße Nadel in das Rückenmark der Frau, ihr Herz begann zu schlagen. Ihr Blut wurde schwer und süß, es klopfte, ja, es klopfte, dieses ausgekühlte Herz begann zu beben, die Augen fielen ihr zu, sie zitterte. Aber auch Gaigern zitterte, als er sie losließ und sich aufrichtete; eine Ader trat blau und hoch aus seiner Stirn. Plötzlich spürte er diese Grusinskaja in sich überall zugleich, ihre Haut, ihren bitteren Duft, ihr langsam erwachendes und genußsüchtiges Beben. Donnerwetter! dachte er brüsk. Seine Hände waren hungrig geworden, er streckte sie aus. »Ich glaube, Sie müssen jetzt gehen«, sagte die Grusinskaja schwach zu seinem Bild im Spiegel. »Der Schlüssel steckt in der Tür.« Ja, da steckte jetzt dieser verdammte Schlüssel, jetzt konnte man weggehen, wenn man Lust hatte. Gaigern hatte keine Lust - aus mehrfachen Gründen.

»Nein«, sagte er und wurde plötzlich herrisch, der große Mann einer kleinen Frau, die zitterte wie eine tönende Geige. »Ich gehe nicht. Du weißt, daß ich nicht gehe. Glaubst du wirklich, daß ich dich jetzt hier allein lasse, ich - dich? - in Gesellschaft einer Teetasse voll Veronal? Glaubst du, ich weiß nicht, wie es mit dir steht? Ich bleibe bei dir. Basta.«

»Basta? Basta? Aber ich möchte allein sein.«

Gaigern kam schnell zur Grusinskaja, die mitten im Zimmer stand, und zog ihre beiden Handgelenke vor seine Brust: »Nein«, sagte er heftig, »das ist nicht wahr. Du willst nicht allein sein. Du hast gräßliche Angst, allein zu sein, ich spüre es ja, welche Angst du hast. Ich spüre dich ja, du, ich kenne dich ja, du Kleines, du Fremdes. Du spielst mir keine Komödie vor. Dein Theater ist aus Glas, ich kann durchsehen. Du warst verzweifelt vorhin. Wenn ich jetzt fortgehe, wirst du noch verzweifelter sein. Sag, daß ich bei dir bleiben soll, sag es!« Er schüttelte ihre Hände. Er nahm sie bei den Schultern und rüttelte sie. Weil er ihr weh tat, konnte sie fühlen, wie erregt er war. Jerylinkow hatte gebettelt, erinnerte sie sich; dieser befahl. Schwach und erleichtert ließ sie ihren Kopf an seine blauseidene Pyjamabrust sinken.

»Ja, bleib noch eine Minute«, flüsterte sie. Gaigern, über ihr Haar wegblickend, pfiff den Atem aus seinen Zähnen. Ein Krampf von Angst begann sich zu lösen, ein Wirbel von Bildern rutschte ganz schnell vorbei, filmisch: Die Grusinskaja tot in ihrem Bett, mit einer gründlichen Dosis Veronal im Blut, er flüchtend über Dächer, Hausdurchsuchung in Springe, Zuchthaus - er ahnte nicht, wie es im Zuchthaus aussah, trotzdem sah er es ganz deutlich, auch seine Mutter sah er, sie starb noch einmal, obwohl sie schon lange tot war ... Als er zurückkam in das Zimmer Nr. 68, schlug die überstandene Angst und Gefahr plötzlich in Trunkenheit um. Er hob die leichte Grusinskaja mit beiden Armen hoch und bettete sie an sich wie ein Kind. »Komm, komm, komm -«, murmelte er mit tiefgewordener Stimme in ihre Schläfe. Die Grusinskaja hatte ihren Körper lange nicht gespürt, jetzt spürte sie ihn. Sie war viele Jahre lang keine Frau gewesen, jetzt war sie eine Frau. Ein schwarzer, singender Himmel begann sich über ihr zu drehen, und sie stürzte sich aufwärts in ihn hinein. Ein kleiner zerbrochener Vogelschrei aus ihrem geöffneten Mund trieb Gaigern aus gespielter Leidenschaft in eine wirkliche, in eine Tiefe der Lust, die er noch nicht kannte. Die Teetasse auf dem Hoteltisch zitterte schwach, sooft unten ein Auto vorüberfuhr. Erst spiegelte das weiße Licht des Lüsters sich in der vergifteten Flüssigkeit, dann nur mehr das Rot der Nachttischlampe, dann nur mehr das huschende Licht der Laufreklamen, das durch die Vorhänge drang. Zwei Uhren liefen um die Wette, auf dem Korridor klickklackte der Lift, der ferne Kirchturm schlug eins zwischen die nächtlichen Autohupen - und zehn Minuten später brannten sogar die Scheinwerfer wieder vor der Front des Grand Hotel.

»Schläfst du?«

»Nein -«

»Liegst du gut?«

»Ja -«

»Jetzt hast du die Augen offen, da spüre ich. Ich spüre deine Wimpern auf meinem Arm, wenn du die Augen auf- und zumachst. Komisch - ein großer Mann und hat Wimpern wie ein Kind -, sag, bist du zufrieden?«

»Ich war noch nie so glücklich wie jetzt -«

»Was sagst du da?«

»Ich war noch nie mit einer Frau so glücklich wie jetzt -«

»Sag das noch einmal, sag!«

»Ich war noch nie so glücklich -«, murmelt Gaigern in das kühle, lockere Fleisch des Armes, auf dem sein Kopf liegt. Er sagt die Wahrheit. Er ist auf eine unbeschreibliche Weise gelöst und dankbar. Er hat das noch nie erlebt bei seinen billigen Liebesabenteuern: diesen Rausch ohne Nachgeschmack, diese zitternde Stille nach der Umarmung, dieses tiefe Vertrauen des Körpers zu einem anderen Körper. Seine Glieder liegen entspannt und zufrieden neben den Gliedern der Frau, es ist ein tiefes Einverständnis zwischen ihrer Haut und der seinen. Er empfindet etwas, das keinen Namen hat, auch nicht den Namen Liebe: ein Heimkommen nach langem Heimweh. Er ist noch jung, aber in den Armen der alternden Grusinskaja, in ihren zarten, wissenden und rücksichtsvollen Liebkosungen wird er noch jünger. »Es ist schade -«, murmelt er in ihren Arm hinein; er schiebt den Kopf ein wenig höher und macht sich aus ihrer Achselhöhle ein Nest, eine kleine, warme Heimat, in der es nach Mutter und Wiese duftet. »An deinem Parfüm würde ich dich überall in der Welt finden, mit verbundenen Augen -«, sagt er und schnüffelt wie ein kleiner Hund. »Was ist es nur?«

»Laß und sag: Was ist schade? Du? Laß doch das Parfüm - es heißt nach einer kleinen Blume, die zwischen den Feldern wächst: Neuwjada, den deutschen Namen weiß ich nicht, Thymian? Es wird in Paris für mich gemacht. Sag, was ist schade?«

»Daß man immer bei der falschen Frau anfängt. Daß man dumm bleibt, tausend Nächte lang, und glaubt, so muß das schmecken, so brandig, so kalt nachher, so ärgerlich wie verdorbener Magen. Daß die erste Frau, bei der man geschlafen hat, nicht so war, wie du bist.«

»Ach du - Verwöhnter«, flüstert die Grusinskaja und bettet ihre Lippen in sein Haar, in das harte, dichte, warme Fell, das nach Mann und Zigaretten und Friseur riecht und völlig aus seiner glattgestrichenen Ordnung gekommen ist. Er führt seine Fingerspitzen an ihrer atmenden Flanke entlang. »Weißt du - du bist so leicht. Ganz leicht. Nur ein bißchen Schaum auf einem Sektglas -«, sagt er zärtlich verwundert.

»Ja. Leicht muß man sein«, antwortet die Grusinskaja ernsthaft.

»Ich möchte dich jetzt sehen. Darf ich Licht machen?«

»Nein - nicht«, ruft sie, und ihre Schulter verläßt ihn. Er spürt, wie er sie erschreckt hat, diese Frau, von der niemand weiß, wie alt sie eigentlich ist. Wieder hat er dieses einfache und ziehende Mitleid mit ihr. Er kriecht ihr nach, und dann liegen sie beide still da und denken. Das Licht der Straße schwebt als Reflex auf dem Plafond, es ist schmal, zugespitzt wie ein Schwert, so dringt es durch den Spalt der Vorhänge ins Zimmer. Sooft ein Auto unten vorbeifährt, schiebt sich ein Schatten schnell und vergleitend durch den Schein da oben.

›Die Perlen‹ - denkt Gaigern - ›sind vorläufig beim Teufel. Wenn ich Glück habe und alles gutgeht, kann ich sie wieder in die Etuis stecken, während sie schläft. Es wird unerhörten Krach mit meinen Leuten geben, wenn ich ohne die Perlen wiederkomme. Wenn der Chauffeur nur keinen horrenden Unsinn anstellt, wenn das Vieh nur nicht säuft in seiner Wut heut nacht und alles kaputtmacht. Diese Geschichte ist gründlich danebengegangen. Pech -. Wo wir jetzt Geld herkriegen sollen, das weiß der Herrgott. Vielleicht kann man diesen Erbonkel aus der Provinz anzapfen, der jede Nacht nebenan auf Nr. 70 stöhnt. Ach was - pfui Teufel -, man soll nicht nachdenken. Vielleicht verlange ich die Perlen ganz einfach von ihr. Vielleicht sage ich ihr morgen früh ganz einfach, was los ist. Wenn ich es richtig mache, dann wird die da mich morgen nicht verhaften lassen, die da nicht, diese Kleine, Leichte, Verrückte. Läßt die Perlen unverschlossen herumstehen! Komische Frau - jetzt kenne ich sie ja. Was liegt der an Perlen! Die ist ja fertig mit allem, der ist alles egal - wenn ich nicht gekommen wäre, dann hätte sie es jetzt schon hinter sich. Wozu braucht sie da noch Perlen?! Sie soll mir die Perlen schenken, sie ist ja gut - oh, gut ist sie, wie eine Mutter ist sie, eine kleine, winzige Mama, bei der man schlafen darf -‹

Die Grusinskaja denkt: ›Elf Uhr zwanzig geht der Zug nach Prag. Wenn nur alles klappt! Ich habe heute alles aus der Hand gegeben, morgen wird nichts in Ordnung sein. Pimenoff ist zu schwach für die Truppe, die Mädchen tanzen ihm auf der Nase herum. Aber wer morgen den Zug versäumt, wird gekündigt, das ist sicher. Wenn Pimenoff sich heute abend nicht um die Kulissen gekümmert hat, werden sie morgen nicht verpackt sein, die Bühnenarbeiter hätten Nachtüberstunden machen müssen. Was ich nicht selber tue, das geschieht nicht. Die Abrechnung mit Meyerheim - mein Gott, wie ist es möglich, daß ich so davongerannt bin? Witte - wenn man nicht auf ihn achtgibt, vergißt er seinen eigenen Kopf im Hotel. Für alle muß ich dasein, und ich war heute abend nicht da. Es wird ein furchtbares débàcle geben. Die Lucille will schon lange Revolution machen. Nie sind euch die Buchstaben von euren Namen groß genug auf den Plakaten, nicht wahr, nie werdet ihr gut genug herausgestellt? Aber selbst leitet ihr gar nichts, mit der Knute muß man euch halten, damit ihr in Form bleibt. Böse habt ihr mich gemacht und eingebildet und müde. Mein Gott, wie müde war ich gestern - wie wenig hat gefehlt, und ihr hättet sehen können, wo ihr ohne die Grusinskaja bleibt. Aber jetzt bin ich gar nicht müde, ich könnte jetzt aufstehen und das ganze Programm tanzen, oder ein neues Programm, einen neuen Tanz. Ich muß mit Pimenoff sprechen, er soll das machen: einen Tanz der Angst, oh, das könnte ich euch jetzt tanzen. Zuerst nur auf einer Stelle, nur ein Zittern, und dann drei Kreise auf den Spitzen - oder nein, vielleicht nicht auf den Spitzen, vielleicht etwas ganz anderes -‹

›Aber ich lebe ja‹, denkt sie erschüttert, ›ich lebe, ich werde neue Tänze tanzen, ich werde Erfolge haben. Eine Frau, die geliebt wird, hat immer Erfolge. Ihr habt mich verhungern lassen, seit - seit zehn Jahren fast, das war es. Daß ein dummer Junge, der über den Balkon geklettert kommt, so stark machen kann. Ein geliebter Junge, der von der Liebe nichts kennt als den Jargon der kleinen Mädchen -‹

Sie zieht die Decke herauf und deckt Gaigern zu wie ein kleines Kind. Er murmelt dankbar, er stellt sich klein und arm, er bohrt seine Nase in ihr Fleisch. Ihre Körper sind sich vertraut, aber ihre Gedanken gehen fremd in der Nacht aneinander vorbei. In vielen Betten der Welt liegen die Liebespaare so eng beieinander und so weit getrennt ...

Die Frau ist es, die zuerst beginnt, nach der fremden Seele zu tasten. Sie nimmt seinen Kopf in ihre Hände, wie eine große, schwere, in der Sonne gepflückte Frucht, und flüstert in sein Ohr: »Ich weiß noch nicht einmal, wie du heißt, mein Freund.«

»Man nennt mich Flix. Im ganzen: Felix Amadei Benvenuto Freiher von Gaigern. Aber du mußt mich noch extra taufen. Von dir will ich einen eigenen Namen bekommen.«

Die Grusinskaja denkt eine Weile nach, dann lacht sie leise. »Deine Mutter muß viel von dir gehalten haben, wie du zur Welt kamst, daß sie dir so schöne Namen gegeben hat«, sagt sie. »Der Glückliche. Der Gottgeliebte. Der Willkommene. Hast du geschrien bei der Taufe?«

»Ich erinnere mich nicht genau.«

»Ach - weißt du: auch ich habe ein Kind. Eine Tochter. Wie alt bist du, Benvenuto?«

»Heute wieder siebzehn. Zum erstenmal bei einer Frau. Sonst dreißig.« Er machte sich etwas älter, aus einer wunderlichen Rücksicht für die Frau, die vor der Lampe und vor ihrem Alter Angst hat. Trotzdem tut es ihr weh. Er könnte der Vater des achtjährigen Enkels Ponpon sein, muß sie denken. Passons, befiehlt sie sich.

»Was warst du für ein Kind? Sehr schön? O ja, sehr schön -«

»Einfach bezaubernd. Voll mit Sommersprossen und Beulen und Kratzwunden und häufig auch lausig. Wir haben Zigeuner für unsere Pferde gehabt, das ist an der Grenze, wo unser Gut war, sehr häufig. Die Zigeunerbuben waren meine Freunde. Ich habe jede Sorte von Ungeziefer und Krätze von ihnen bekommen, die es gibt. Wenn ich an meine Kindheit denke, rieche ich immer nur Pferdemist. Dann war ich ein paar Jahre lang der Schrecken verschiedener Konvikte. Dann war ich ein bißchen im Krieg. Im Krieg war es gut. Im Krieg spürte ich mich zu Hause. Es hätte meinetwegen noch viel dreckiger hergehen können. Wenn es wieder einmal Krieg gibt, wird wieder alles gut mit mir.«

»Ist es jetzt nicht gut mit dir, du Kondottiere? Wie lebst du? Was bist du für ein Mensch?«

»Und du? Was bist du für eine Frau? So eine wie dich kenne ich nicht. Sonst ist nicht viel Geheimnis bei Frauen.

Auf dich bin ich neugierig, ich muß dich noch vieles fragen. Du bist sehr anders -«

»Ich bin nur altmodisch. Ich bin aus einer anderen Welt, aus einem anderen Jahrhundert als du, das ist es«, sagte die Grusinskaja schwebend. Sie lächelte ins Dunkle dabei, und Tränen kamen ihr stechend in die Augen. »Uns hat man wie kleine Soldaten erzogen, uns Tänzerinnen, streng, eisenhart, im Institut des kaiserlichen Balletts in Petersburg. Kleine Regimenter von Rekruten für die Betten der Großfürsten waren wir. Man sagt, daß die, die mit fünfzehn Jahren anfingen, zu stark zu werden, Stahlreifen um die Brust bekamen, damit sie nicht weiterwuchs. Ich war klein und mager, aber hart wie ein Diamant. Ehrgeizig, weißt du, den Ehrgeiz im Blut wie Pfeffer und Salz. Eine Pflichtmaschine, die arbeitet, arbeitet, arbeitet. Keine Ruhe, keine Zeit, nie stehenbleiben, nie. Und dann: wer berühmt wird, ist ganz allein. Auf dem Erfolg sitzt man so eiskalt, so einsam wie auf dem Nordpol. Was das heißt, den Erfolg festhalten, drei Jahre, fünf Jahre, zehn Jahre, zwanzig Jahre, immer noch, immer noch - aber was erzähle ich dir da? Verstehst du mich denn? Höre: manchmal fährt man vorbei an einem Bahnwärterhaus, oder abends mit dem Auto durch eine kleine Stadt. Da sitzen Menschen vor den Türen, ganz steif, mit dummen Gesichtern, sie haben ihre großen Hände vor sich liegen und rühren sich nicht. Das, siehst du - das! Müde sein und dann so einfach dasitzen und die Hände vor sich hinlegen, das wünscht man sich. Nun versuche das doch, wenn du berühmt bist, verschwinde aus der Welt, ruh dich aus, laß andere tanzen, diese häßlichen, verrenkten Deutschen, diese Negerinnen, diese Nichtskönner alle, laß sie doch tanzen, ruh dich aus! Nein, siehst du, Benvenuto, nein, das geht nicht, das ist unmöglich. Man haßt die Arbeit, man verflucht die Arbeit, aber man kann nicht existieren ohne die Arbeit. Drei Tage Ruhe, und da ist die Angst: Ich verliere die Form, ich werde schwer, die Technik geht zum Teufel. Man muß tanzen, das ist eine Besessenheit; so giftig ist kein Morphium und kein Kokain und kein einziges Laster auf der Welt wie die Arbeit und der Erfolg, glaub mir das. Man muß tanzen, man muß tanzen. Es ist ja auch wichtig. Wenn ich aufhöre zu tanzen, dann gibt es keinen Menschen mehr auf der Welt, der wirklich tanzen kann, glaube mir das. Alle anderen sind Dilettanten; aber es muß doch ein Mensch dasein, der tanzen kann, der weiß, was tanzen heißt, mitten in eurer hysterischen, abscheulichen Sachlichkeit. Ich habe bei den berühmten Nummern von früher gelernt, bei der Kschesinskaja, bei der Trefilowna, und die haben es wieder von Großen übernommen, vor vierzig Jahren, vor sechzig Jahren. Manchmal ist das so, als müßte ich gegen die ganze Welt antanzen, gegen euer ›Heute! Heute!‹ Das sitzt ihr alle, ein ganzes Theater voll von Verdienern und Motorenmenschen und Kriegsteilnehmern und Aktionären - und da bin ich. So eine kleine Grusinskaja, so alt, nicht wahr, so kitschig, so von gestern, und meine Pas hat man schon vor zweihundert Jahren gekannt. Und dann hole ich euch doch, und dann schreit ihr und weint und lacht und werdet verrückt und selig, und warum? Wegen dieses bißchen altmodischen Balletts? Es ist also doch wichtig? Sicher, denn nur das wird ein Welterfolg, was der Welt wichtig ist, was die Welt braucht. Aber daneben zerbricht alles, da bleibt nichts Ganzes in einem. Kein Mann, kein Kind, kein Gefühl, kein Inhalt sonst. Man ist kein Mensch mehr, verstehst du das, man ist keine Frau, man ist nur ein ausgepumptes Stück Verantwortung, das in der Welt umherjagt. An dem Tag, an dem der Erfolg aufhört, an dem Tag, da man nicht mehr glaubt, daß man wichtig ist, hört für unsereinen das Leben auf. Hörst du mir zu? Verstehst du mich? Ich möchte, daß du mich verstehst -«, sagte die Grusinskaja flehend.

»Nicht alles - das meiste -, du sprichst so schnell Französisch -«, antwortet Gaigern. Er hat während des monatelangen Lauerns auf die Perlen ziemlich oft die Tanzabende der Grusinskaja besucht und sich regelmäßig sehr gelangweilt dabei. Daß die Grusinskaja dieses bißchen Ballettgewirbel wie ein Martyrium mit sich herumzuschleppen scheint, verwundert ihn tief. Sie liegt so leicht an seine Schenkel geschmiegt, sie hat eine zierliche, farbige, modulierende Zwitscherstimme, und dabei spricht sie so schwere Worte. Was ist darauf zu antworten? Er seufzt. Er denkt nach. »Das war hübsch, was du da gesagt hast von den Leuten am Abend mit den steifen Händen. Das solltest du tanzen«, äußert er schließlich unbeholfen. Darüber lachte die Grusinskaja nur. »Das? Aber das kann man nicht tanzen, Monsieur. Oder will man mich sehen als eine alte Frau mit einem Tuch um den Kopf und Gicht in den Fingern und nur aus Holz sein und ausruhen -«

Sie brach mitten im Satz ab. Schon während sie sprach, hatte ihr Körper sich der Vorstellung bemächtigt, er zog sich zusammen und steifte sich. Sie sah schon die Dekoration, sie wußte schon einen jungen, verrückten Maler in Paris, der so etwas malen konnte, sie sah schon den Tanz, sie spürte ihn schon in ihren Händen und in den gebückten Halswirbeln. Sie schwieg mit offenem Mund in die Dunkelheit hinein. Sie atmete nicht, so gespannt war sie. Das Zimmer füllte sich mit Gestalten, die sie nie getanzt hatte und die zu tanzen waren, mit hundert wahren, lebendigen Gestalten. Eine Bettlerin zitterte und streckte ihre Arme aus, eine alte Bäuerin tanzte noch einmal auf der Hochzeit ihrer Tochter, vor einer Jahrmarktsbude stand eine magere Frau und zeigte arme Kunststücke, unter einer Laterne wartete eine Dirne auf Männer. Da war eine kleine Magd, die eine Schüssel zerbrach und geschlagen wurde, da war ein fünfzehnjähriges Kind, das man nackt zu tanzen zwang vor einem riesigen, funkelnden Mann, einem Herrn, einem Großfürsten, da war die spinöse Parodie einer Gouvernante; eine war da, die rannte wie gejagt, obwohl niemand sie verfolgte, eine wollte schlafen und durfte nicht, eine fürchtete sich vor einem Spiegel, und eine war da, die trank Gift und starb zuletzt -

»Still - sprich nichts -, rühre dich nicht -«, flüsterte die Grusinskaja und starrte den Plafond an mit seinem Schwert aus Licht. Das Zimmer hatte jenes todfremde und verzauberte Aussehen angenommen, das Hotelzimmer oft anzunehmen belieben. Unten fauchten und stöhnten viele Autos wie Tiere, denn die Liga der Menschenfreunde hatte ihr Fest beendet, und die Abfahrt vor Portal zwei begann. Die Nacht wurde kühler. Aus dem Wirbel der Einfälle und Gesichte kehrte die Grusinskaja mit einem kurzen Aufschauen zurück. Pimenoff wird mich für wahnsinnig halten, er mit seinem neuen Papillonballett. Vielleicht bin ich wahnsinnig? Sie kam von dem Gedankenausflug einer Minute in ihr Bett zurück wie von einer langen Reise. Da lag Gaigern noch. Fast erstaunt fand sie den Mann wieder an ihrer Schulter, sein Haar, seine Hände, seinen Atem.

»Was bist du für ein Mensch -?« fragte sie noch einmal und legte im Dunkeln ihr Gesicht ganz dicht über seines. Ganz tief fühlte sie in diesem Augenblick das Erstaunen über diese innige Nähe bei so viel Fremdheit. »Gestern habe ich dich noch nicht gekannt. Wer bist du denn?« fragte sie in die feuchte Wärme seines Mundes hinein. Gaigern, der eben daran gewesen war, einzuschlafen, ließ seine Arme über ihrem Rücken zusammenfallen, sie fühlte sich an wie die schmale Windhündin Biche zu Hause.

»Ich? Mit mir ist nicht viel los -«, antwortete er gehorsam, aber ohne die Augen zu öffnen. »Ich bin ein verlorener Sohn. Ich bin ein schwarzes Schaf aus einem guten Stall. Ich bin ein mauvais sujet und werde am Galgen enden.«

»Ja?« fragte sie mit einem kleinen, gurrenden Lachen tief aus der Kehle.

»Ja«, sagte Gaigern überzeugt. Er hatte die alten Sätze aus den Ermahnungen der Klosterlehrerschaft im Spaß vorzubeten angefangen, nun aber überkam ihn im warmen Thymiangeruch dieses Bettes der Wunsch nach Beichte und Aufrichtigkeit.

»Ich bin zügellos«, fuhr er fort, ins Dunkle zu sprechen; »ich bin ganz ohne Charakter und unaussprechlich neugierig. Ich kann mich nicht einordnen und bin zu nichts zu gebrauchen. Ich habe zu Hause gelernt, zu reiten und den Herrn zu spielen. Im Kloster beten und lügen. Im Krieg schießen und Deckung suchen. Mehr kann ich nicht. Ich bin ein Zigeuner, ein Außenseiter, ein Abenteurer -«

»Du - und was noch?«

»Ich bin ein Spieler, und es kommt mir nicht darauf an, zu betrügen. Gestohlen habe ich auch schon. Eigentlich gehöre ich eingesperrt. Dabei laufe ich umher und fühle mich sauwohl und fresse alles in mich hinein, was mir gefällt. Zeitweise saufe ich auch. Und dann bin ich von Geburt an arbeitsscheu.«

»Weiter -«, flüsterte die Grusinskaja entzückt. Ihre Kehle zitterte vor verhaltenem Lachen.

»Weiter bin ich ein Verbrecher. Ich bin ein Fassadenkletterer«, sagte Gaigern schläfrig, »ein Einbrecher -«

»Was noch alles? Vielleicht auch ein Mörder?«

»Ja. Natürlich. Ein Mörder auch. Beinahe hätte ich dich totgeschlagen -«, behauptete Gaigern.

Die Grusinskaja lachte noch ein wenig über seinem Gesicht, das sie spürte, aber nicht sah, doch unvermittelt wurde sie ernst. Sie schloß ihre Finger an seinem Nacken ineinander, und sehr leise flüsterte sie in sein Ohr: »Wenn du gestern nicht gekommen wärst, dann würde ich jetzt nicht mehr leben!«

Gestern? dachte Gaigern. Jetzt? Die Nacht in Nr. 68 dauerte eine Ewigkeit, es war ein paar Jahre her, seit er auf dem Balkon gestanden und der Frau zugesehen hatte. Er erschrak. Er preßte seine Arme so fest um sie wie bei einem Ringkampf; ihre geschmeidigen Muskeln hielten stand, das spürte er mit einer sonderbaren Beglückung. »So etwas darfst du nie mehr tun. Du mußt hierbleiben. Ich lasse dich nie mehr fort. Ich brauche dich«, sagte er. Er hörte selbst, daß er diese erstaunlichen Worte sagte, mit einer heiser gewordenen Stimme, die mitten aus seinem Herzschlag zu kommen schien.

»Nein, jetzt ist ja alles anders. Jetzt ist es ja gut. Jetzt bist du bei mir«, flüsterte die Grusinskaja, er konnte es nicht verstehen, weil sie es russisch sagte. Er nahm nur den Klang in sich hinein, die Nacht fing davon an wieder zu rauschen. Traumvögel kamen aus dem Geranke der Hoteltapeten - der Mann vergaß die Perlen in den Taschen seines blauen Pyjamas, die Frau vergaß den Mißerfolg und das viele Veronal in der Teetasse.

Keiner von ihnen wagt das gebrechliche Wort »Liebe« auszusprechen. Zusammen gleiten sie in das verworrene Drehen der Liebesnacht, aus Umarmung in Geflüster, aus Flüstern in kurzem Schlaf und Traum, und aus dem Traum in die nächste Umarmung - zwei Menschen, die von zwei Enden der Welt herkommen, um sich für ein paar Stunden in dem abgeschlafenen Hotelbett von Nr. 68 zu finden . . .

Im Leben der Grusinskaja hatte die Liebe keine große Rolle gespielt. Was Körper und Seele an Leidenschaft besaßen, floß alles in den Tanz. Sie hatte ein paar Liebhaber gehabt, weil das zu einer berühmten Tänzerin gehörte wie die Perlen, das Auto, die Kleider aus den guten Salons von Paris und Wien. Umdrängt, umworben und verfolgt von verliebten Männern, glaubte sie im Grunde nicht an die Existenz der Liebe. Sie schien ihr nicht wirklicher als die gemalten Hintergründe, die Liebestempel und Rosenhaine, vor denen ihre Tänze sich abspielten. Obwohl sie kühl blieb und nicht viel zu spüren vermochte, galt sie für eine wunderbare und auserlesene Geliebte. Sie selbst betrieb die Liebe wie eine Verpflichtung ihres Berufes, wie ein Stück Theater, das manchmal angenehm, immer anstrengend war und hohe Kunst verlangte. Alle Geschmeidigkeit ihres Körpers, das Schwebende, das Zierliche, das Raffinierte, das Zarte und Zärtliche, den Schwung und den Ansturm, das Rührende und Zerbrechliche, alle vollendeten Requisiten ihres Tanzes nahm sie mit in die Nächte für ihre Freunde. Sie konnte berauscht machen, aber sie konnte nicht berauscht sein. Im Tanz konnte sie losrasen, sich selbst vergessen, manchmal hörten ihre Partner, wie sie kleine Schreie ausstieß, wie sie leise, vogelhaft und kurz vor sich hinsang, während der schwierigsten und wirbelndsten Figuren. In der Liebe aber verlor sie nie das Bewußtsein, sie stand neben sich und sah sich zu. Sonderbar: sie glaubte nicht an die Liebe, sie brauchte die Liebe nicht - und trotzdem konnte sie ohne Liebe nicht leben.

Denn die Liebe - das wußte sie - war ein Teil des Erfolges. Solange sie jung war und man ihre Garderobe mit Blumen und Briefen überschwemmte, solange auf allen ihren Wegen Männer aufgepflanzt standen, bereit, sich zugrunde zu richten, jeden Unsinn für sie zu begehen. Vermögen und Familie für sie hinzuwerfen, solange spürte sie den Erfolg. An Liebesgeständnissen, an Selbstmorddrohungen, an Verfolgungen quer durch die Welt, an der Kostbarkeit der werbenden Geschenke konnte man den Erfolg abschätzen wie am Applaus, an den Kritiken und der Zahl der Hervorrufe. Sie wußte es nicht: aber der Liebhaber, den sie bezauberte und beglückte, war ihr eigentlich ein Publikum, bei dem sie Erfolg hatte. Und daß der Erfolg nachließ, spürte sie, erschreckend, zum erstenmal, als Gaston sie verließ, um eine wenig hervorragende Dame aus gutem Haus zu heiraten. Die Atmosphäre um sie, die jahrelang geglüht hatte, kühlte ab, es wurde so schattig, so unbegreiflich abendlich um sie. Es war ein Abstieg, der über hunderttausend so kleine Stufen hinunterführte, daß man ihn kaum bemerkte. Und doch war der Weg von jener Grusinskaja, die vor dem Krieg eine Welt in romantische und hitzige Verzückung getanzt hatte, bis zu dieser armen Grusinskaja, die um ein wenig Applaus bei Skeptischen, Ernüchterten und Übelwollenden bettelte, dieser Weg war ungeheuer weit. An seinem Ende stand als letzte Konsequenz völlige Einsamkeit und eine reichliche Dosis Veronal ...

Deshalb war der Mann auf dem Balkon für die Grusinskaja mehr als ein Mann. Er war ein Wunder, das in letzter Minute in Nr. 68 eintraf, um sie zu retten, er war der sichtbare Erfolg, der zu ihr kam, die Welt, die hitzig bei ihr eindrang, er war der Beweis, daß die romantischen Zeiten noch nicht vorüber waren, in denen ein junger Jerylinkow sich ihrethalben erschießen ließ. Sie hatte sich fallen lassen - und da stand jemand, der sie auffing.

Es gab im Programm der Grusinskaja einen Tanz, in dem der Tod und die Liebe Pas de deux tanzten; junge Dichter hatten ihr zuweilen Verse geschickt, in denen der banale Gedanke wiederkehrte, daß Tod und Liebe Geschwister seien. In dieser Nacht erlebte die Grusinskaja diese lyrische Binsenwahrheit an sich selbst. Die schmerzhafte Besinnungslosigkeit des gestrigen Abends schlug in Rausch um, in einen Taumel von Dankbarkeit, in ein fieberhaftes Greifen und Nehmen und Spüren und Halten. Gefrorene Jahre tauten auf. Das beschämende Geheimnis ihrer Kälte, das sie versteckt durch ihr Leben getragen hatte, zerschmolz und galt nicht mehr. Sie war so arm und allein gewesen seit vielen Jahren, daß sie zuweilen bei der jungen, warmen Haut ihres Partners Michael um ein Almosen Wärme gebettelt hatte. In dieser Nacht, in diesem gleichgültigen Hotelzimmer, in diesem Dutzendbett aus poliertem Messing spürte sie sich brennen, sich verwandeln, sie entdeckte die Liebe, von der sie nicht geglaubt hatte, daß es sie gäbe ...

Weil die Zimmer Nr. 68 und Nr. 69 ziemlich ähnlich aussahen, wußte Gaigern nicht gleich, wo er war, als er erwachte. Er wollte sich zur Wand seines Zimmers drehen, da fand er die kleine schlafende und atmende Gestalt der Grusinskaja im Bett. Er erinnerte sich. Das wunderbare, tiefe Vertrauen des ersten gemeinsamen Schlafes lag ihm als eine süße Schwere in den Gliedern. Er schob seinen lahmgewordenen Arm unter ihrem Nacken hervor, und mit einer kleinen feierlichen Gerührtheit überdachte er die Begebnisse der Nacht. Kein Zweifel - er war verliebt, und zwar auf eine sanfte, durch und durch dankbare und ganz neue Art verliebt. ›Ganz abgesehen von den Perlen‹ - dachte er nicht ohne Beschämung - ›ganz abgesehen von dieser verunglückten Geschichte mit den Perlen: man ist ein Schwein. Man steigt in ein Zimmer ein; man erzählt eine schauerliche Komödie vor, man macht ein Theater her - und die Frau glaubt es. Sie verlangt es geradezu. Jeder Mann spielt Theater, und jede Frau glaubt es. Eigentlich ist man immer ein Schwindler und Einbrecher im Anfang - aber dann, nachher -, es ist ja wahr geworden. Ich hab' dich ja lieb, kleine Mouna, gute liebe kleine Neuwjada, aber ich liebe dich ja, je t'aime, je t'aime. Du hast da eine schöne Eroberung gemacht, kleine Frau, du -‹

Es war kühl im Zimmer; draußen mußte es schon tagen, die Straße schwieg, ein Schnitt dämmergrauen Lichtes kam zwischen den Vorhängen herein, das Tapetenmuster begann schon aus den Wänden zu kriechen in der Morgenfrühe. Gaigern tastete sich behutsam aus dem Bett. Die Grusinskaja schlief sehr tief, das Kinn an die eigene Schulter gepreßt. Jetzt, da aller Aufruhr der Nacht vorbei war, schienen die beiden Veronalpulver ihre Wirkung zu tun. Gaigern nahm ihre Hand, die über die Bettkante hing, legte mit einer zärtlichen Bewegung seine heißen Augenlider in ihre Fläche und steckte diese kleine, schlaffe Hand dann unter die Decke, als sei die Grusinskaja ein Säugling. Er fand sich in der halben Dunkelheit bis zur Balkontür hin und zog langsam die Vorhänge auseinander. Die Grusinskaja erwachte nicht. Jetzt muß ich die Sache mit den Perlen wieder in Ordnung bringen, dachte Gaigern. Er wunderte sich selber, daß er ziemlich zufrieden dabei war. Eine verlorene Runde, dachte er, ohne schlechte Laune. Er brachte leicht solche Sportbezeichnungen mit seinen Abenteurerunternehmungen zusammen. Er tappte nach seinem Pyjama, fand leise lachend die Bestandteile seiner Garderobe überall im Zimmer umhergeworfen und zog sich im Badezimmer an. Unter dem Wasser begann die Verletzung an seiner rechten Hand zu brennen und zu bluten, er leckte gleichgültig ein wenig daran und ließ es dann sein. Der bittere und verwelkte Duft des Lorbeers im Zimmer war stärker geworden. Gaigern trat lufthungrig auf den Balkon hinaus und atmete, seine Brust war noch erfüllt von einer süßen und neuen Beklommenheit.

Draußen hing ein feiner, ziehender Nebel über der Morgenstraße. Kein Auto. Kein Mensch. Aus der Entfernung hörte man das Sausen und Abfahren einer Straßenbahn. Noch keine Sonne, aber ein milchgraues, gleichmäßiges Licht. Ein Klapperschritt an der Straßenecke und wieder Stille. Ein Stück Papier flattert kurz wie ein kranker Vogel über den Asphalt und bleibt liegen. Der Baum, der unweit von Portal zwei eingepflanzt ist, bewegt träumende Äste. Ein verschlafener Märzvogel probiert ganz oben auf einem dünnen Knospenzweig seine Stimme, mitten in der Großstadt. Ein Auto mit Milchflaschen in Kisten stolpert laut und selbstbewußt vorbei, der Nebel, der vorbeizieht, riecht nach Seen und Benzin, das Balkongitter glänzt feucht. Gaigern findet seine Diebesstrümpfe auf dem Balkon und steckt sie schnell ein, zu den Handschuhen und der Taschenlampe und zu den Perlen um fünfmalhunderttausend Mark, die er noch loswerden muß. Er wendet sich ins Zimmer zurück und läßt die Vorhänge offen, das graue Licht fällt in einem Dreieck auf den Teppich und bis auf das Bett mit der schlafenden Grusinskaja.

Sie lag jetzt ganz aufgefaltet und ausgestreckt da, den

Kopf seitwärts zurückgeworfen, und das Bett war viel zu groß für ihre zierliche Person. Gaigern, dem die meisten Hotelbetten zu kurz waren, fühlte sich belustigt und gerührt. Er hatte einen plötzlichen und zartfühlenden Gedanken. Er holte die Veronaltasse vom Tisch, auch die leeren Glasröhren, und wanderte damit ins Badezimmer. Mit der Sorgfalt einer Kinderfrau wusch er die entleerte Tasse aus und trocknete sie an einem Handtuch ab. Dem Bademantel der Grusinskaja, den er vorfand, drückte er kindischerweise einen Kuß auf den Ärmel. Für die leeren Glasphiolen fand sich kein Ort, er steckte sie in die Tasche zu den Perlen. Die Grusinskaja seufzte im Schlaf, als er wieder an das Bett trat. Er beugte sich mit gespannter Stirn über sie, aber sie schlief. Es war heller geworden. Er sah jetzt ihr Gesicht sehr nah und deutlich. Die Haare waren glatt zurückgefallen und ließen die schmalen und schattig eingebuchteten Schläfen frei. Unter den geschlossenen Augen saß das Altern in zwei tiefen Kerben. Gaigern sah es, aber es mißfiel ihm nicht. Der Mund war wunderbar über dem zierlichen und dennoch verwelkten Kinn. Ein wenig matter Puder lag noch auf ihrer Stirn mit dem hineingezackten Haaransatz. Gaigern erinnerte sich lächelnd, daß sie mitten bei Nacht eine Puderdose unter dem Kissen hervorgeholt hatte, bevor sie ihm erlaubte, die Nachttischlampe anzudrehen. »Jetzt sehe ich dich ja doch«, dachte er mit dem primitiven Triumphgefühl des Frauenräubers. Er durchsuchte ihr Gesicht wie eine neue Landschaft, in der man auf Abenteuer ausgeht. Er fand zwei rätselhafte symmetrische Streifen von den Schläfen abwärts, am Ohr vorbei, bis zum Hals, fadendünn, heller als die andere Haut. Er strich vorsichtig mit dem Finger darüber hin, es waren zarte Narben, die ihr Gesicht einrahmten, als seien sie der Rand einer Maske. Plötzlich begriff Gaigern, was es war. Es waren Narben der Eitelkeit, Schnitte in die Haut, um sie zu spannen und jünger zu machen - er hatte von Derartigem schon gelesen. Er schüttelte ungläubig lächelnd den Kopf. Unwillkürlich griff er an seine eigenen Schläfen, die straff waren und gefüllt mit einem starken, gesunden Pulsschlag.

Er legte mit äußerster Zartheit sein Gesicht an das der Grusinskaja, als könnte er etwas von sich in sie einströmen lassen. Er liebte sie so sehr, so sanft, so erbarmungsvoll in diesem Augenblick, daß er sich wunderte. Er spürte sich sauber und anständig und ein bißchen lächerlich in seiner Rührung über die arme Frau, der er alle ihre Geheimnisse weggenommen hatte.

Er wanderte vom Bett fort und stand ein paar Minuten vor dem Spiegel mit zusammengezogener Stirn, offenem Mund und tief nachdenklich. Er überlegte, ob es nicht möglich war, die Perlen trotzdem zu behalten. Nein, es war nicht möglich. Vorläufig war er immer noch der Freiherr von Gaigern, ein etwas leichtsinniger Mensch in schlechter Gesellschaft, verschuldet zwar, aber sonst vertrauenswürdig. Wenn er mit den Perlen das Zimmer verließ, dann wußte in ein paar Stunden die Polizei davon, und seine Kavaliersexistenz war erledigt. Er wurde ein verfolgter Verbrecher wie jeder andre. Das paßte ihm ganz und gar nicht. Daß er der Geliebte der Grusinskaja geworden war, ging gegen sein Programm, aber die Tatsache bestand und änderte alles andere. Er erwog die Chance, wie er die Chancen eines Boxkampfes oder eines Tennismatchs erwogen hätte. Unternehmungen wie die mit den Perlen waren sein Sport, und diesmal stand das Spiel gegen ihn. Diese Perlen waren unter den neuen Umständen nicht zu stehlen, man konnte sie nur geschenkt bekommen, wenn man geduldig war. Abwarten, dachte Gaigern und seufzte sehr tief. Seine Erwägungen waren soweit nüchtern und ganz in Ordnung. Er gestand sich nicht zu, daß darunter noch anderes versteckt lag. Er wollte nicht gern lächerlich vor sich selbst sein, und Sentimentalitäten haßte er. Er schaute in den Spiegel und schnitt sich ein Gesicht. Kurz und gut, dachte er unzufrieden, es liegt mir nicht, einer Frau, bei der ich geschlafen habe, ihre Perlen zu stehlen. Ich habe jetzt einfach keine Lust dazu. Es ist mir peinlich - Schluß!

Neuwjada, dachte er mit einer plötzlichen Zärtlichkeit zum Bett hin, gute Mouna, ich möchte dir ja viel lieber etwas schenken, viel schenken, etwas Hübsches, Kostbares, etwas, das dir Freude macht, du Armes. Er grub die Perlenschnüre aus seiner Tasche hervor, behutsam und ohne Lärm. Sie gefielen ihm jetzt gar nicht. Vielleicht waren sie doch falsch, trotz aller Zeitungsanekdoten, vielleicht waren sie gar nicht so viel wert, wie die Reklame erzählte. Er jedenfalls trennte sich in dieser Stunde leicht von ihnen . . .

Als die Grusinskaja zu erwachen versuchte, hatte sie den Kopf in Verschlafenheit eingewickelt wie in dicke Tücher. Veronal, dachte sie und ließ die Augen zu. Sie hatte in der letzten Zeit Angst vor dem Aufwachen, vor diesem Stoß, mit dem sie vor die nackten Unannehmlichkeiten ihres Lebens gestellt wurde. Es schien ihr dumpf, daß an diesem Morgen etwas Gutes und Angenehmes sie erwarte, aber sie fand nicht gleich, was es war. Sie leckte ihre Lippen und suchte den schlaftrunkenen, trockenen Geschmack der Nacht auf ihnen. Sie bewegte die Finger, wie ein träumender Hund. Ihr Körper war müde, zerschlagen, aber tief zufrieden wie nach einem großen Erfolg, wie nach einem Abend mit vielen Dakapos, in denen man den letzten Rest aus sich herauspumpen mußte. Sie spürte Morgenhelle gegen ihre geschlossenen Lider spülen, und einen Augenblick glaubte sie in Tremezzo zu sein, mit dem Widerschein der Seefläche in ihrem graurosigen Schlafzimmer. Sie entschloß sich, die Augen zu öffnen.

Zuerst sah sie eine fremde Steppdecke über ihren Knien, so groß wie ein Gebirge, dann die Hoteltapete mit den tropischroten Früchten an schmächtigen Stengeln, ein Muster, das nach fieberhaftem und sinnlosem Angestarrtwerden schmeckte. Der Überdruß ihres Lebens aus dem Koffer klebte an solchen Hoteltapeten. Die Ecke beim Schreibtisch war dämmrig, dort war der Fenstervorhang zugezogen, und man konnte die Uhr nicht erkennen. Die Balkontür stand offen und ließ Kühle herein. Neben dem Spiegeltisch, gegen die Helle des Balkons gestellt, fand die verschlafene Grusinskaja den breiten, schwarzen Umriß eines Mannes. Er stand mit dem Rücken zu ihr, auf gespreizten Beinen, überaus sicher und unbewegt und hatte den Kopf irgendeiner Beschäftigung zugewendet, die man nicht sehen konnte. Das habe ich doch vor kurzem erst geträumt, dachte die Grusinskaja zuerst, sie war noch zu schlafdumm, um zu erschrekken. Das habe ich doch schon erlebt, dachte sie dann. Jerylinkow, dachte sie zuletzt. Plötzlich ging ihr Herz an wie ein Motor, sie erwachte völlig und wußte wieder alles.

Sie atmete mit geschlossenem Mund, verstohlen, aber tief, und mit dem Atem strömten alle Erinnerungen der Nacht in sie ein. Sie hob einen Arm von der Decke, er war ganz leicht, er hatte Lust zu fliegen. Sie tastete heimlich nach ihrem Puderdöschen und begann mit ernsthaften Blikken in den winzigrunden Spiegel sich zurechtzumachen. Der zarte Geruch des Puders freute sie; sie gefiel sich. Sie spürte eine Verliebtheit für sich selbst, wie seit Jahren nicht. Sie umfaßte ihre kleinen Brüste, es war eine Gewohnheitsbewegung, doch an diesem Morgen lag ein besonderer Genuß darin, das eigene, glatte, kühle und zufriedene Fleisch zu spüren. Benvenuto, sagte sie in sich, und auf russisch: Schelannij. Weil sie den Namen in sich behielt, konnte der Mann ihn nicht hören. Er stand breitbeinig da, mit schönen Schultern - wie einer der Henkersknechte des Signorelli, fand die Grusinskaja entzückt - und hantierte an irgendeinem Gegenstand, der auf dem Spiegeltischchen stand. Sie richtete sich auf und sah lächelnd hin.

Er machte sich an dem Köfferchen zu schaffen, in dem ihre Perlen lagen. Deutlich hörte sie eines der Etuis zuschnappen, sie kannte den helldumpfen Knacks, es war das blaue, längliche Samtetui, in dem die Kette mit den mittelgroßen zweiundfünfzig Perlen lag. Im ersten Augenblick verstand die Grusinskaja nicht, warum dieser Laut sie so tödlich erschreckte. Ihr Herz hörte auf zu schlagen und sprang dann mit drei schweren, tönenden Schlägen wieder an, die überall schmerzten; die Fingerspitzen taten ihr weh und wurden starr. Auch die Lippen. Dabei lächelte sie noch immer, sie hatte vergessen, das Lächeln von ihrem Mund fortzunehmen, und da stand es noch, während ihr Gesicht kalt und weiß wie Papier wurde. Ein Dieb also - dachte die Grusinskaja hellsichtig, es war ein so sonderbarer Gedanke, geräuschlos und endgültig, wie ein Schnitt quer durch das Herz. Sie glaubte bewußtlos zu werden und sehnte sich danach, aber statt dessen blitzte eine Sekunde lang eine Unzahl wacher Gedanken durch ihren Kopf, schneidend, überkreuzt, aneinanderklirrend, ein Degenkampf von Gedanken.

Das schreiende Gefühl eines tödlichen Mißbrauchtseins, Scham, Angst, Haß, Wut, ein fürchterlicher Schmerz. Und zugleich eine abgrundtiefe Schwäche: nicht sehen wollen, nicht begreifen wollen, nicht die Wahrheit zugeben, Flucht in die Barmherzigkeit der Lüge -

»Que fâites vous?« flüsterte sie zu dem Henkersrücken. Sie glaubte zu schreien, aber sie flüsterte nur zwischen ihren steifen Lippen: »Was tust du?«

Gaigern erschrak so sehr, daß es ihm den Kopf herumriß, sein Schrecken sprach so deutlich wie ein Geständnis. In der Hand hielt er das kleine würfelförmige Etui eines Ringes, das suit-case war geöffnet, Perlenschnüre lagen auf der Glasplatte des Spiegeltischchens. »Was tust du da?« flüsterte die Grusinskaja noch einmal, und daß sie dabei lächelte mit ihrem erblaßten und verzerrten Gesicht, war jammervoll genug. Gaigern verstand sie auch gleich, und wieder kochte das Mitleid in ihm hoch, brennend, daß er es in den Schläfen zischen fühlte. Er packte sich fest und hielt sich.

»Guten Morgen, Mouna«, sagte er freundlich. »Ich habe da einen Schatz gefunden, während du geschlafen hast -«

»Wie kommst du zu meinen Perlen?« fragte die Grusinskaja heiser. Lüge mich an, bitte, lüge mich an, bettelte ihr aufgerissener Blick. Gaigern trat zu ihr hin und legte seine Hand wie einen Schirm über ihre Augen. Armes Tier, armes Frauentier. »Ich war sehr ungezogen«, sagte er. »Ich habe gestöbert. Ich suche ein Pflaster, ein Stückchen Verband, irgend etwas - ich habe mir eingebildet, in dem kleinen Toilettenkoffer muß so etwas sich finden lassen. Aber da war dein Schatz drinnen. Ich komme mir vor wie Aladin in der Höhle -« Sogar ihre Augen hatten die Farbe verloren und waren aus Blei geworden, jetzt kehrte langsam ihr bläuliches Schwarz zurück. Gaigern schob seine verletzte und dünn blutende rechte Handfläche vor ihren Blick wie ein Beweisstück. Die Grusinskaja ließ schwach und entspannt ihren Mund in diese Hand sinken. Gaigern legte seine andere Hand auf ihr Haar und zog ihren Kopf an seine blauseidene, geöffnete Pyjamabrust. Er konnte ziemlich brutal und niederträchtig gegen die Frauen sein, mit denen er sonst zu tun hatte. Diese da, weiß der Teufel wieso, rief alle guten Instinkte in ihm auf. Sie war so zerbrechlich, so gefährdet, so schutzbedürftig - und so stark dabei. Aus seiner Existenz heraus, die immer wie über einen Grat balancierte, verstand er die ihre. »Du Dumme -«, sagte er zärtlich. »Hast du vielleicht geglaubt, daß ich es auf die Perlen abgesehen habe?«

»Nein«, log die Grusinskaja. Zwei Unaufrichtigkeiten bauten die Brücke, auf der die Liebenden zusammenkommen konnten. »Übrigens - ich trage sie nie mehr«, fügte sie aufatmend hinzu.

»Nie mehr? Aber warum -«

»Das - verstehst du nicht. Das ist ein Aberglaube. Früher haben sie mir Glück gebracht. Dann haben sie mir Unglück gebracht. Und jetzt, wo ich aufhöre, sie zu tragen, bringen sie mir wieder Glück.«

»Tun sie das?« fragte Gaigern nachdenklich, er hatte einen Druck und eine Beklommenheit zu überwinden. Die Perlen lagen nun wieder ordentlich in ihrem kleinen Bett. Adieu! Auf Wiedersehen, dachte er kindisch. Er steckte seine Hände abschließend in seine Taschen, darin sich alles Diebeshandwerkszeug befand, aber keine Beute. Dabei war ihm sauwohl zumute, glückselig leicht und vergnügt, zum Brüllen neu und angefüllt. Er riß seinen Mund auf und jodelte einen großen, runden Glücksschrei aus sich heraus. Die Grusinskaja begann zu lachen. Gaigern stürzte quer durch das Zimmer auf sie zu und vergrub seinen Jodler an ihrer Haut, er ließ sich mit Mund und Blick und Gefühl in die Frau hineinfallen. Sie griff nach seinen Händen und küßte sie, es war ein wenig echte, demütige Dankbarkeit darin und ein wenig gespielte. »Da blutet es -«, sagte sie, mit dem Mund an der kleinen Wunde. »Du hast Lippen wie ein Pferd«, antwortete Gaigern, »weich wie ein kleines Fohlen, schwarz und mit wunderbarem Pedigree.« Er kniete nieder und umfaßte ihre nackten Knöchel, an denen dicht unter der Haut die Sehnen spielten. Gerade als die Grusinskaja sich zu ihm hinunterbücken wollte, schnarrte etwas auf dem Schreibtisch, kurz, lang, kurz -

»Das Telefon«, sagte die Grusinskaja. »Das Telefon?« wiederholte Gaigern. Die Grusinskaja seufzte tief. Es hilft alles nichts, besagte ihre Miene, als sie den Hörer abhob mit einer Bewegung, als wöge er zwei Zentner. Im Telefon war die Suzette. »Es ist sieben Uhr«, meldete ihre heisere Morgenstimme. »Madame muß aufstehen. Es muß gepackt werden. Darf der Tee gebracht werden? Und wenn ich Madame massieren soll, ist es höchste Zeit - und Herr Pimenoff bittet sofort um Anruf, sobald Madame aufgestanden ist -«

Madame überlegte eine Sekunde. »In zehn Minuten, Suzette - nein, in einer Viertelstunde kommen Sie mit dem Tee, wir machen es dann kurz mit der Massage -«

Sie legte den Hörer hin, behielt ihn aber in der Hand, die

andere Hand streckte sie Gaigern hin, der mitten im Zimmer stand und auf den dünnen Chromledersohlen seiner Boxerschuhe wippte. Sie nahm den Hörer gleich wieder ab, unten meldete sich der Portier mit wacher Dienststimme, obwohl er die Nacht ohne eine Spur von Schlaf hingebracht hatte, da es doch mit seiner Frau in der Klinik gar nicht gut zu stehen schien.

»Welche Nummer, bitte?« sagte er stramm.

»Wilhelm, siebennullzehn! Herr Pimenoff!« Pimenoff wohnte nicht im Hotel, sondern in einer zweitklassigen Pension, die eine russische Emigrantenfamilie im vierten Stock eines Charlottenburger Hauses aufgetan hatte. Dort schien man noch zu schlafen. Während die Grusinskaja wartete, sah sie im Geist den alten Pimenoff in seinem uralten seidenen Schlafrock zum Telefon eilen, mit seinen schmalen Füßen, die er immer etwas zu auswärts hielt, wie für die fünfte Position. Endlich meldete er sich mit seiner zarten, nervösen Altmännerstimme.

»Ach, Pimenoff, bist du selber da? Guten Morgen, dobroje utro, mein Guter! Ja, danke, ich habe gut geschlafen, nein, nicht zuviel Veronal, nur zwei; danke, alles all right, Herz, Kopf und so weiter. Wie? Was ist los? Michael hat einen Bluterguß im Knie - aber mein Gott, warum hast du mir das gestern abend nicht gesagt, das ist ja schrecklich. Das dauert, das dauert - wir wissen es doch, wie lange das dauert. Und was hast du unternommen? Wie? Noch nichts? Aber - Man muß sofort an Tscherenow depeschieren, hörst du, sofort, er muß einspringen. Meyerheim muß das machen, wo steckt Meyerheim? Ich rufe ihn sofort an. Zu früh? Erlaube, Lieber, warum ist es für uns nicht zu früh und für Herrn Meyerheim - nein, bitte. Und die Dekorationen, sind sie schon zur Bahn gebracht? Aber ich bitte sehr, mit der ersten Schicht, wann fängt die erste Schicht an? Um sechs? Wenn die Dekorationen nicht da sind, mache ich Sie haftbar, Pimenoff, kein Wort, Sie sind der Ballettmeister, es ist Ihre Sache, sich um die Dekorationen zu kümmern, nicht meine. Ja, ich erwarte in einer halben Stunde spätestens Ihre Antwort, fahren Sie selber zur Bahn. Adieu!«

Sie legte diesmal den Hörer gar nicht fort, sondern drückte nur die Gabel mit zwei Fingern hinunter. Sie rief Witte an, der morgens meist an Begriffsverwirrung litt und dessen Reisefieber trotz zahlloser Tourneejahre immer noch krankhaft war und alles in Konfusion brachte. Sie rief Michael an, er wohnte in einem kleinen Hotel und jammerte wie ein kleiner, getretener Hund über das Unglück mit dem Bluterguß. Die Grusinskaja schrie strenge Verordnungen und Ratschläge ins Telefon, sie war wütend und ungerecht, sooft jemand von der Truppe erkrankte. Sie rief drei Ärzte an, bevor sich einer bereit fand, den kranken Michael sofort zu besuchen und ihm die nötige Portion Schonung und essigsaure Tonerdebandagen beizubringen. Sie rief Meyerheim an, stritt sich in hitzigstem Französisch mit ihm und befahl ihn für halb neun ins Hotel zur Abrechnung. Sie gab eine telefonische Depesche an Tscherenow auf und vorsichtshalber noch eine zweite an einen jungen Tänzer, der gut war und ohne Engagement in Paris saß. Hinterher ermittelte sie mit Hilfe von Portier Senf die Verbindung des Pariser Expreßzuges, mit dem es dem Jungen glükken konnte, rechtzeitig in Prag einzutreffen, und dann jagte sie eine dritte Depesche nach.

»Bitte, chéri, dreh das Badewasser auf«, sagte sie zwischendurch schnell zu Gaigern, und dann trommelte sie eine Reihe englischer Befehle an den Chauffeur Berkley in das Telefon, denn das Auto sollte nicht mitkommen, sondern indessen gründlich überholt werden. Gaigern ging hin und drehte gehorsam das Badewasser auf. Er tat ein übriges und hängte den Bademantel über die Heizung, um ihn anzuwärmen. Er suchte den Schwamm, mit dem er gestern abend das zerstörte Gesicht der Grusinskaja abgewaschen hatte, und trug ihn ins Badezimmer - sie telefonierte noch immer. Er fand Badesalz und warf eine Handvoll davon in das Wasser, die Wanne war vollgelaufen. Er hätte ihr gern noch etwas zuliebe getan, aber es ließ sich nichts mehr finden. Auch schien die Grusinskaja mit ihren Telefongesprächen vorläufig zu Ende zu sein.

»Da hast du es, so geht es jeden Tag los -«, sagte sie, es sollte klagend klingen, aber er federte von Vitalität und der Lust, etwas anzupacken. »Das alles muß gemacht werden. Und dann sagt Michael immer: es ist zu viel chi-chi um die Grusinskaja. Das nennt er nun chi-chi, als ob es ein Vergnügen wäre -«

Gaigern stand vor ihr und war hungrig nach etwas Zärtlichem, etwas Vertrautem, sie streckte ihm auch beide Hände hin, aber sie blieb dabei zerstreut. Sie dachte an Michaels Bluterguß. Jetzt hörte sie auch wieder die beiden Uhren laufen. Sie nahm schnell das Telefon und rief noch einmal Suzette an. »Noch zehn Minuten warten Sie, Suzette«, bat sie voll Höflichkeit und Schuldbewußtsein. Ihr Blick streifte den Tisch und die Teetasse von gestern abend. Die stand da, blank gewaschen, mit einem Ausdruck tiefer Unschuld und Harmlosigkeit, und das goldene Phantasiewappen des Hotels glänzte auf ihrem Porzellan. ›Was für eine verrückte Nacht‹ - dachte die Grusinskaja. ›Nein, solche Dinge tut man nicht. Und solche Tänze, wie mir heute nacht einfielen, kann man nicht tanzen. Das war nur Nervenüberreizung. Die Wiener würden mich auspfeifen, wenn ich mit solchen Tänzen käme, statt mit der verwundeten Taube und den Papillons. In Wien ist man anders als in Berlin, dort weiß man, was Ballett ist -‹

Obwohl sie Gaigern währenddessen starr ins Gesicht blickte, sah sie ihn nicht. Er spürte dabei einen feinen Schmerz, der ihm neu war, einen sonderbar lebendigen Schmerz mitten im Atemzug. »Thymian! Neuwjada!« sagte er leise und holte das Wort aus dem tiefsten Taumel der Nacht. Es war der Duft darin, das Bittere und auch das Süße und das Unvergeßliche. Und wirklich, so angerufen, kehrte die Grusinskaja mit ihren Augen zu ihm zurück, und ihr Gesicht nahm einen gespannten Ausdruck des Leidens an, obwohl sie lächelte. »Ich glaube, wir müssen uns jetzt trennen, du -«, sagte sie mit einer Stimme, die sie laut und unbiegsam gemacht hatte, damit sie nicht zerbrach.

»Ja -«, antwortete Gaigern. Er hatte jetzt völlig, bis zur gänzlichen Ausgelöschtheit, die Perlen vergessen. Er spürte nur ein klammerndes und pressendes Gefühl für die Frau, einen unabmeßbaren Wunsch, gut zu ihr zu sein, gut, gut, gut. Er drehte hilflos an seinem Siegelring mit dem Gaigernschen Wappen in Lapislazuli.

»Da -«, sagte er und hielt ihr ungeschickt wie ein Knabe den Ring hin. »Damit du mich nicht vergißt -«

›Seh' ich dich denn nicht wieder?‹ dachte die Grusinskaja, und bei dem Gedanken wurden ihre Augen heiß, und Gaigerns schönes Gesicht verschwamm in ihren Tränen. Es war einer von den Gedanken, die man nicht aussprechen durfte. Sie wartete. ›Laß mich bei dir bleiben. Ich will gut zu dir sein‹, dachte Gaigern. Er machte den Mund fest und trotzig zu und sprach keinen Ton.

»Die Suzette wird gleich da sein -«, sagte die Grusinskaja schnell.

»Du fährst nach Wien?« fragte er.

»Zuerst nach Prag, für drei Tage. Dann vierzehn Tage Wien. Ich werde im Bristol wohnen -«, setzte sie noch hinzu. Stille. Uhrenticken. Autohupen unten vor dem Hotel. Begräbnisduft. Atmen.

»Kannst du nicht mitreisen - du? Ich brauche dich -«, sagte endlich die Grusinskaja.

»Ich - nach Prag kann ich nicht. Ich habe kein Geld. Ich muß mir erst Geld verschaffen.«

»Ich gebe dir -«, sagte sie schnell. Ebenso schnell antwortet Gaigern: »Ich bin kein Gigolo -«

Plötzlich lagen Sie einander in den Armen, zueinandergeworfen von etwas Großem, ineinander verklammert, festgebunden in dem Augenblick, da sie auseinander sollten. »Danke«, sagen sie beide, »danke, du, danke«, in drei Sprachen, Deutsch, Russisch, Französisch, gestammelt, geschluchzt, geflüstert, geweint, gejubelt: »Danke, du, merci, bolschoje spassibo, danke -«

Suzette läßt sich in diesem Augenblick schon von dem beleidigten Zimmerkellner das Servierbrett mit dem Tee übergeben. Es ist sieben Uhr achtundzwanzig. Die Uhr auf dem Schreibtisch rennt atemlos, die andere ist vor Überanstrengung stehengeblieben. Weiter, weiter, weiter, weiter, tickt es vorwurfsvoll.

»In Wien also?« sagte die Grusinskaja mit feuchten Lidrändern. »In drei Tagen? Du reist mir nach -. Und nachher kommst du zu mir nach Tremezzo, wir werden es schön haben, wir werden es wunderbar haben. Ich gebe mir Ferien, sechs Wochen oder acht, wir werden leben, du, wir werden nichts tun als leben, wir lassen alles dahinten, den ganzen Unsinn, und tun nichts als leben, wir werden blödsinnig vor Faulheit und Glücklichsein - und dann kommst du mit nach Südamerika, kennst du Rio schon? Ich - nein, genug. Es ist Zeit. Geh! Geh du! Danke!«

»In drei Tagen spätestens«, sagte Gaigern. Die Grusinskaja hängt schnell noch ein wenig von ihrer Weltdamengrazie um sich. »Sieh zu, daß du in dein Zimmer kommst, ohne mich zu stark zu kompromittieren -«, sagt sie und schließt die beiden Türen hintereinander auf. Wie Gaigern stumm seine Hand aus der ihren löst, spürt er es schmerzen. Es blutet auch wieder. Der Gang ist still, die vielen Türen verlieren sich in langer Perspektive. Stiefel schlafen mit Hängeohren an den Schwellen. Der Lift kommt von oben herunter, in der dritten Etage läuft jemand, der einen Zug nicht versäumen will. Im Stiegenhaus ist eines der Milchglasfenster geöffnet und läßt den Zigarrenrauch vom Abend in den Hof hinaus. Gaigern schleicht auf seinen Boxersohlen über den Ananasteppich zu Nr. 69 und sperrt sein eigenes Zimmer mit einem Nachschlüssel auf. Denn der andere hängt noch zu Alibizwecken am Schlüsselkasten beim Portier.

Die Grusinskaja badet und legt sich dann bereitwillig unter die Massierhände von Suzette. Sie fühlt sich stark, elastisch und voll Auftrieb. Sie hat eine ungeheure Lust zu tanzen und einen großen Hunger nach dem nächsten Auftreten. Sie spürt, daß sie jetzt Erfolg haben wird, in Wien hat man immer Erfolg, sie spürt es in den Beinen, den Händen, im Nacken, den sie zurückwirft, und im Mund, der immerfort lächeln möchte. Sie zieht sich an, sie treibt davon wie ein Kreisel, hinter dem eine Peitsche her ist. Mit einem enormen Elan begibt sie sich an die Geschäfte des Morgens, an den Streit mit Meyerheim, an den unterirdischen Kampf mit den Tücken der Truppe, an die Geduldsarbeit mit Pimenoff und Witte.

Um zehn Uhr bringt der Page Nr. 18 einen Rosenstrauß: »Auf Wiedersehen, geliebter Mund«, steht auf einem kleinen Stück Papier, das aus einem Hotelbriefbogen herausgerissen ist. Die Grusinskaja küßt den Siegelring mit dem Gaigernschen Wappen. »Porte bonheur«, flüstert sie wie zu einem Vertrauten. Jetzt hat sie wieder etwas, das Glück bringt. Michael hat recht. Die Perlen werde ich hingeben - für arme Kinder, denkt sie. Suzette umklammert mit gestopften Zwirnhandschuhen den Koffergriff des suit-case, während der Hausdiener die andern Gepäckstücke davonträgt. Ohne Sentimentalität verläßt die Grusinskaja das erlebnisreiche Hotelzimmer mit der Tapete, die ihr immer auf die Nerven ging. Im Hotel Imperial in Prag ist schon ein anderes für sie reserviert, und im Hotel Bristol in Wien auch, ihr gewohntes Zimmer nach der Hofseite, Numero 184, mit Bad. Und eines in Rio und eines in Paris, in London, in Buenos Aires, in Rom, eine endlose Perspektive von Hotelzimmern mit Doppeltüren und fließendem Wasser und mit dem undefinierbaren Geruch der Rastlosigkeit und der Fremde ...

Zehn Minuten nach neun fegt das unausgeschlafene Stubenmädchen in Numero 68 flüchtig den Staub fort, es wirft die welken Blumenarrangements weg, trägt die Teetasse hinaus, und zuletzt bringt es neue Bettwäsche - noch feucht vom Bügeln - für den nächsten Gast ...

Heimtückisch, wie alle Weckuhren sind, versäumte die von Generaldirektor Preysing, ihn durch rechtzeitiges und gründliches Lärmen aus dem Schlaf zu holen. Sie machte um halb acht nur einen kleinen, heiseren Knacks, und das war alles. Preysing, der mit offenem, ausgetrocknetem Mund schlief, bewegte sich ein wenig, die Sprungfedern seufzten dazu, hinter den gelben Schutzvorhängen zeigte sich etwas Sonne. Um acht Uhr weckte dann pflichtgetreu der Portier durch telefonischen Anruf, aber da war es reichlich spät. Preysing trug seinen dumpfen Kopf unter die Brause, leise fluchend über den vergessenen Rasierapparat. Ein Pedant von seiner Sorte konnte durch so etwas um alle Lebensfreude gebracht werden. Obwohl er spät daran war, vertrödelte er viele Minuten bei der Wahl des Anzugs. Und als er sich schon für den Cut entschlossen hatte, zog er ihn wütend wieder aus. Er kalkulierte - und vielleicht mit Recht -, daß er sich durch den Cut in Nachteil brächte; der graue Reiseanzug zeigte hingegen den Chemnitzern sogleich, daß ihm nicht so viel an der ganzen Angelegenheit lag. Er eilte sich ungemein, aber bis er alle Säckchen und Futterale weggepackt hatte, alle Schlüsselchen gesucht, gefunden und eingepackt hatte, als er seine Akten nochmals durchblättert und sein Geld nochmals gezählt hatte, war es mehr als neun Uhr geworden. Mit heißem Kopf schoß er aus seinem Appartement und knallte draußen sogleich gegen einen Herrn. »Verzeihung!« sagte Preysing und blieb vor seiner Tür stehen, um auch mit dem zweiten Arm in seinen Mantel zu gelangen. »Bitte sehr!« erwiderte der Herr und wanderte auf dem Laufteppich weiter mit einer Rükkenhaltung, die Preysing nicht unbekannt vorkam. Als Preysing zum Lift gelangt war, fuhr dieser Herr gerade ab, und jetzt sah Preysing auch seine Vorderfront, die er gleichfalls kannte, er wußte nicht, woher. Es schien ihm nur, daß dieser Herr ihn angrinste, während er vor seiner Nase mit dem Lift abfuhr.

Preysing, nervös gemacht und ungeduldig, rannte die Treppen hinab und stürzte durch die Korridore in das gekachelte Souterrain, wo der Hotelfriseur sein Geschäft betrieb und es nach abgestandenem Kellerwasser und Peau d'Espagne roch. Drinnen saßen auf sämtlichen Stühlen Herren, wie Babys in weiße Hemdchen gepackt und hoffnungsvoll den Hantierungen der weißjackigen Friseure hingegeben. Preysing begann vor Ungeduld auf seinen dicken Kreppsohlen zu tanzen. »Dauert's lange, bis ich drankomme?« fragte er und kratzte mit seiner unrasierten Wange in seiner Handfläche herum.

»Höchstens zehn Minuten. Nur noch der Herr, der vor Ihnen da war«, wurde bekundet. Der Herr, der vor ihm da war, war der Herr aus dem Lift, Preysing betrachtete ihn ganz ohne Wohlwollen. Es war ein ziemlich meskines Wesen, mager und bescheiden, schielend hinter einem verrutschten Kneifer mit spitzer Nase in eine Zeitung geneigt. Preysing wußte genau, daß er mit diesem Menschen schon geschäftlich zu tun gehabt hatte, aber konnte sich durchaus nicht erinnern, bei welcher Gelegenheit. Er stellte sich vor den Herrn, machte eine beiläufige Verbeugung und sagte mit möglichster Liebenswürdigkeit:

»Bitte, würden Sie die große Freundlichkeit haben und mich zuerst ranlassen? Ich habe es sehr eilig –«

Kringelein, der sich hinter seiner Zeitung zusammengeknittert hatte, sammelte seine Kräfte. Er kam hinter dem Leitartikel hervor, streckte seinen dünnen Hals, schielte dem Generaldirektor mitten ins Gesicht und antwortete: »Nein!«

»Verzeihen Sie - aber ich habe es sehr eilig -«, stammelte Preysing vorwurfsvoll.

»Ich auch«, erwiderte Kringelein.

Preysing machte wütend kehrt und verließ den Friseurladen. Als ein Sieger und Held, aber völlig erschöpft und ausgeleert von der immensen Anspannung, blieb Kringelein mit schwerem Atem im Duft der Rasieressenzen zurück . . .

Verspätet, unrasiert und mit einer schmerzenden Zungenspitze, die er sich an zu heißem Kaffee verbrannt hatte, traf der Generaldirektor im Konferenzzimmer ein. Die anderen Herren hatten schon eine hübsche Menge von blauem Zigarrenrauch in das Zimmer geblasen, das mit seinem grünen Tischtuch, der imitierten Damasttapete und dem Ölbild des Begründers vom Grand Hôtel einen höchst soliden Eindruck machte. Doktor Zinnowitz hatte schon seine Akten vor sich hingepackt, der alte Gerstenkorn saß präsidierend am Kopfende des viel zu langen Tisches, er hob zur Begrüßung nur eine Hälfte seines Sitzteiles vom Stuhl, denn er gehörte zu der handfesten Generation von Preysings Schwiegervater, hatte den Generaldirektor noch als jungen Mann gekannt und hielt nicht übermäßig viel von ihm. »Mit Verspätung, Preysing?« sagte er, »akademisches Viertel? Unsolide gewesen gestern abend? Ja, Berlin hat's in sich!« Er lachte mit dem dick verschleimten Husten des Bronchitikers und deutete auf den Stuhl neben sich. Preysing nahm Platz, gegenüber von Schweimann, er hatte das verdammte Gefühl, mit dem linken Fuß aufgestanden zu sein, und seine Oberlippe unter dem Schnurrbart war feucht, noch bevor es losging. Schweimann, der rote Lidränder hatte und den großen, vorgeschobenen, dehnbaren Mund eines Affen, präsentierte einen dritten Herrn: »Unser Syndikus, Doktor Waitz«, sagte er. Doktor Waitz war ein jüngerer Mann, der zerstreut aussah, es aber keineswegs war und bei Verhandlungen mit seiner auftrumpfenden und angriffslustigen Trompetenstimme reichlich unangenehm werden konnte. Den hatten die Chemnitzer also auch mitgebracht.

»Wir kennen uns schon -«, sagte Preysing, wenig erfreut. Schweimann bot über den Tisch hin dem Generaldirektor eine Zigarre an. Doktor Zinnowitz holte aus seiner Brusttasche eine Füllfeder und legte sie vor sich hin neben die Akten. Weiter unten am Tisch, jenseits von der leicht erblindeten Wasserflasche und den Gläsern, die auf einem schwarzen Tablett zitterten, sooft ein Autobus draußen irgendwo vorbeifuhr, saß noch ein farbloses Wesen: Flamm eins, mit dem Stenogrammblock in der Hand, ältlich und ausgelöscht, dünnem, weißem Mottenflaum auf den Wangen, verschwiegen, pflichtgetreu und in keiner Weise mit Flamm zwo zu verwechseln.

»Hübsche Füllfeder«, sagte Schweimann zu Zinnowitz. »Was ist das für eine Marke? Sehr hübsch.«

»Gefällt sie Ihnen? Bekomme ich aus London. Hübsch, nicht wahr?« sagte Zinnowitz und schrieb seine flüssige Unterschrift auf einen Notizblock. Alle Herren sahen zu.

»Was kostet so 'n Ding, wenn man fragen darf?« erkundigte sich Preysing, holte seine eigene Füllfeder aus der Brusttasche, legte sie vor sich auf den Tisch, und jetzt sahen alle Herren dorthin. »Etwas über drei Pfund, ohne den Zoll. Ein Bekannter hat sie mir mitgebracht«, sagte Doktor Zinnowitz. »Angenehmes Ding. Sehr angenehm.«

Sie steckten die Köpfe über den Tisch wie Schuljungen und betrachteten den malachitgrünen Füllfederhalter aus London. Es war ein Objekt, wert, daß sich fünf erwachsene Konferenzteilnehmer damit drei Minuten lang beschäftigten. »Na, nun wollen wir aber ans Geschäft gehen«, sagte schließlich der alte Gerstenkorn mit seiner verschleimten Stimme, und sogleich stützte Justizrat Zinnowitz seine weißen, blutarmen Finger auf die grüne Tischdecke und begann in geläufigen und wohlpräparierten Worten ein Exposé in die blaue Luft des Konferenzzimmers hineinzusprechen.

Preysing gönnte sich eine kleine Entspannung. Er war kein großer Redner und genoß es dankbar, daß Zinnowitz ihm diese Arbeit abnahm und daß seine Sätze sich so glatt und klar abspulten wie von einer Maschine. Übrigens war dies nur die Einleitung. Er sagte zunächst nur Dinge, die schon längst in Vorverhandlungen durchgekaut worden waren. Er zeigte nur zusammenfassend nochmals den Stand der Angelegenheit auf, wobei er bald dieses, bald jenes Schriftstück aus dem Aktenmantel fischte und die langen Ziffernkolonnen dicht vor seine kurzsichtigen Augen nahm, um sie geläufig ablesen zu können.

Dies aber, um es nochmals zu wiederholen, war der Stand der Angelegenheit: Die Saxonia Baumwoll A.-G., die in der Hauptsache Baumwollstoffe, Schlafdecken und im Abfallverfahren eine gewisse, sehr beliebte Art von Scheuertüchern herstellte, war ein mittelgroßes und kapitalkräftiges Unternehmen. Ihre Aktiven an Grund-, Gebäude- und Maschinenbesitz, an Roh- und Fertigwaren, an Patenten und sonstigen Dingen und vor allem an Außenständen ergaben eine höchst ansehnliche Summe. Der Jahresumsatz und der Reingewinn hielten sich auf einer soliden mittleren Höhe, die Dividende betrug im letzten Jahr noch neuneinhalb Prozent.

Zinnowitz las diese immerhin erfreulichen Ziffern vor, und Preysing hörte mit angenehmen Gefühlen zu. Da war alles sauber und in Ordnung in seinem Werk, und die Produktion aus den Abfällen, die allein über 300 000 brutto brachte, hatte er organisiert. Er schaute Gerstenkorn an. Gerstenkorn wiegte in der nachdenklichen und etwas einfältigen Art pfiffiger alter Leute seinen grauen Bürstenkopf hin und her. Schweimann nuckelte an seiner Zigarre und schien gar nicht zuzuhören. Waitz kontrollierte jede Ziffer, die genannt wurde, an Notizen, die er in einem kleinen Lederbuch stehen hatte. Flamm eins, eine Meisterin in der Kunst der Privatsekretärinnen, nicht vorhanden zu sein, starrte die Reflexe in der Wasserflasche an, den Bleistift gezückt wie ein kleines, spitzes Bajonett. Zinnowitz holte ein anderes Paket aus den aufgeschichteten Schriftstücken hervor und wendete sich nun dem Stand der Chemnitzer Strickwaren zu. Sein langer, dünner Chinesenbart stieg beim Sprechen auf und ab.

Chemnitzer Strickwaren war - so ging es aus den Ziffern hervor - ein wesentlich kleineres Unternehmen. Es besaß kaum halb soviel Aktiven, und die Bilanz zeigte eine reichlich angespannte Lage. Man hatte nur das Notwendigste abgeschrieben, aber trotzdem eine erstaunlich hohe Tantieme ausgeworfen. Der Jahresumsatz war hoch. Die Reineinnahme entsprach aber wohl kaum der Höhe der Umsätze. Bei alledem hielten sich die Ziffern der Chemnitzer Bilanz auf einer überraschenden Höhe. Zinnowitz machte ein höfliches, kleines Fragezeichen hinter die letzten Ziffern, die er vorgelesen hatte, und sah den alten Gerstenkorn an. »Eher mehr«, sagte Gerstenkorn. »Eher mehr. Sie können rund annehmen 250 000 Mark, das können Sie.«

»So dürfen Sie nicht rechnen«, sagte Preysing, der nervös geworden war. »Sie müssen doch die neuen Maschinen für das neue Verfahren amortisieren. Dabei können Sie nicht einmal Ihre alten Maschinen gehörig abschreiben.«

»Trotzdem. Trotzdem«, sagte Gerstenkorn starrsinnig.

Doktor Waitz trompetete: »Unsere Zahlen sind eher unterwertet als überwertet.« Doktor Zinnowitz reichte dem Generaldirektor ein Papier hinüber, in das er mit angestrengten Augen rechnend sich vertiefte. Das Resultat kannte er schon. Chemnitzer Strickwaren war ein wenig solides Unternehmen, von Anfang an mit zu schwachem Kapital gegründet und seinen Kredit anspannend bis aufs letzte. Aber es setzte um, es verdiente, es kam offenbar hoch, es hatte die Konjunktur für sich. Indes Saxonia Baumwolle hintenblieb, einschlief, solid und gut fundiert, wie es war. Baumwolle, Schlafdecken und Scheuertücher. Die Welt war nicht für Schlafdecken und Scheuertücher im Augenblick. Und der Alte in Fredersdorf wußte, warum er alles daransetzte, um die Konjunktur in Strickwaren bei einem Zipfel zu erwischen und seinem Werk nutzbar zu machen.

»Es spielt keine Rolle. Gehen wir weiter«, sagte er mit der Nachgiebigkeit des Mannes, der die schlechtere Position hat. Gerstenkorn nahm ihm seine Bilanz aus der Hand und tätschelte das Papier, er lachte Husten.

Zinnowitz hatte sich in flüssigen Worten schon dem Stand der Aktien zugewendet, und hier saß ein deutlicher Haken. Der tatsächliche Wertbesitz der Saxonia war fast doppelt so hoch als der Aktivenstand der Chemnitzer. Von dieser Voraussetzung ausgehend waren alle Vorbesprechungen so gelaufen, daß man bei der Fusion der beiden Betriebe zwei Chemnitzer Aktien dem Werte von einer Saxonia-Aktie gleichsetzen wollte. Nun aber waren die Chemnitzer Aktien gestiegen, die Baumwoll-Aktien gefallen, es hatten sich die Gewichte wesentlich verschoben, und - Doktor Zinnowitz mußte es mit einer konzilianten Handbewegung einräumen - die Umtauschbasis war durch den erstaunlichen Kursaufschwung der Chemnitzer Strickwaren eine andere geworden. Preysing hörte mißvergnügt der glatten Plädoyerstimme zu, die in vielen tadellosen Konjunktiven lauter unangenehme Dinge vorbrachte, die er zur Genüge kannte. Seine Zigarre hörte auf, ihm Freude zu machen, er tat noch ein paar heftige Züge und legte sie dann weg. An einem bestimmten Punkt von Zinnowitz' Ausführungen war Doktor Waitz vorgeschossen wie ein Schauspieler auf ein Stichwort, er schnellte seine Hände über die grüne Tischplatte und machte Einwände. Er las aus seinem Notizbuch Zahlen vor, ohne überhaupt hinzusehen, neue Zahlen, andere Zahlen - Preysing spannte seine Stirnmuskeln an, daß die Augen ihm hervortraten, so sehr bemühte er sich, alles zu behalten, alles zu durchschauen und die klare Übersicht nicht zu verlieren. Er zog ein paar Hotelbriefbogen, die auf dem Tisch lagen, zu sich heran und kritzelte Notizen hin, heimlich und aufgeregt wie ein schlechter Schüler. Justizrat Zinnowitz seinerseits hatte der braven Flamm eins nur einen Blick zugeworfen, und schon stenografierte die Gute die aggressiven Worte und Beweise in ihren Block mit den blauen Linien. Doktor Waitz zog die Summe seiner Trompetensätze: Nein, man konnte den Aktionären der Chemnitzer Strickwaren nicht zumuten, daß sie durch eine solche Fusionierung um die Hälfte ihres Besitzes geschädigt wurden. Seine Meinung nach lag überhaupt kein Anlaß vor, bei einer eventuellen Verschmelzung (er betonte das »eventuell« wie ein Provinzmime) der Saxonia einen Vorrang gegenüber der Chemnitzer Gesellschaft einzuräumen, dieses aufblühende Werk gewissermaßen in Abhängigkeit zu bringen, in die Ecke zu schieben.

Zinnowitz sah Preysing an, und Preysing begann gehorsam zu sprechen. Er hatte die Gewohnheit, wichtige Dinge näselnd und leise zu sagen, in einem öden und unbetonten Ton; weil er ein innerlich unsicherer Mensch war, behalf er sich mit solchen Mitteln, um äußerlich Ruhe und Überlegenheit anzudeuten. Seine Handrücken waren feucht geworden, als er sich in den Kampf stürzte. Schweimanns Augen kamen wie kleine graue Mäuse aus den roten Höhlen gekrochen, in denen sie wohnten, und Gerstenkorn hatte die Daumen in seine Ärmelausschnitte gehängt und machte den Eindruck eines Mannes, der sich gut unterhält. Die imitierten Damastwände hörten gleichgültig zu. Solche Konferenzen fanden täglich statt im Grand Hôtel, hier, in diesem »großen Kaff«, wurden viele Suppen gekocht, die nachher die Aktionäre auszufressen hatten. Der Zucker wurde teurer, die Seidenstrümpfe billiger, die Kohle knapp, dies und tausend andere Dinge hingen davon ab, wie solche Kämpfe im Konferenzzimmer des Grand Hôtel abliefen.

Preysing also sprach. Je länger er sprach mit seiner Stimme, die klang, als hätte er sie auf Eis gelegt, und je gründlicher er wurde, desto mehr verlor er an Boden. Gerstenkorns kleine, schlagende Einwürfe pfiffen daher wie Kugeln. Es gab Augenblicke, da Preysing gerne davongelaufen wäre, kehrt, marsch marsch, die ganze versaute Geschichte dieser Fusionierung liegengelassen hätte und heimgefahren wäre zu Mulle, Pepsin und Babe nach Fredersdorf. Aber da er Generaldirektor war und die Welt nicht solch eine bequeme Angelegenheit war und da von dieser Fusion für das Werk viel, für seine eigene Stellung alles abhing, blieb er tapfer bei der Stange. Er holte nochmals sein Aktivenverzeichnis hervor, diese durch und durch solide Aufstellung eines durch und durch soliden Betriebes, und klammerte sich daran fest. Er langweilte die Chemnitzer, indem er auf ausschweifende Weise ins Detail verfiel, und der Justizrat mußte ihn ein paarmal flottmachen wie einen festgefahrenen, schwerfälligen Kahn. Er machte Knoten und verhängte sich, er beharrte auf ein paar ganz nebensächlichen Punkten, bockig und ohne jede Einsicht; er ödete die Chemnitzer mit genauen Schilderungen der Scheuertuchfabrikation aus Abfallstoffen an, die sein Lieblingsgebiet war, und vergaß, wichtige Posten zu erwähnen, die er vor sich auf die Briefbogen gekritzelt hatte. Und zuletzt blieb er stecken, mitten in einem Satz, der wie eine Fanfare anfing und wie eine Sackgasse aufhörte. Er nahm sein Taschentuch heraus und wischte den Schnurrbart ab und steckte eine neue Zigarre an, die ihm völlig geschmacklos, wie Heu schien. Er kam sich plötzlich vor, als wenn er mit Schiebern an einem Tisch säße, mit unernsten Leuten ohne Grundsätze; tief empfand er die Erbitterung des anständigen Menschen, der für dumm gehalten wird.

Nun aber nahm Gerstenkorn seine runden Spießbürgerfinger aus dem Westenausschnitt und begann, seine Ansicht zu sagen. Dieser Gerstenkorn mit dem viereckigen Bürstenkopf und der bronchitischen Stimme war ein klarer, schlagfertiger Sprecher. Er bediente sich aller möglichen Dialekte, um ohne Umwege zu sagen, was er sagen wollte. Sächsische, berlinische, jüdische und mecklenburgische Redensarten waren das Gewürz seiner Geschäftsrede.

»Nu machen Sie mal 'n Punkt und lassen Sie Erwachsene reden«, sagte er, und dabei behielt er die Zigarre im Mund, was die saloppe Redensart noch salopper machte und machen sollte. »Was die Saxonia kann, das haben Sie uns jetzt erzählt, und gewußt haben wir's vorher auch schon. Musik machen kann se auch nicht. Wir haben das alles schon unseren Hauptaktionären vorgekaut, und das Resultat war: Bedenken, große Bedenken, berechtigte Bedenken gegen die Fusion. Spaß, wie kommen die Aktionäre dazu, für Ihre Baumwolle die heißen Würstchen aus dem Kessel zu holen? Also klipp und klar: Unsere Lage hat sich wesentlich gehoben, seit Sie an uns herangetreten sind. Ihre Lage ist gleichgeblieben, wenn man höflich sein will und nicht sagt, daß sie sich verschlechtert hat. Unter diesen Umständen haben wir - ich rede deutsch, lieber Preysing - das Interesse an der Fusionierung verloren. Wie wir hier sitzen, haben wir den Auftrag in der Tasche, unter diesen Umständen die Verhandlungen fallenzulassen. Wie Sie seinerzeit an uns herangetreten sind, waren die Voraussetzungen andere -«

»Wir sind nicht herangetreten«, sagte Preysing schnell.

»Mann, wie kommen Sie mich vor? Sie sind an uns herangetreten - bitte, Doktor Waitz, geben Sie mir mal den Vorgang - Sie sind - am - hier - am 14. September laut Brief an uns herangetreten -«

»Das stimmt nicht«, verblieb Preysing eigensinnig und zerrte das Aktenfaszikel, das vor Justizrat Zinnowitz lag, zu sich herüber. »Wir sind nicht an Sie herangetreten. Dem

Brief vom 14. September ging eine persönliche Fühlungnahme voraus, zu der Sie die Anregung gaben -«

»Von wegen Anregung! Da hat doch schon einen Monat vorher Ihr alter Herr ganz privatim und in alter Freundschaft bei mir angeklopft -«

»Herangetreten sind wir nicht«, sagte Preysing, er klammerte sich an diese Tatsache, die ganz nebensächlich war, als wenn er dadurch etwas hätte retten können. Zinnowitz klopfte mit seinen schmalen Schuhen unter dem Tisch Alarm. Plötzlich ließ Gerstenkorn die Frage fallen, er plättete mit seiner quadratischen Hand über das grüne Tischtuch. »Schön«, sagte er, »bon. Also sind Sie nicht herangetreten, wenn Ihnen das besser gefällt. Ob herangetreten oder nicht, die Verhältnisse waren damals anders, das werden Sie zugeben, Herr Generaldirektor« (er sagte Herr Generaldirektor, der Umschwung vom Gemütlichen ins Offizielle klang bedrohlich). »Damals haben wir Grund gehabt, den Anschluß an die Saxonia Baumwolle zu wünschen. Was haben wir heute für Grund?«

»Sie brauchen mehr Kapital«, sagte Preysing ganz richtig. Gerstenkorn fegte den Einwand mit zwei Fingern vom Tisch. »Kapital! Kapital! Wenn wir heute neue Aktien auflegen, so schmeißt man uns Geld nach, soviel wir wollen. Kapital! Sie vergessen immer eines: im Krieg war Ihre Zeit, da hat man sich mit Militärtuch und Schlafdecken gesundmachen können. Jetzt ist unsere Zeit, wie? Wir brauchen kein Kapital. Wir brauchen billige Rohware, damit wir unser neues Verfahren ausnützen können, und wir brauchen neue Absatzgebiete im Ausland. Ich sage Ihnen ganz aufrichtig und direkt die Meinung meiner Gesellschaft, Herr Generaldirektor. Wenn die Fusion mit Ihnen uns dazu verhilft, dann kann fusioniert werden. Sonst nicht. Bitte, äußern Sie sich.«

Armer Preysing! Er sollte sich äußern. Nun war man bei dem Punkt angelangt, vor dem er Angst gehabt hatte, seit er in Fredersdorf in den Personenzug gestiegen war. Er warf einen Hasenblick zu Zinnowitz hinüber, aber Zinnowitz betrachtete seine Fingernägel.

»Es ist kein Geheimnis, daß wir ausgezeichnete Beziehungen im Ausland haben. Wir exportieren auf den Balkan allein jährlich für 65 000 Mark Scheuertücher«, sagte er. »Es ist selbstverständlich, daß wir bei einer Fusionierung alles tun würden, um die Märkte draußen auch für die Fertigware der Strickwaren stärker heranzuziehen.«

»Liegen Umstände vor, auf Grund deren Sie diese Zusicherung in bestimmterer Form geben könnten«, fragte Doktor Waitz weiter unten am Tisch, und er stand sogar ein wenig dabei auf, das war eine Gewohnheit aus seiner früheren Tätigkeit als Strafverteidiger. Er sah aus, als trüge er immer und überall einen Talar, und er hatte noch den Ton, der unsichere Zeugen einschüchterte. Der Generaldirektor ließ sich einschüchtern.

»Ich weiß nicht, welche Umstände Sie meinen«, antwortete er mit seiner elenden Gewohnheit, Dinge zu fragen, die er ohnehin wußte.

Schweimann ihm gegenüber hatte bisher seinen großen, dehnbaren Affenmund nicht aufgemacht. Jetzt machte er ihn auf. »Es handelt sich um die geplante Interessengemeinschaft mit Burleigh & Son«, sagte er klipp und klar. Gerstenkorn balancierte einen langen Aschenkegel gespannter Aufmerksamkeit an seinem Zigarrenende.

»Ich bin leider nicht in der Lage, darüber Auskunft zu geben«, antwortete Preysing sogleich. Er hatte diese Antwort von langer Hand vorbereitet und sich eingelernt. »Schade«, sagte der alte Gerstenkorn. Nachher schwiegen sämtliche Herren ein paar Minuten.

Die Wasserflasche klirrte schwach auf dem Tablett, weil draußen ein Autobus vorüberfuhr, und der dünne geringelte Sonnenreflex des abgestandenen Wassers zitterte an der Wand auf dem Bildrahmen des Ölbildes, das den Begründer des Grand Hôtel darstellte. Preysing dachte in diesen Sekunden fieberhaft nach. Er wußte nicht, ob Doktor Zinnowitz die ominösen Briefkopien, die so völlig ohne Geltung und Berechtigung waren, den Chemnitzern gezeigt hatte. Er hatte wieder dieses unsaubere und ungepflegte Gefühl in den Händen. Sein unrasiertes Gesicht begann ihn auf lächerliche Weise zu jucken. Er warf einen fragenden Blick zu dem Justizrat tischabwärts. Zinnowitz klappte beruhigend die Deckel seiner schrägen, gescheiten Chinesenaugen zu, das war eine höchst undurchsichtige Bewegung, sie konnte ja, sie konnte nein heißen, sie konnte überhaupt nichts bedeuten. Preysing nahm sich zusammen. Ich muß es durchsetzen, dachte er, es war mehr ein Gefühl als ein Gedanke.

»Meine Herren«, sagte er und stand auf - denn der gepreßte Samtbezug seines Stuhles verursachte seiner Hinterseite ein heißes und ungemütliches Gefühl -, »aber meine Herren, wir wollen doch bei der Hauptsache bleiben. Die Basis, auf der bisher alle Verhandlungen zwischen uns liefen, war die Bilanz und der Stand des Fredersdorfer Werkes. Sie haben vollen Einblick gewonnen, Herr Kommerzienrat Gerstenkorn hat sich persönlich überzeugt, wie es in unserem Unternehmen steht, ich muß darauf bestehen, daß heute nicht vage und imponderable Dinge in die Verhandlung geworfen werden. Wir sind ja keine Spekulanten, ich bin kein Spekulant, ich nicht, ich arbeite mit Tatsachen und nicht mit Gerüchten. Daß wir eine Interessengemeinschaft mit Burleigh & Son in Manchester planen, ist ein Börsengerücht. Ich habe es bereits einmal dementieren lassen, ich kann nicht zugeben, daß -«

»Sie werden doch einem alten Hasen nicht das Laufen beibringen wollen? Was ein Dementi bedeutet, weiß man doch unter uns -«, warf Gerstenkorn hin. Schweimann war munter geworden, er witterte mit erweiterten Nasenlöchern und seinem Affenmund, als röche er schon die Absatzmöglichkeiten in England. Preysing begann wütend zu werden. »Ich lehne es ab«, rief er, »ich lehne es ab, diese englische Angelegenheit als Faktor in unsere Geschäfte zu mischen, ich lehne es ab. Ich rechne nicht mit Schlössern auf dem Mond, ich habe das nie getan, unser Werk hat es nicht notwendig, sich damit abzugeben. Ich rechne mit Fakten, mit Tatsachen, mit Zahlen, unsere Bilanz - da, hier«, rief er und schlug mit der flachen Hand dreimal auf das Aktenkonvolut, das vor ihm lag, »das hier gilt, und anderes lasse ich nicht gelten. Wir bieten, was wir vom ersten Tag an geboten haben, und wenn das Ihrer Gesellschaft heute plötzlich nicht genügt, dann tut es mir leid -«

Er hielt erschrocken ein, er war davongaloppiert wie über einen Sumpf. Ich mache die Leute ja kopfscheu mit meinem Geschrei, dachte er entsetzt, ich soll sie festhalten. Er schenkte sich ein Glas Wasser voll und trank. Es war dick, lau und ohne Geschmack, wie Rizinusöl, Justizrat Zinnowitz lächelte dünn und versuchte einzurenken.

»Herr Generaldirektor Preysing ist von einer Gewissenhaftigkeit, die musterhaft ist«, äußerte er. »Ich weiß nicht, ob seine Bedenken, die Sache mit Manchester in gewissem Maß in Betracht zu ziehen, nicht unberechtigt sind, zumindest übertrieben. Warum soll man eine Sache von so günstigen Aussichten nicht mit in die Waagschale werfen, auch wenn noch nichts schwarz auf weiß unterschrieben ist? Warum -«

»Warum? Weil ich es nicht verantworten könnte -«, unterbrach Preysing. Zinnowitz, der ihm sehr gern auf den Fuß getreten hätte, aber dazu nicht imstande war, hob die Stimme und redete den Generaldirektor nieder. Preysing setzte sich auf seinen warmen Samtstuhl zurück und sagte nichts mehr. Er war gerade im Begriff gewesen, die Wahrheit mitzuteilen. Schön, wenn Zinnowitz ihn nicht ausreden ließ, dann sollte dieser berühmte Handelsrechtler selber sehen, was er zusammenbrachte. Die Sache geht schief, dachte Preysing, sie ist schon schiefgegangen, schon tot, schon begraben. Vertrag endgültig gescheitert. Schön. Gut. Man bot aller Welt die anständigen Bedingungen, die ein solides Unternehmen und ein anständiger Mensch zu bieten hatte. Aber die Welt wollte so etwas nicht. Die Welt wollte ihre gemachten Konjunkturen, ihre lancierten Gerüchte, ihre arrangierten Haussen, hinter denen nichts stand als ein bißchen Windmacherei. Strickwaren, Jumper und Sweater, bunte Söckchen aus Chemnitz, dachte der Generaldirektor erbittert, er sah sie in diesem Augenblick geradezu, diese vielfarbigen, leichtsinnigen Modedinge, die an ebenso leichtsinnigen Mädchenkörpern die Welt eroberten.

Zinnowitz predigte. Flamm eins war wieder in berufliche Lethargie verfallen. Gerstenkorn und Schweimann jedoch hörten kaum zu, sie hatten die Köpfe zusammengesteckt und verständigten sich höchst undelikaterweise in halblauten Worten über irgend etwas. »Unser Freund Preysing«, sagte der Justizrat, »geht in seinen Skrupeln vielleicht etwas zu weit. Man sagt seiner Gesellschaft nach, daß sie vor dem Abschluß einer sehr günstigen Interessengemeinschaft mit der ausgezeichneten alten Firma Burleigh & Son steht. Und was tut unser Preysing? Er wehrt sich dagegen, als ob man ihm einen Bankrott nachsagte. Angenommen, es ist wirklich nur ein Gerücht - es gibt kein Gerücht, ohne daß etwas dahintersteckt, das wissen wir alle. Und ein alter Geschäftsmann wie Kommerzienrat Gerstenkorn wird zugeben, daß es Gerüchte gibt, die mehr Geld wert sind als mancher fix und fertige Vertrag. Aber als alter Rechtsberater des Fredersdorfer Werkes darf ich wohl sagen: Es ist mehr als ein Gerücht, es stecken ganz bestimmte Abmachungen dahinter. Verzeihen Sie, lieber Preysing, wenn ich da nicht diese eiserne Diskretion bewahre wie Sie selbst. Es hat keinen Zweck, zu leugnen, daß sehr weitgehende Verhandlungen schon vor sich gegangen sind. Vielleicht läßt sich heute noch nicht überblicken, ob sie in der gewünschten Form zum Abschluß führen werden. Aber heute existieren sie und sind kein schlechteres Faktum als das, was in Ihrer Bilanz steht. Ich finde es außerordentlich anständig und urban, daß Herr Preysing diese Sache nicht als ein Aktivum seiner Gesellschaft in die Waagschale legen will, wirklich ungewöhnlich anständig und vornehm. Aber so kommen wir nicht weiter. Entschuldigen Sie deshalb, wenn ich die Herren in dieser Sache ins Vertrauen ziehe -«

Zinnowitz plätscherte weiter in konzilianter Rede, mit vielen »obwohl« und »als auch« und »wenn dann« und »andererseits«. Preysing war blaß geworden; er spürte an einem stechenden Wegströmen des Blutes aus seinen Schläfen, daß er richtig blaß geworden war. Er hat ihnen also die Briefe gezeigt, dachte er. Herr, du mein Gott, aber das ist ja Hochstapelei, das ist ja beinahe schon Betrug. Vertrag endgültig gescheitert. Brösemann, dachte er, er sah die schwarzblauen, verwischten Lettern der Depesche. Er steckte die Hand in die Brusttasche seines grauen Beamtenanzuges, darin er die Depesche aufbewahrt hatte, und zog sie gleich wieder hervor wie aus einem heißen Ofen. Wenn ich jetzt nicht sofort aufstehe und sage, was los ist, dann ist die ganze Sache verfahren, dachte er und stand auf. Und wenn ich es sage, dann springen die Leute ab, es wird nichts aus der Fusion, ich kann heimfahren nach Fredersdorf als der Blamierte, dachte er und setzte sich wieder hin. Er bemäntelte seine ratlose und unschlüssige Bewegung mangelhaft, indem er wieder etwas von dem ekelhaften Wasser einschenkte und hinunterdrückte wie eine Medizin.

Schweimann und Gerstenkorn waren indessen sehr munter geworden. Es waren zwei geriebene und mit vielen Salben gesalbte Geschäftsköpfe. Daß Preysing die englische Angelegenheit so heftig negierte und auszuschalten versuchte, erregte ihre Aufmerksamkeit. Ihre guten Nasen rochen da etwas Besonderes dahinter, Absatz, Profit, Konkurrenz vielleicht. Gerstenkorn dachte und murmelte es auch in Schweimanns große, rechte Ohrmuschel: »Bei jedem andern wäre ein solches Dementi beinahe so gut, als wenn er ja sagen würde. Aber bei diesem Hornochsen von Preysing ist es sogar möglich, daß er einfach die Wahrheit erzählt –«

Gerstenkorn machte einen brutalen Vorstoß. »Es hat keinen Zweck, daß der Herr Justizrat sich heiser redet«, sagte er und legte sich über den Tisch. »Bevor wir weitersprechen, muß ich Herrn Preysing bitten, uns klipp und klar zu sagen, wieweit die Verhandlungen mit Burleigh & Son gediehen sind.«

»Lehne ich ab«, sagte Preysing.

»Ich muß darauf bestehen, wenn ich weiterverhandeln soll«, sagte Gerstenkorn.

»Dann«, sagte Preysing, »bitte ich Sie, bei den weiteren Verhandlungen diese Geschichte so zu nehmen, als wenn sie nicht existieren würde.«

»Dann muß ich also annehmen, daß sich die Aussichten für dieses Zusammengehen mit Burleigh & Son zerschlagen haben?« sagte Gerstenkorn.

»Nehmen Sie an, was Sie Lust haben«, sagte Preysing.

Nachher schwiegen alle fast eine Minute. Flamm eins blätterte diskret in ihrem Stenogrammblock, das feine Geräusch der umgewendeten Papierblätter zerraschelte die Stummheit im Konferenzzimmer. Preysing sah aus wie ein gekränkter Säugling, es passierte zuweilen, daß hinter dem Generaldirektorsgesicht ein begriffsstutziger, starrsinniger kleiner Junge zum Vorschein kam. Zinnowitz malte mit seiner malachitgrünen Füllfeder resigniert Dreieckchen auf einen Aktendeckel.

»Ich glaube, es hat dann vorläufig keinen Zweck, daß wir weiterreden«, sagte Gerstenkorn schließlich. »Ich glaube, wir geben für heute unsere kleine Besprechung auf. Wir können ja schriftlich die Sache weiterverfolgen.«

Er stand auf, sein Stuhl scharrte Rillen in den dicken echten Teppich dieses gediegenen Konferenzzimmers. Aber Preysing blieb noch sitzen. Er holte umständlich eine Zigarre hervor, schnitt umständlich die Spitze ab, zündete an, sog Luft und begann zu rauchen, mit einem versunkenen und tief nachdenklichen Ausdruck in seinem Gesicht, dessen Backen von spröden kleinen Äderchen gerötet waren.

Es ist kein Zweifel, daß dieser Generaldirektor Preysing ein grundanständiger Mensch ist, charaktervoll, ein guter Gatte und Vater, ein Mann der Ordnung und Organisation und der gefestigten Bürgerlichkeit. Sein Leben ist ordentlich eingeteilt, es liegt registriert und offen da, ein wohlgefälliger Anblick: ein Leben der Zettelkästen, der Aktendekkel, der vielen Schubladen und der vielen Arbeit. Er hat noch niemals die geringste Unkorrektheit begangen, dieser Preysing. Trotzdem muß da eine mürbe Stelle in ihm sein, ein winzigster Krankheitsherd seiner Moral, von wo das Leben ihn angreifen und kleinkriegen wird, eine kleinste Entzündung, ein mikroskopisches Fleckchen auf der bürgerlichen Reinheit seiner Weste, trotzdem ...

Er rief nicht um Hilfe in diesem Augenblick der abgebrochenen Konferenz, obwohl ihm sehr übel war und ganz so, als müßte er jetzt um Hilfe und Sukkurs schreien. Er stand auf, die Zigarre im Mund, an die er sich mit seinen Zähnen klammerte, und er hatte ein durch und durch besoffenes Gefühl, als er in seine Westentasche griff. »Schade«, sagte er nachlässig und dabei tief verwundert über den legeren Ton, der da plötzlich an der Zigarre vorbei aus seinem Mund kam. »Sehr schade. Aufgeschoben ist aufgehoben. Also Schluß. Und jetzt, da Sie die Sache abgebrochen haben, kann ich Ihnen ja sagen, daß wir den Vertrag mit Burleigh & Son perfekt haben. Seit gestern abend. Ich bekam heute früh die Nachricht.« Er zog seine Hand aus seiner Brusttasche heraus, in der Hand steckte das zusammengefaltete Telegramm: »Vertrag endgültig gescheitert, Brösemann.« Es kam eine Art von kindischem und triumphalem Schwindel über ihn, wie er so dastand, mit der dicken Lüge, die nah an Betrug grenzte, und mit dem Telegramm auf dem grünen Tischtuch. Er wußte selber nicht, ob er die andern bluffen oder ob er sich mitten in der Blamage nur einen guten Abgang machen wollte. Schweimann, der undisziplinierter der beiden Chemnitzer, tat einen instinktiven Griff nach diesem Telegramm. Preysing, sehr ruhig und mit einem fast ironischen Lächeln, zog seine Hand wieder vom Tisch fort, breitete das Telegramm auseinander, faltete es wieder zusammen und steckte es mit einer überlegenen Bewegung zurück in die Brusttasche. Doktor Waitz am Tisch unten machte ein dummes Gesicht. Justizrat Zinnowitz pfiff einmal hoch und dünn, was sich aus seinem weisen Chinesenmund sonderbar genug ausnahm.

Gerstenkorn begann mit bronchitischen Hustenstößen zu lachen. »Bester«, hustete er. »Liebster! Sie sind ja viel gerissener, als Sie aussehen! Menschenskind! Sie haben uns sauber hingehalten! Kommen Sie, darüber müssen wir uns noch unterhalten!« Er setzte sich. Der Generaldirektor stand noch ein paar Sekunden mit leerem Gefühl da, ihm waren alle Knochen hohl geworden, und als er ein sonderbares, weiches Ziehen bis in die Knie fassen spürte, setzte er sich auch hin. Er hatte geschwindelt, zum erstenmal in seinem Leben, und noch dazu auf eine dumme, eine völlig alberne und unhaltbare Weise. Und damit - gerade damit hatte er nach vielen Fehlschlägen zum erstenmal wieder Oberwasser bekommen. Plötzlich hörte er sich reden, und jetzt redete er gut. Eine merkwürdige, ihm noch unbekannte Art von Berauschtheit überkam ihn, er hörte sich sprechen, und alles, was er jetzt sagte, hatte Hand und Fuß und Stoßkraft und Weitblick. Der Begründer des Grand Hôtel starrte mit allen Glanzlichtern seiner gemalten Augen verwundert aus seinem Ölbild zu ihm herüber. Flamm eins hatte ihr beflaumtes Altmädchengesicht über den Stenogrammblock gebeugt und stenographierte eilig - denn jetzt, da man sich einem Vertragsabschluß zu nähern schien, war jedes Wort wichtig.

Bis zum Schluß der Konferenz, die nun noch drei Stunden und zwanzig Minuten dauerte, blieb Preysing in diesem neuen, beflügelten Zustand. Und erst als er die malachitgrüne Füllfeder ergriff, um neben Gerstenkorns Unterschrift seinen Namen unter den Vorvertrag zu setzen, bemerkte er flüchtig, daß seine Hände jetzt wieder feucht und sonderbar unsauber geworden waren . . .

»Um neun Uhr will Nr. 218 geweckt werden«, sagte der Portier zu dem kleinen Volontär Georgi.

»Reist er denn ab?« fragte der kleine Georgi.

»Warum soll der abreisen? Nee, der bleibt.«

»Ich dachte nur. Der hat sich doch noch nie wecken lassen«, sagte Georgi.

»Nun machen Sie bloß«, sagte der Portier. Und somit schnarrte um neun Uhr pünktlich das Telefon in Doktor Otternschlags kleinem, minderwertigem Zimmer.

Eilig wie ein vielbeschäftigter Mann arbeitete Otternschlag sich aus Traumnebeln ins Wache, und dann lag er da und wunderte sich. »Was 'n los?« fragte er sich und das Telefon. »Was 'n hier los?« Dann lag er ein paar Minuten ganz still und konzentriert und dachte nach, die verstümmelte Gesichtshälfte in das mürbe Leinen des Hotelkissens gedrückt. Halt - dachte er -, da ist ja dieser Mensch, dieser Kringelein, dieser arme Kerl. Dem müssen wir also das Leben zeigen. Der wartet also auf uns. Der sitzt also im Frühstückszimmer und wartet. »Werden wir aufstehen und uns fertigmachen?« fragte er sich. »Jawohl, das werden wir tun«, antwortete er sich nach einiger Überwindung, denn ihm lag noch eine hübsche Schlafdosis Morphium in den Knochen. Trotzdem hatte seine Miene und sein Auf und Ab während des Ankleidens etwas gewissermaßen Beflügeltes. Jemand wartete auf ihn. Jemand brauchte ihn. Jemand war ihm dankbar. Mit einem Strumpf in der Hand verfiel er am Bettrand sitzend in Pläne und Überlegungen. Er stellte ein Programm für den Tag zusammen, er war beschäftigt wie ein Reiseführer, ein Mentor, ein wichtiger und gesuchter Mann. Das verwunderte Stubenmädchen, das neben 218 Besen und Eimer aus der Kammer holte, hörte den Doktor Otternschlag in ungeübten Tönen ein Lied summen, während er sich zugleich die Zähne putzte . . .

Indessen saß Kringelein schon im Frühstückszimmer, noch erschöpft, erregt und gehoben zugleich nach seinem anstrengenden Sieg im Friseursalon über Herrn Generaldirektor Preysing, und er hatte seit zehn Minuten die vornehme, hinreißende und bezaubernde Bekanntschaft des Herrn Baron von Gaigern gemacht. Gaigern hatte Tempo vorgelegt. Er war aus der Nacht mit der Grusinskaja ohne die Perlen direkt in eine zwar geflüsterte, aber granitharte Auseinandersetzung mit dem Chauffeur geschossen. Gleich danach hatte er sich - gebadet, trainiert und mit Lavendelessig eingerieben - auf den Herrn aus der Provinz von Nr. 70 gestürzt, bei dem vielleicht auf diese oder jene Weise die paar tausend Mark lockerzumachen waren, deren er zunächst bedurfte. Bis obenhin war er angefüllt mit einer strahlend glückseligen, zerrenden und pressenden Ungeduld. Seit einer Stunde von der Grusinskaja getrennt, spürte er schon jetzt eine unbändige, lustvolle und zärtliche Sehnsucht nach ihr. Sein Kopf wollte bei ihr sein, seine Haut, seine Finger, seine Lippen, alles wollte wieder bei ihr sein, so schnell es irgend ging. Gaigern soff dieses unbekannte Gefühl in sich hinein, voll Lebenshunger und Bereitschaft, wie er jede neue Erfahrung in sich aufnahm. Der Elan, mit dem er die Unternehmung auf Kringelein startete, war enorm. Mit einem wahren Raketentempo nahm er in einer Viertelstunde eine ungeheure Strecke des Vertrauens. Überrannt schloß Kringelein seine kleine, zaghafte, lebensgierige und todesbereite Beamtenseele auf - und was er nicht sagte oder nicht ausdrücken konnte, das erriet Gaigern. Als Kringelein, vierzehn Minuten nach neun, das letzte bißchen Eigelb von seinem strebsamen Schnurrbart in das Hotelserviettchen wischte, waren sie Freunde.

»Nehmen Sie an, Herr Baron«, sagte Kringelein, »nehmen Sie an, daß ich durch einen Glücksfall zu etwas Geld gekommen bin, nachdem ich immer in sehr engen Verhältnissen gelebt habe, o ja, in sehr engen Verhältnissen. Davon macht sich ein Herr wie der Herr Baron keinen rechten Begriff. Angst vor der Kohlenrechnung, verstehen Sie? Oder daß man nicht zum Zahnarzt gehen kann, man schiebt es von einem Jahr zum andern hinaus, auf einmal ist man die meisten Zähne los, man weiß nicht, wie. Aber davon will ich nicht reden. Vorgestern habe ich zum erstenmal im Leben Kaviar gegessen, da lachen Sie. Sie essen gewiß jeden Tag Kaviar oder so ähnlich. Wenn unser Generaldirektor Gesellschaft gibt, läßt er Kaviar aus Dresden kommen, pfundweise. Gut, Kaviar und Sekt und dieser ganze Klimbim sind nicht das Leben, können Herr Baron sagen. Aber was ist das Leben? Sehen Sie, Herr Baron, ich bin nicht mehr jung, ich bin auch etwas leidend, und da kommt dann auf einmal eine Angst, eine solche Angst: daß man das Leben versäumt. Ich möchte das Leben nicht versäumen, verstehen Sie das?«

»Das kann man doch nicht versäumen! Das ist doch immer da, man lebt doch, basta. Da lebt man eben -«, sagte Gaigern. Kringelein sah ihn an, den schönen und munteren jungen Menschen, vielleicht röteten sich seine Augenränder hinter dem Kneifer dabei ein wenig. »Ja. Natürlich ist es für Sie in jeder Minute da, das Leben. Aber für unsereinen -?« sagte er leiser.

»Komisch. Sie sprechen vom Leben wie von einem Zug, der Ihnen davonfährt. Seit wann sind Sie denn hinter ihm her, seit drei Tagen? Und noch keinen Zipfel erwischt, trotz Sekt und Kaviar? Was haben Sie gestern gemacht, zum Beispiel? Kaiser-Friedrich-Museum, Potsdam, abends Theater. Herr du mein Gott! Was hat Ihnen am besten gefallen? Welches Bild? Wie? Nichts gemerkt - natürlich. Und im Theater - die Grusinskaja? Ja - die Grusinskaja -«, sagte Gaigern, und sein Herz empfing bei diesem Namen einen heißen Stoß, als sei er noch ein dummer Junge. »Was sagen Sie? Es hat Sie traurig gemacht, es war so poetisch? Na ja, das ist so die Richtung. Aber mit dem Leben hat das alles nichts zu tun, Herr Direktor.« (Er sagte aus purer Höflichkeit des Herzens ›Herr Direktor‹, weil er an dem kläglichen, ornamentlosen Kringelein-Namen Anstoß nahm, und Kringelein errötete glücklich und hochstaplerisch dabei.) »Leben, das ist - sehen Sie: manchmal stehen solche Asphaltkessel auf der Straße, kochen, brodeln, rauchen, stinken wie die Pest, meilenweit. Aber gehen Sie mal 'ran an so einen Kessel und halten den Kopf drüber und stecken die Nase in die Teerschwaden. Herrlich ist das, heiß, und riecht so stark und bitter, daß es einen umschmeißt, und die dicken schwarzen Tropfen glänzen, und es ist Kraft drin, nichts Süßes, nichts Labbriges. Ha, Kaviar! Das Leben wollen Sie erwischen, und wenn ich Sie frage, welche Farbe die Straßenbahnwagen in Berlin haben, dann wissen Sie es nicht, weil Sie nicht hingesehen haben. Übrigens, hören Sie, Herr Direktor: mit solcher Krawatte werden Sie das Leben nie einholen, in Ihrem Anzug kann man sich nicht glücklich fühlen. Ich sage Ihnen das ganz roh, weil es keinen Zweck hat, da Komplimente zu machen. Wenn Sie sich mir anvertrauen wollen, daß wir 'n bißchen Tempo in die Sache bringen, dann müssen wir zuerst zum Schneider fahren. Haben Sie Geld bei sich? Scheckbuch - nein. Bitte, versorgen Sie sich mit barem Geld! Ich hole einstweilen meinen Wagen aus der Garage. Meinen Chauffeur habe ich beurlaubt, der Bursche ist zu seiner Braut nach Springe, ich fahre selber -«

Kringelein war es zumute, als schnitte ihm ein scharfer Wind um die Ohren. Die Bemerkung über seine Krawatte (zu zwei Mark fünfzig in der Passage gekauft) und seinen guten Anzug tat richtiggehend weh. Er faßte schüchtern an seinen weit gewordenen Kragen. »Jawohl«, sagte Gaigern, »das sitzt nicht, und man sieht immer das Knöpfchen. Da kann man natürlich nichts erleben -«

»Ich dachte - ich wollte kein Geld in Kleidung investieren -«, murmelte Kringelein und sah schwindlige Zahlen in seinem Notizbuch tanzen. »Ich gebe für andere Dinge gerne Geld aus, aber nicht für Kleidung -«

»Warum denn nicht für Kleidung? Das ist das Wichtigste.«

»Weil - es lohnt nicht mehr«, sagte Kringelein leise, und die verdammten, lockeren Tränen stachen schon wieder in den Augenwinkeln. Er konnte, verflucht noch einmal, nicht an sein baldiges Ende denken, ohne gerührt zu werden. Gaigern sah ihn unzufrieden an. »Es lohnt wirklich nicht - ich meine - ich werde nicht mehr lange Gelegenheit haben, neue Kleider zu tragen. Ich dachte - die alten wären noch lange gut genug«, flüsterte Kringelein schuldbewußt. Mein Gott, hat denn jeder Mensch schon seine Teetasse mit Veronal bereitstehen? dachte Gaigern, den die Zärtlichkeiten der Nacht sensibel gemacht hatten. »Nicht rechnen -«, sagte er freundlich. »Nicht rechnen, Herr Kringelein. Man verrechnet sich. Sie sollen nicht alte Kleider lange Zeit tragen. Sie sollen im richtigen Augenblick in der richtigen Verfassung sein. Ich bin so ein Augenblicksmensch - und mir geht es gut dabei. Kommen Sie, stecken Sie ein paar tausend Mark zu sich, und dann wollen wir sehen, ob das Leben nicht eine Sache ist, die Spaß macht. Los!«

Kringelein erhob sich gehorsam; er hatte dabei das Gefühl, in einer wirbelnden Gefahr zu kreisen wie in einem Krater. Paar tausend Mark, dachte es hinter Nebeln in ihm. Einen guten Tag. Einen. Einen Tag um paar tausend Mark.

Er ging schon hinter Gaigern her, während er sich noch wehrte, und die Wände des Frühstückszimmers tanzten dazu. Kringeleins entwurzelte Füße in den gewichsten Schaftstiefeln stolperten willensberaubt durch die Hotelgänge. Er hatte Angst. Er hatte unbändige Angst vor Gaigern, vor den Ausgaben, vor dem feinen Schneider, er hatte Angst vor dem graublauen Auto, in das er vorn neben den Führersitz gestopft wurde, er hatte Angst vor dem Leben, das er trotzdem nicht versäumen wollte. Er klemmte seine schadhaften Backenzähne fest aufeinander, zog seine Zwirnhandschuhe an und begann seinen guten Tag.

Herrn Doktor Otternschlag, der zehn Minuten vor zehn Uhr an den Wänden der Halle entlangkreiste, um Kringelein zu suchen, wurde vom Portier ein Brief eingehändigt.

»Sehr geehrter Herr Doktor!« stand darin. »Bin leider durch unerwartete Umstände verhindert, unsere heutige Verabredung einzuhalten. Mit hochachtungsvollstem Gruß ergebener Otto Kringelein.«

Es war noch Kringeleins Stil, aber es war nicht mehr völlig seine Handschrift. Es hatten sich harte, schartige Striche in die glatten Buchhalterzüge gemischt, und die I-Punkte wollten davonfliegen wie Luftballons, die sich von der Schnur lösen, um im Himmel zu zerplatzen, einsam und mit einem kleinen, tragischen, von niemandem gehörten Knall . . .

Doktor Otternschlag hielt die Hand mit dem Brief vor sich hin. Die Halle war eine Wüste voll endloser, leerer Stunden. Er stocherte am Zeitungsstand vorbei, am Blumenstand vorbei, am Liftmenschen vorbei, an den Säulen vorbei zu seinem Stammplatz. »Scheußlich«, dachte er. »Abscheulich. Grauenhaft.« Die bleiernen, angerauchten Fingerspitzen hingen ihm hinunter, und mit dem blinden Auge starrte er die Scheuerfrau an, die ungehörigerweise am hellen Tag die Halle des Grand Hôtel mit feuchten Sägespänen zu fegen begann.

Ungeheuer war die Beklommenheit, mit der Kringelein in dem Anproberaum der großen Herrenschneiderfirma stand.

Drei elegante Herren sind rund um ihn bemüht, zwölf schäbige Kringeleins kommen aus den gegeneinandergestellten Spiegeln in spitzen Winkeln aufeinander zu. Ein eleganter Herr schleppt Mäntel und Anzüge herbei, ein eleganter Herr kniet am Boden und zerrt die Hosenränder hinunter, ein eleganter Herr steht nur daneben, besieht Herrn Kringelein aus seinem fachmännisch zugekniffenen Auge und murmelt unverständliche Worte. Auf einer Polsterbank unter den Porträts unwahrscheinlich schöner Filmschauspieler sitzt Baron Gaigern, klopft mit seinen gesteppten Handschuhen in seine Handfläche und schaut von Kringelein weg, als schämte er sich seiner.

Klägliche Dinge treten zutage, Geheimnisse des Buchhalters Otto Kringelein aus Fredersdorf. Sein Hosenträger ist zerrissen, geflickt, wieder gerissen, zuletzt mit einem Bindfaden ungeschickt repariert. Die Weste, die viel zu weit geworden ist, hat Anna enger gemacht, indem sie am Rücken zwei dicke Wülste und Säume ins Futter steppte. Er trägt die Hemden seines Vaters auf, die ihm zu groß sind, er hat Gummistrippen über die Oberarme gezogen, um in den endlosen Ärmeln nicht zu ertrinken. Er besitzt Manschettenknöpfe von Anno dazumal, rund, groß wie die Ofenplatten, darauf sitzt eine Sphinx aus rotem Email vor einer Pyramide aus blauem Email. Das Riesenhemd ist aus einer dikken, mißfarbenen Wolle gewebt, nur vorn streckt es ein Stückchen gestreiften Zephir hervor, ein kleines Schaufenster nach der Straßenfront gleichsam. Unter dem Wollhemd kommt nochmals etwas aus Wolle, ein verwaschenes, mit groben Gittern gestopftes Jäckchen. Darunter ein geschecktes Katzenfell, das gegen die Magenschmerzen und die Anfälle verheimlichter Schüttelfröste gut sein soll. Die eleganten Herren verziehen keine Miene - es wäre Kringelein lieber, sie würden Späße mit ihm machen oder sie würden ihn trösten.

»Ich habe mir nie viel aus der Mode gemacht. Ich bin noch vom alten Schlag -«, sagt er flehend und zur Entschuldigung in die eisige Geschäftshöflichkeit der Herren. Niemand antwortet ihm darauf. Man schält eine Schicht nach der andern von ihm herunter, wie von einer Zwiebel. Es ist ziemlich grausam, was hier mit Kringelein, dem Wehrlosen, geschieht. Es ist ihm ähnlich übel wie seinerzeit im Operationssaal, es ist auch eine ähnliche gläserne Helligkeit in den Dingen, und alles steht ganz nah um ihn herum, findet Kringelein. Dann fangen die drei Herren an, ihn anzuziehen.

Gaigern ermuntert sich und gibt Ratschläge. »Das nehmen Sie -«, sagt er, und: »Das nehmen Sie nicht.« Es scheint, daß wenig Widerspruch gegen seine Entscheidungen möglich ist. Kringelein schielt nach den kleinen Zetteln mit dem Preis, der an den Dingen haftet, immer nur nach dem Preis; er traut sich nicht zu fragen. Zuletzt fragt er doch, erschrickt bodenlos, er möchte davonrennen, der Anproberaum wird eine Gefängniszelle mit vier strengen Wächtern und Spiegelwänden. Kringelein schwitzt fürchterlich, obwohl man ihm seine Wollhüllen weggenommen hat. Sie liegen zusammengeknäuelt auf einem Stuhl und sehen grenzenlos abgelebt und widerwärtig aus. Plötzlich sind sie Kringelein fremd geworden, sie ekeln ihn an, diese verflickten, dunstigen, mißfarbenen Kleidungsstücke eines armen Teufels. Plötzlich geschieht etwas mit ihm. Plötzlich verliebt er sich in das Seidenhemd, das man ihn anzuziehen zwang.

»Ah -«, sagt Kringelein und steht mit schiefgeneigtem Kopf und offenem Mund, als hätte er auf Geheimnisse zu horchen. »Ah - ah -.« Seine Haut freut sich, sie schließt eine genußsüchtige Freundschaft mit der zartgemusterten Hemdseide. Der Kragen sitzt, er scheuert nicht, er kratzt nicht, er ist nicht zu weit, nicht zu eng, eine Krawatte legt sich glatt und in weichem Fall über Kringeleins Brust, in der das Herz jetzt schlägt wie zu einem heimlichen Fest - stark, etwas schmerzend, aber trotzdem gelöst. Jetzt legt man Socken und Schuhe vor ihn hin, man ist zuvorkommend; Gaigern hat in ein paar Worten erklärt, daß der Herr Direktor leidend ist, und so wird aus allen vier Stockwerken des Konfektionshauses alles zusammengetragen, was ein vornehmer Mann zu seiner Ausstattung braucht. Kringelein schämt sich auf eine wahrhaft entsetzliche Weise seiner Füße, es ist mit einemmal, als sei alles Armselige und Gepreßte seines Lebens an diesen Füßen mit den geschwollenen Ballen zu sehen, und so verkriecht er sich mit den neuen Socken und Stiefeln in eine Ecke, stellt seinen gebeugten Rücken zwischen sich und die andern wie eine Wand und beginnt unerfahren an den Schnürriemen zu hantieren. Hernach zieht man ihm einen Anzug an, den der Baron ausgesucht hat.

»Der Herr Direktor hat eine wunderbare Figur«, sagt einer von den Herren. »Es paßt wie Maßarbeit.« »Nicht die kleinste Änderung«, sagt der zweite. »Fabelhaft. Wir haben wenige so schlanke Figuren unter unsern Kunden«, sagt der dritte. Sie schieben Kringelein vor den Spiegel und drehen ihn dort um seine Achse wie eine Puppe aus Holz.

Und gerade da, in diesem Augenblick, da Kringelein aus dem Spiegel auf sich zutrat - da spürte er zum erstenmal wie eine Ahnung, daß er lebte. Ja, er spürte sich, er erkannte sich selber, mit einer heftigen Erschütterung wie unter einem Blitz. Es geschah in jenem Augenblick, da ein zierlicher fremder und feiner Herr mit verlegener Miene auf ihn zutrat, ein Mensch, der dennoch auf eine ungeheuer vertraute Weise er selber war, der echte Kringelein, der vergrabene Kringelein aus Fredersdorf - und es war gleich vorbei. Schon in der nächsten Sekunde war es nicht mehr neu, das Wunder der Verwandlung war geschehen.

Kringelein atmete jetzt tief und gewaltsam, denn ein

dünner Schmerz in seinem Leib wollte aufwachen. »Ich glaube, dieser Anzug steht mir gut?« sagte er kindlich zu Gaigern. Der Baron tat ein übriges, er kam mit seinen eigenen, großen, warmen Händen daher und rückte Kringeleins Schultern in dem neuen Anzug zurecht. »Ich denke, wir bleiben bei diesem Anzug«, sagte Kringelein zu den drei Herren. Er befühlte heimlich den Stoff zwischen den Fingern, denn von Textilwaren verstand er einiges, das lag in Fredersdorf in der Luft, auch wenn man nur im Gehaltsbüro arbeitete. »Guter Stoff; ich bin Fachmann«, sagte er achtungsvoll. »Rein englische Ware. Wir beziehen ihn direkt aus London, Parker Brothers & Co«, antwortete der Herr mit dem zugekniffenen Auge. Solche Stoffe trägt Preysing nicht, dachte Kringelein. Preysings Anzüge pflegten aus dem gleichen gediegenen grauen Kammgarn zu sein, den das Werk noch aus alten Beständen besaß und alljährlich kurz vor Weihnachten zu niedrigen Preisen an seine Angestellten abgab. Kringelein faßte einen Entschluß. Er ergriff Besitz von diesem Anzug, indem er beide Hände in die sauberen neuen Taschen vergrub.

Seine Angst schlug unvermittelt in das Glück des Kaufens und Besitzens um: zum erstenmal spürte Kringelein das taumelnde Leichtwerden, das zum Geldausgeben gehört. Er stößt durch die Mauer, hinter der er ein Leben lang gewohnt hat. Er kauft, kauft, fragt nicht nach dem Preis, kauft. Streichelt Stoffe, Seiden, fährt über Hutkrempen, probiert Westen, Krawatten, Gürtel, legt Farben nebeneinander und schluckt ihren guten Zusammenklang wie etwas Wohlschmeckendes in sich hinein. »Der Herr Direktor hat einen außerordentlich guten Geschmack«, sagt der Herr. »Distinguiert«, sagt der andere, »dezent, hochvornehm.« Gaigern steht lächelnd und ein wenig ungeduldig dabei und lobt. Er schaut seine Hände an vor Langeweile, die rechte ist zerschnitten und die linke so nackt, seit er den Siegelring verschenkt hat. Er führt sie beide verstohlen vor sein Gesicht, ob noch etwas vom Duft der Nacht darin sei, Bitteres und Süßes, Gefahr und Stille, Neuwjada, die kleine Blume, die am Feldrain wächst ...

Kringelein kauft einen braunen, bequemen Anzug aus rauhem, englischem Stoff, eine dunkelgraue Hose mit zarten, hellen Streifen, passend zu einem schlanken Nachmittagsjackett, er kauft einen Smokinganzug, an dem nur ein paar Knöpfe versetzt werden müssen, er kauft Wäsche, Hemden, Kragen, Strümpfe, Krawatten, einen ähnlichen Mantel, wie Gaigern einen trägt, einen weichen und erstaunlich leichten Hut, in dem eine Florentiner Firma ihren Golddruck stehen hat, er nimmt zuletzt ein Paar gesteppte Waschlederhandschuhe in die Hand, genau wie Gaigern, und begibt sich zur Kasse. Dort wird eine höchst kulante Zahlungsbedingung geschaffen - Kringelein verständigt sich schnell und leicht, da er den vertrauten Jargon der Hauptbücher und Kassengebarung vernimmt. Er bezahlt tausend Mark auf der Stelle, den Rest in drei Raten. »Na also!« sagt Gaigern zufrieden. Ein Spalier komplimentierender Rücken geleitet den verzauberten und verwandelten Kringelein an die Spiegelglastür des Geschäftes. Draußen ist es sonnig, doch kalt. Die Luft schmeckt nach gekühltem Wein, spürt Kringelein nebenbei. Er ist sonst immer geschlichen. Jetzt geht er. Er hat drei Schritte zu gehen, vom Eingang des erstklassigen Geschäftshauses bis zu der graublauen Limousine, und er hebt dreimal auf nachdrückliche und elastische Weise seine neuen Sohlen vom Pflaster.

»Zufrieden?« fragt Gaigern lachend und hat schon den Anlasser in der Hand: »Merken Sie was? Fühlen Sie sich?«

»Großartig. Ausgezeichnet. Erstklassig«, erwidert Kringelein und nimmt mit der Miene eines Routiniers neben dem Führersitz Platz. Er nimmt den Kneifer ab und reibt sich mit Daumen und Zeigefinger die Augenränder, das ist eine müde und gewohnte Bewegung.

Ihm ist eingefallen, daß er nicht mehr vorhanden sein wird, wenn die letzte Rate fällig ist.

Gaigern hatte die Finger voll Ungeduld, sie prickelte wie Kohlensäure zwischen seinen Händen und dem Steuer. An den Straßenkreuzungen hingen rote, grüne, gelbe Lampen, standen Schupoleute und drohten ihm halb lachend mit dem Arm. Der Wagen schoß vorbei an Häusern, Bäumen, Litfaßsäulen, Menschenscharen bei Straßenecken, vorbei an Obstwagen, Plakatwänden und ängstlichen alten Damen, die zur falschen Zeit über den Fahrdamm trippelten, schwarz und langröckig mitten im März. Die Sonne war feucht und gelb auf dem Asphalt. Wenn ein schwerfälliges Autobustier den Weg verlegte, dann schrie der kleine Viersitzer mit zwei Hupen; wie ein Gebell von gereizten Hunden klang es.

In Fredersdorf gab es viele, die waren noch nie Auto gefahren. Anna beispielsweise war noch nie Auto gefahren. Aber Kringelein fuhr nun. Er hielt die Lippen fest aufeinandergepreßt, er machte sich steif in den Ellbogen und unter den Achselhöhlen, und die Augen tränten ihm vom Luftzug. Die Kurven setzten ihm erschrecklich zu, und unter dem neuen Seidenhemd stieg sein Herz auf und ab. Es war das gleiche angstvolle Vergnügen wie in der Kindheit, wenn auf der Mickenauer Dult im Herbst das Karussell stand und man dreimal fahren durfte für einen Groschen.

Kringelein starrte Berlin an, das zu Streifen gezerrt an dem Wagen vorüberrannte. Er fühlte sich nun schon ziemlich bekannt mit der großen Stadt. Das Brandenburger Tor zum Beispiel erkannte er nun schon von weitem und auch die Gedächtniskirche, der er einen respektvollen Blick zusandte. »Wohin fahren wir?« schrie er in Gaigerns rechtes Ohr, denn ihm kam die Stimme des Motors ungeheuer laut vor, und er fühlte sich wie mitten in Getös und Sturm.

»Bißchen 'raus zum Mittagessen. Über die Avus«, antwortete Gaigern ganz gemütlich.

Die Straße rannte in das Auto hinein mit immer steigender Schnelligkeit. Sie kamen in die Nähe des Funkturms. Hier war Kringelein schon gestern mit Doktor Otternschlag im letzten Abendnebel gewesen, müde und nicht mehr fähig, aufzufassen. Die merkwürdigen glatten, neuen und halbfertigen Hallen hier draußen waren ihm in den Traum nachgelaufen, und nun lag Wirkliches und Geträumtes in zwei Schichten übereinander, halb bedrohlich und halb unbegreiflich. »Wird das noch fertiggebaut?« schrie Kringelein und zeigte auf die Ausstellunghallen. »Das ist schon fertig«, wurde geantwortet. Kringelein wunderte sich. Hier war alles kahl, wie im Werk, aber es sah nicht häßlich aus, wie das Werk in Fredersdorf.

»Komische Stadt«, sagte er kopfschüttelnd und schielte stärker. Er bekam einen Stoß, daß sich ihm die Kopfhaut zusammenzog, aber das bedeutete nichts. Gaigern hatte nur beim Nordtor der Avus gebremst, und es ging schon wieder weiter. »Jetzt geht's los«, sagte er, und noch bevor Kringelein etwas begriffen hatte, war es losgegangen.

Es fing an mit einer Luft, die immer kälter wurde, immer steifer, und die schließlich ganz hart gegen sein Gesicht schlug wie mit Fäusten. Der Wagen bekam eine Stimme und sang von unten herauf und immer höher, zugleich geschah etwas Gräßliches in Kringeleins Beinen. Sie füllten sich mit Luft gleichsam, es stiegen Blasen in seinen Knochen hoch, dann wollten ihm die Knie zerplatzen. Atmen konnte er schon mehrere unglaublich lange Sekunden nicht, und ein paar Augenblicke lang dachte er: ›Jetzt sterbe ich. So ist das also. Ich sterbe –‹

Er schnappte aus zusammengequetschter Brust nach Luft, das Auto riß unerkennbare Dinge an sich vorbei, rote, grüne, blaue, auch Bäume stürzten seinem Kneifer entgegen, dann ein roter Punkt, der ein Wagen wurde und wieder hinter dem Auto ins Bodenlose zurückfiel - und noch immer konnte Kringelein nicht atmen. Sein Zwerchfell erlitt neue, ungeahnte Sensationen. Kringelein versuchte, den Kopf nach Gaigern zu wenden, siehe da, es gelang, ohne daß er ihm abrasiert wurde. Gaigern saß etwas vorgeneigt über dem Lenkrad, er hatte die Waschlederhandschuhe angezogen, aber nicht zugeknöpft; das sah aus irgendeinem Grund beruhigend und ungefährlich aus. Gerade, als das bißchen Magen, das Kringelein noch besaß, den Versuch machte, bei der Kehle herauszusteigen, begann Gaigern mit zusammengeschlossenen Lippen zu lächeln. Er deutete, ohne den Blick von der sausenden Straßenspule der Avus zu lassen, mit dem Kinn irgendwohin, und Kringelein folgte mit gehorsamen Blicken. Weil er nicht dumm war, begriff er nach einigen Spekulationen, daß er den Kilometermesser vor sich hatte. Der kleine Zeiger vibrierte schwach und wies 110.

»Donnerwetter -«, dachte Kringelein. Er schluckte seinen geängstigten Adamsapfel hinunter, er beugte sich vor und legte sich in die vorwärtsreißende Bewegung hinein. Plötzlich überkam ihn der grelle und erschreckend neue Genuß der Gefahr. Noch schneller! verlangte ein unbekannter, tobsüchtiger Kringelein in seinem Innersten. Der Wagen willfahrte: 115. Ein paar Augenblicke lang hielt er sich auf 118, Kringelein gab es jetzt endgültig auf, zu atmen. Er hätte jetzt so hineinsausen mögen in etwas Schwarzes, vorwärts, los, Explosion, Zusammenstoß, hin sein mit einemmal und aus diesem Tempo heraus! dachte etwas in ihm. Kein Spitalbett, dachte es, lieber Schädelbruch. Es tobten noch Reklametafeln an dem Wagen vorbei, die Abstände dazwischen veränderten sich, dann wurden die grauen, hinfetzenden Streifen zu seiten der Straße Föhrenwälder, Kringelein sah Bäume, die sich langsamer dem Auto entgegendrehten, und wie Menschen wieder in den Walt zurücktraten, wenn das Auto vorbeifuhr. Es war wie auf dem Kinderkarussell in Mickenau, bevor es zu drehen aufhörte. Auf den Reklametafeln las er jetzt Namen von Ölen, Reifen und Wagenmarken, die Luft wurde weicher und strömte in seine Kehle ein. Der Kilometerzeiger sank auf 60, die Nadel tanzte noch ein bißchen, 50 - 45 -, sie verließen die Avus beim Südtor und fuhren nun ganz bürgerlich zwischen den Wannseevillen dahin.

»So, jetzt ist mir leichter«, sagte Gaigern und lachte mit seinem ganzen Gesicht. Kringelein holte seine Hände aus den Lederkissen, in die er sie bisher gepreßt hatte, er löste vorsichtig den Krampf aus seinen Kiefern, den Schultern, den Knien. Er fühlte sich völlig erschöpft und völlig glücklich.

»Mir auch«, erwiderte er wahrheitsgemäß.

Er sprach recht wenig, während sie nachher in der leeren Glasterrasse eines Restaurants über dem Wannsee saßen und die vermummten Segelboote schaukeln sahen. Er mußte den Eindruck verarbeiten, den er erlebt hatte, und das war nicht ganz einfach. ›Was ist denn Schnelligkeit?‹ dachte er: ›man kann sie nicht sehen und nicht greifen, und daß man sie messen kann, ist wahrscheinlich auch nur Schwindel. Wieso geht sie denn so durch und durch und ist noch schöner als Musik?‹ Die Welt war noch ein wenig kreiselnd geblieben rund um ihn, aber gerade dies gefiel ihm. Er hatte das Fläschchen mit Hundts Lebensbalsam bei sich, aber er trank ihn nicht.

»Ich bin Ihnen zu größtem Dank verpflichtet für die wunderbare Fahrt«, sagte er in seiner feierlichen Bemühung um gewählte Ausdrucksweise, die den Kreisen entsprach, in denen er jetzt lebte. Gaigern, der nur billige Sachen aß - Spinat mit Setzei -, winkte ab. »Es macht mir Spaß«, sagte er. »Sie erleben das zum erstenmal. Man findet so selten Menschen, die etwas zum erstenmal erleben.«

»Sie selber machen aber gar keinen blasierten Eindruck, wenn ich mir gestatten darf -«, erwiderte Kringelein gewandt. Er wohnte jetzt schon in seinen neuen Kleidern, er war zu Hause in seinem Seidenhemd, er saß anders, er aß anders, und seine Hände, die aus den Manschettenrändern mager hervorkamen und morgens von einem hübschen Fräulein im Hotelsouterrain manikürt worden waren, gefielen ihm ungemein.

»Lieber Herrgott, ich und blasiert!« sagte Gaigern vergnügt. »Nein. Gewiß nicht. Nur - unsereiner erlebt viel.« Er mußte lächeln. »Sie haben recht. Auch für unsereinen gibt es Sachen, die er zum erstenmal erlebt, komische Sachen«, setzte er für sich selbst hinzu. Er knackte seine hübschen Zähne ein bißchen aufeinander und dachte an die Grusinskaja. Es saß ihm eine fressende Ungeduld in den Knochen, die Zeit, bis er ihre zarte, hilfsbedürftige kleine Person wieder in den Händen halten und ihre Zwitscherstimme eines traurigen Vogels wieder hören konnte, war eine unabmeßbare Öde. Drei Tage gab er sich, innerlich strampelnd vor Ungeduld, um auf irgendeine Weise einige tausend Mark flottzukriegen, mit denen er seine Kumpane beruhigen und ungestört nach Wien reisen konnte. Vorläufig gab er sich alle Mühe um Kringelein und hoffte auf irgendeine Wendung zu seinen Gunsten.

»Was kommt jetzt an die Reihe?« fragte Kringelein und schielte aus treuen und dankbaren Augen zu ihm auf. Gaigern fand ihn sympathisch, diesen stillen Provinzialen, der hier saß wie ein Kind bei der Weihnachtsbescherung. Menschenfreundlichkeit und Wärme lag so tief in seinem Wesen verankert, daß seine Opfer davon stets eine gehörige Menge zugeteilt empfingen. »Jetzt wird geflogen«, sagte er, mit dem beschwichtigenden Ton einer Kinderfrau. »Das ist sehr hübsch und ganz ungefährlich, viel ungefährlicher als so eine fixe Autofahrerei.«

»War das denn gefährlich?« fragte Kringelein und wunderte sich. Die Angst von vorhin spürte er nur mehr als Genuß in sich, seit sie überwunden war.

»Immerhin«, sagte Gaigern. »118 Kilometer ist keine Kleinigkeit, und die Straße war feucht, man weiß gar nicht, wo bei diesem Wetter die ganze Glitschigkeit herkommt. Ins Schwimmen kommen kann der Wagen schließlich immer - zahlen, bitte«, wendete er sich höflich dem Kellner zu, und dann bezahlte er seinen billigen Spinat mit Setzei. Vierundzwanzig Mark blieben ihm hernach noch in der Brieftasche. Auch Kringelein bezahlte, er hatte nur ein paar Löffel Suppe gegessen, denn er traute seinem Magen rebellische und mißgünstige Veranstaltungen zu. Als er die Brieftasche (es war die alte, schäbige, noch von Fredersdorf her) einsteckte, hatte er die flüchtige und bedeutungslos gewordene Vision seines Ausgabenbuches in schwarzem Wachstuch. Bis zum heutigen Morgen hatte er Pfennig für Pfennig in solche Büchelchen eingetragen, seit seinem neunten Jahr. Das galt jetzt nicht mehr. Das ging nie wieder. Tausend Mark an einem einzigen Vormittag ließen sich nicht aufschreiben. Ein Teil der Kringeleinschen Weltordnung war eingestürzt, geräuschlos und ohne alles Aufsehen. Kringelein, der Gaigern durch die leere Restaurantterrasse hinaus zum Wagen folgte, schob die Schultern im neuen Mantel, neuen Anzug und neuen Hemd genußsüchtig hin und her. Jetzt standen überall Menschen mit Verbeugungen, wenn er vorbeiging. ›Wünsche guten Morgen, Herr Generaldirektor‹, dachte er, sah sich selber an seiner Wand kleben, an der graugrün getünchten Wand der zweiten Etage des Bürohauses in Fredersdorf. Er steckte den Kneifer ein, als er neben Gaigern Platz nahm, er bot seine nackten Augen der kühl überschimmerten Märzwelt, und mit einem erregten Gefühl der Zuneigung und vertrauten Dankbarkeit spürte er den Motor angehen.

»Die Chaussee oder wieder die Avus?« fragte Gaigern.

»Wieder die Avus«, antwortete Kringelein. »Und wieder so schnell -«, fügte er leiser hinzu.

»Ah - Sie haben ja Courage«, sagte Gaigern und gab Gas.

»Ja - Courage habe ich«, sagte Kringelein, gestrafft und vorgebeugt, und mit geöffnetem Mund bereit, sich dem Leben anheimzugeben.

Kringelein steht an die weiß-roten Holme des Flugplatzes gelehnt und versucht, mit dieser erstaunlichen Welt zurechtzukommen, die seit heute morgen über ihn herfällt. Gestern - das ist hundert Jahre her -, gestern fuhr er müde, beduselt und traumwandlerisch mit dem Lift zum Funkturmrestaurant hinauf; ein Vergnügen war das nicht, und Doktor Otternschlags pessimistische Kommentare machten alles noch fragwürdiger und gespenstischer. Vorgestern - vor tausend Jahren - war er ein Hilfsbuchhalter im Gehaltsbüro der Saxonia-Baumwoll-Aktiengesellschaft, Fredersdorf, ein kleiner vermickerter Angestellter unter dreihundert anderen kleinen vermickerten Angestellten, in grauem Kammgarn und mit Krankenkassenverpflichtung, bei zu kleinem Gehalt. Heute, jetzt, hier, wartet er auf den Piloten, mit dem er gegen entsprechende Bezahlung einen größeren Einzelrundflug machen wird. Das ist ein Gedanke von jener Sorte, die sich nicht ganz zu Ende denken lassen, obwohl Kringelein wach und gesammelt ist wie nie vorher.

Daß er Courage hat, ist eine glatte Lüge. Er hat eine Hundeangst, eine geradezu schreiende Angst vor dem Vergnügen, das ihm bevorsteht. Er will nicht fliegen, er will es gar nicht. Er möchte heimgehen, heim - nein, nicht nach Fredersdorf, aber doch heim, ins Hotel, in sein Zimmer Nr. 70 mit den Mahagonimöbeln und der seidenen Steppdecke, und er möchte im Bett liegen und nicht fliegen.

Als Kringelein auszog, um das Leben zu suchen, schwebte ihm etwas Nebelhaftes und Gestaltloses vor, aber etwas Gepolstertes, Gebauschtes, mit Faltenwurf und Fransen und vielem Zierat großer Ornamente: Weiche Betten, volle Schüsseln, üppige Frauen, gemalte und wirkliche.

Jetzt, da er das Leben spürt, da er, wie es scheint, mittendrin schwimmt, hat alles ein anderes Gesicht; Anforderungen werden gestellt, ein scharfer Wind schneidet um die Ohren, und man muß Mauern von Beklemmung und Gefahr durchstoßen, um zu dem einen, süßen, berauschenden Tropfen Lebensgefühl zu kommen. ›Fliegen‹ - denkt Kringelein, er kennt es vom Traum her. Dieser Traum vom Fliegen sieht so aus: Kringelein steht auf dem Podium von Zikkenmeyers Saal, um ihn herum der Gesangverein, und er singt ein Solo. Er hört seinen eigenen hübschen Tenor, er singt hohe Töne, noch höher, noch höher, noch höher. Es geht ganz leicht, ohne jede Mühe, es ist ein reiner, fließender und selbstverständlicher Genuß. Zuletzt legt er sich auf den höchsten der weichen Töne und fliegt auf ihm davon, die Wolken spielen Musik dazu, der Gesangverein schaut zu ihm hinauf, erst schwebt er noch unter der Decke von Zickenmeyers Lokalitäten, dann fliegt er ganz allein, und es ist gar nichts mehr rundherum, und erst ganz zuletzt wird er gewahr, daß alles nur geträumt ist und er zurück muß in das Ehebett, wo Anna den dunstigen Schlaf ihrer ungepflegten und zanksüchtigen vierzig Jahre schläft. Der Absturz ist fürchterlich und das Aufwachen ein Schrei ins dunkle, dumpfe Zimmer mit den kleinen Fensterscheiben, den Schränken, die nach Mottenpulver riechen, und dem kleinen, erloschenen Eisenofen, auf dem ein Kochtopf mit Wasser steht.

Kringelein blinzelt. ›Fliegen‹, denkt er und holt sich zurück auf den Flugplatz in Tempelhof. Auch hier sind die starken Farben wie draußen beim Funkturm und an der Avus, strenges Gelb und Blau und Rot und Grün. Rätselhafte Türme strecken sich hinauf, alles ist mager und sparsam, staubiger Wind weht silbern über die Asphaltfläche jenseits der Holmen, und Wolkenschatten haben es eilig, über das Startfeld zu gelangen. Die kleine Maschine, mit der gestartet werden soll, steht schon bereit, drei Männer bemühen sich um sie, ihr Motor rattert, ihr Propeller dreht sich nur zum Spaß. Vor ihre niedrigen Räder sind Blöcke gestellt, ihre gerippten silbernen Flügel vibrieren dazu. Andere Vögel landen, begrüßt vom heiseren Geschrei einer Sirene (so ruft um sieben Uhr morgens das Werk in Fredersdorf, und vielleicht ist doch dies alles nur geträumt?), andere steigen auf, schwer auf der Erde, leicht in der Luft, silbrige aus Blech, goldfarbene, mit festen Holzflügeln, und weiße, große, mit vier Tragflächen und drei wirbelnden Propellern. Das Flugfeld ist so sehr groß, so verwunderlich still, die Menschen hier sind alle schlank, gebräunt, lustig und schweigsam, vermummt in ihre weiten Anzüge und engen Kappen. Nur die Maschinen haben eine Stimme, sie bellen heiser wie große Hunde, wenn sie über das Feld rollen.

Gaigern kommt mit dem Piloten daher, einem höflichen Herrn mit den O-Beinen des ehemaligen Kavallerieoffiziers; Gaigern scheint hier draußen Stammgast zu sein, jedermann grüßt und kennt ihn. »Gleich geht es los«, verkündet Gaigern. Kringelein, der nun schon Erfahrungen darin hat, was Gaigern »Losgehen« nennt, erschrickt tief. Hilfe, denkt er, Hilfe, ich will nicht fliegen - aber er spricht das beileibe nicht aus. »Starten wir schon?« fragt er weltmännisch, er ist stolz auf das Wort, das er zum erstenmal in seinem Leben gebraucht.

Dann sitzt Otto Kringelein angeschnallt in der kleinen Kajüte auf einem bequemen Lederstuhl und starrt in das Graublau des Märzhimmels hinauf. Neben ihm sitzt Gaigern und pfeift leise, und das ist ein Trost in einem Augenblick völliger Hinfälligkeit.

Erst ist es nicht anders wie ein holpriges Autofahren, dann beginnt die Maschine einen eiligen und höllenhaften Lärm zu machen. Plötzlich stößt sie die Erde hinter sich zurück und steigt. Sie schwebt keineswegs, sie hat es viel schwerer als der tenorsingende Kringelein in seinen Flugträumen, sie springt mit einem Anlauf in die Luft empor wie über Stufen aus nichts, springt, sinkt ein wenig, springt, sinkt ein wenig, springt, sinkt, springt, sinkt. Jetzt sitzt das Unheimliche nicht in den Beinen wie bei der Hundertzwanzig-Kilometer-Fahrt, sondern im Kopf. Kringeleins Schädelknochen summen, sie werden dünn, sie werden ganz gläsern, so daß er die Augen einen Moment schließen muß.

»Luftkrank?« fragt Gaigern, in seine Ohren schreiend, und überlegt, ob er hier im Flugzeug Herrn Kringelein dazu bringen könnte, ihm fünftausend Mark zu geben oder nur dreitausend oder in Gottes Namen fünfzehnhundert, mit denen die Hotelrechnung und die Reise nach Wien bezahlt werden könnte. »Ist Ihnen schlecht? Haben Sie schon genug?« fragt er höflich dazu. Kringelein reißt sich tüchtig und voll Tapferkeit zusammen und erwidert ein munteres Nein. Er öffnet die Augen in seinem summenden, gläsernen Kopf, heftet sie zuerst auf den Boden des Flugzeugs als an einen festen Punkt, dann höher, auf die kleine ovale Glasscheibe an der Vorderwand. Da sind wieder die Ziffern und die zitternden Nadeln. Der Pilot dreht sein scharfes Gesicht nach rückwärts und lächelt Herrn Kringelein zu wie einem Freund und Kameraden. Kringelein empfängt diesen Blick als Stärkung und Ehrung.

»Dreihundert Meter Höhe, 180 Geschwindigkeit«, schreit Gaigern ihm in die summenden, knatternden Ohren. Mit einem Male wird alles sanft und leicht und glatt. Die Maschine klettert nicht höher, sie singt sich mit ihrer metallenen Motorenstimme in eine Kurve und zieht vogelhaft davon über der kleingewordenen Stadt. Kringelein wagt es, hinauszuschauen.

Da sieht er zuerst das besonnte, gerippte Wellblech der Tragfläche, die durch und durch lebendig scheint, weit unten in winzige Karos geteilt Berlin, grüne Kuppeln, einen lächerlichen Bahnhof aus dem Spielzeugladen. Ein bißchen

Grün ist der Tiergarten, ein bißchen Bleigrau mit vier weißen Segelpünktchen, das ist der Wannsee. Der Rand der kleinen Welt ist weit draußen und steigt in sanfter Wölbung aufwärts, auch Berge sind dorten, auch Wälder, auch braune Ackererde. Kringelein löst seine zugekrampften Lippen und lächelt kindlich. Er fliegt. Er hat es ausgehalten. Sehr gut ist ihm, und er spürt heftig und ganz neu sich selbst. Zum drittenmal geschieht es ihm an diesem Tag, daß eine Angst von ihm abfällt und ein Glück daraus wird.

Er tupft Gaigern auf die Schulter und sagt zu dessen fragendem Blick etwas, das ungehört vom Motorenlärm aufgefressen wird.

»Es ist gar nicht so schlimm«, sagt Kringelein. »Man braucht keine Angst zu haben, es ist nicht schlimm.«

Und damit meint Kringelein nicht nur die teure Schneiderrechnung und nicht nur die Avusfahrt und nicht nur den Flug - sondern all dieses zusammen und dann noch, daß er bald sterben wird, wegsterben von der kleinen Welt, hinaussterben aus der großen Angst, hinaufsterben, wenn es geht, noch höher, als Maschinen fliegen können . . .

Die Straßen hinter dem Tempelhofer Feld legten sich bei der Rückfahrt dem neuen Kringelein aufs Herz. Sie glichen so den trübseligen Straßen von Fredersdorf, Schornsteine wuchsen hinter Bahndämmen, und er forschte mit erweiterten Nasenflügeln nach dem Leimgeruch, wie er in Fredersdorf immer aus der Appreturabteilung hervordrang. Mit verdoppelter Heftigkeit spürte er in diesen armen Gassen, daß er einen neuen Mantel trug und im Auto saß. Er suchte Worte für dieses gespaltene Gefühl, fand keine. Erst beim Halleschen Tor ermunterte er sich wieder - sie mußten eine halbe Minute warten -, der Flug lag ihm noch in den Gliedern wie ein stiller, aber starker Rausch, und voll Hunger und Herzenshöflichkeit fragte er: »Was haben Herr Baron jetzt weiter mit uns vor?«

»Jetzt muß ich für meine Person zurück ins Hotel. Ich habe um fünf Uhr eine Verabredung. Kommen Sie doch mit, ich will ein bißchen tanzen«, fügte er hinzu, als er Verlassenheit und redliche Betrübnis in Kringeleins Augen gewahr wurde.

»Besten Dank. Ich schließe mich gerne an. Ich sehe gerne zu. Leider kann ich nicht tanzen.«

»Ach was. Tanzen kann jeder Mensch«, sagte Gaigern.

Darüber dachte Kringelein nach, bis weit in die Friedrichstraße hinein. »Und nachher? Was könnte man nachher anfangen?« fragte er, zudringlich aus Unersättlichkeit. Gaigern gab keine Antwort, sondern schob mit dem Auto los, bis zum nächsten Bremsenruck vor der roten Lampe der Leipziger Straße. »Sagen Sie mal, Herr Direktor«, fragte er, während sie dastanden, »sind Sie eigentlich verheiratet?«

Kringelein überlegte so lange, daß inzwischen die gelbe und die grüne Lampe anging und sie schon wieder in Fahrt wahren, als er antwortete: »Gewesen. Ich bin verheiratet gewesen, Herr Baron. Ich habe mich von meiner Frau getrennt. Jawohl. Ich habe mir meine Freiheit erobert, wenn ich mich so ausdrücken darf. Es gibt Ehen, Herr Baron, da wird man sich gegenseitig so zur Last, da wird man sich direkt zum Ekel, da kann eins das andere nicht sehen, ohne daß man wütend wird. Da kann man den Kamm mit den ausgekämmten Haaren von der Frau in der Früh nicht sehen, ohne daß einem der ganze Tag verdorben ist, das ist sicher ungerecht, denn was kann sie dafür, wenn ihr die Haare ausgehen? Oder wenn man abends ein bißchen lesen will, da redet die Frau und redet und redet, und wenn sie nicht redet, singt sie in der Küche. Wenn einer musikalisch ist, macht einen so ein Gesinge krank. Und jeden Abend, wenn man müde ist und lesen möchte, heißt es: ›Mach Brennholz klein zu morgen früh.‹ Acht Pfennig kostet es mehr, wenn das Bund Brennholz kleingemacht wird, kommen zwei Pfennig auf den Tag, aber nein, das geht nicht.

›Du bist ein Verschwender‹, sagt die Frau, ›von dir aus werden wir einmal auf dem Stroh verrecken.‹ Dabei ist der Laden vom Schwiegervater da, den erbt sie später einmal, für die Frau ist ja gesorgt. Da habe ich mir also meine Freiheit erobert. Die Frau hat nie zu mir gepaßt, wenn ich die Wahrheit sagen soll, denn ich war immer mehr für das Höhere, und das hat sie mir nicht verziehen. Wie mein Freund Kampmann mir fünf alte Jahrgänge vom ›Kosmos‹ geschenkt hat, da ist die Frau hingegangen und hat sie als Altpapier verkauft; vierzehn Pfennig hat sie dafür bekommen. Da haben Sie die ganze Frau, Herr Baron. Jetzt habe ich mich von ihr getrennt. Auf ein paar Wochen früher oder später kommt es da nicht an, wo sie doch bald ohne mich auskommen muß. Da geht sie eben wieder in den Laden und verkauft den ledigen Beamten Rollmops und Wurst fürs Abendbrot. Dabei habe ich sie auch kennengelernt. Vielleicht findet sie noch einmal einen Dummen. Ich war ja auch dumm, wie ich geheiratet habe, keine Ahnung vom Leben, keine Ahnung, was mit einer Frau los ist. Seit ich in Berlin bin und die vielen hübschen Damen sehe, alle so perfekt und höflich, da geht mir erst langsam ein Licht auf. Aber damit ist es ja nun zu spät -«

Diese Rede, die Kringelein aus seinen innersten Tiefen hervorholte, dauerte von der Leipziger Straße bis Unter den Linden. »Es ist nicht aller Tage Abend«, entgegnete Gaigern mit halber Aufmerksamkeit, denn er hatte die schwierige Durchfahrt beim Brandenburger Tor und einen ungeschickten Herrenfahrer vor sich.

Der Dunst einer geizigen kleinen Küche, der aus Kringeleins Worten aufstieg, bedrückte ihn und benahm ihm den Schwung, mit dem er darangewesen war, sich dreitausend Mark auszuborgen.

Auch hätte jener Kringelein, der ein Seidenhemd trug und im Auto fuhr, hinterher gern einiges von seinen unverhüllten Worten zurückgenommen. »Wir gehen also tanzen«, sagte er deshalb flott. »Ich bin Herrn Baron sehr verpflichtet, wenn Herr Baron mich unter seinen Schutz nimmt. Und was könnte am Abend geschehen?«

Insgeheim erwartete Kringelein eine Antwort, die ungelöste Wünsche in ihm lösen würde, etwas, das manchen Bildern im Museum glich, aber greifbarer war, etwas, das in den Zeitungen, die er las, als Orgie bezeichnet wurde. Er vermutete, daß die feinen Herren in der Großstadt Schlüssel und Zutritt zu derartigem hatten. Gestern hatte Doktor Otternschlag seinem undeutlich ausgedrückten Wunsch nach Weiblichkeit willfahrt, indem er ihn zum Ballett der Grusinskaja schleppte. Nun ja. Das war - so fand Kringelein - das Falsche gewesen, hübsch anzusehen zwar, aber zu poetisch, rührend und großartig, man wurde müde, schläfrig und benommen dabei und bekam zuletzt Magenschmerzen. Heute jedoch . . .

»Das Beste, was Sie heute mitmachen können, ist der große Boxkampf in der Sporthalle«, sagte Gaigern.

»Boxen interessiert mich allerdings gar nicht«, sagte Kringelein mit dem Hochmut des Kosmoslesers.

»Interessiert Sie nicht? Waren Sie denn schon mal dabei? Na, dann gehen Sie nur hin, es wird Sie schon interessieren«, verhieß Gaigern kurz.

»Kommen Sie mit, Herr Baron?« fragte Kringelein schnell. Er fühlte sich überwältigend gut nach der Fahrt und dem Flug, wach und kräftig und zu allem bereit, aber es war ihm, als würde er zusammenfallen wie ein Gummimännchen im gleichen Augenblick, da der Baron ihn verließ.

»Ich würde brennend gerne hinkommen«, erwiderte Gaigern. »Aber ich kann leider nicht. Ich habe kein Geld.« Sie hatten indes die Knospenäste des Tiergartens schon verlassen, die Hotelfront tauchte schon weiter unten in der Straße auf. Gaigern ließ das Tempo bis auf zwölf Kilometer abfallen, er wollte Herrn Kringelein Zeit geben, sich zu äußern. Kringelein hatte gewaltig an Gaigerns lächelnder Bemerkung zu kauen. Sie hielten schon an Portal fünf, sie stiegen schon aus, und er war noch nicht fertig damit. »Ich bringe den Wagen in die Garage«, rief Gaigern, als Kringelein mit etwas steifen und singenden Beinen ausgeladen war, und verschwand um die Ecke. Kringelein marschierte gedankenvoll durch die Drehtür, deren Mechanismus ihn nicht mehr verblüffen konnte. Kein Geld, dachte er. Hat kein Geld. Man muß etwas tun.

Rohna, der Portier, sämtliche Boys und sogar der einarmige Liftmensch bemerkten die Verwandlung seines Äußeren und gingen mit Diskretion darüber hinweg. Die Halle war voll Mokkaduft und Menschen und Gespräch. Die Uhr zeigte zehn Minuten vor fünf. In seinem gewohnten Klubstuhl saß Doktor Otternschlag neben einem Stapel hinabgesunkener Zeitungen und schaute Kringelein mit einem undefinierbaren Ausdruck von Hohn und Trauer entgegen. Kringelein kam ohne wesentliche Unsicherheit auf ihn zu und streckte ihm die Hand hin. »Der neue Adam«, sagte Otternschlag und nahm die Hand nicht, denn seine eigene war kalt und feucht, und das hemmte ihn. »Der Schmetterling ist ausgekrochen. Und wo ist man herumgeflattert, wenn man fragen darf?«

»Besorgungen gemacht. Spazierengefahren, über die Avus, in Wannsee zu Mittag gegessen. Dann geflogen«, sagte Kringelein. Sein Ton gegen Otternschlag hatte sich ein wenig verändert, ohne daß er es wußte.

»Prächtig«, sagte Otternschlag. »Und jetzt?«

»Um fünf habe ich eine Verabredung. Ich gehe tanzen.«

»Ah - und nachher?«

»Nachher möchte ich zu einem großen Boxkampf in die Sporthalle.«

»So«, sagte Otternschlag. Mehr sagte er nicht. Er nahm seine Zeitung vor die Augen und begann gekränkt zu lesen. In China waren Erdbeben, aber die Bagatelle von vierzigtausend Toten genügte nicht, um Otternschlags Langeweile zu beheben ...

Als Gaigern im zweiten Stock anlangte, um sich umzukleiden, fand er den wartenden Kringelein vor seiner Tür.

»Na?« fragte er ungeduldig. Es fiel ihm langsam auf die Nerven, daß er sich mit diesem kleinen, verschrobenen Mann behaftet hatte.

»Haben Herr Baron Spaß mit mir gemacht, oder ist es wahr, daß Herr Baron in Geldverlegenheit sind?« fragte Kringelein hastig, es war einer der schwersten Sätze, die er in seinem Leben geredet hatte, und er verstotterte sich trotz aller Vorbereitung.

»Absolute Wahrheit, Herr Direktor. Ich bin ein geschlagener Mann, ich klebe von Pech, ich habe noch zweiundzwanzig Mark und dreißig Pfennige in der Tasche und werde mich morgen im Tiergarten aufhängen müssen«, sagte Gaigern und lachte über sein ganzes hübsches Gesicht. »Aber was das schlimmste ist: Ich muß innerhalb von drei Tagen in Wien sein, habe mich verliebt, hören Sie, ich bin in einer unerhörten Weise verknallt in eine Frau und muß unbedingt hinter ihr herfahren. Und weit und breit kein Geld. Wenn mir nur jemand so viel pumpen würde, daß ich heut abend spielen kann -«

»Spielen möchte ich auch«, sagte Kringelein schnell und aus dem Innersten heraus. Er hatte wieder das Hundertzwanzig-Kilometer-Gefühl, das Fluggefühl, und sauste mit sich selbst davon ins Endlose.

»Tiens! Ich hole Sie von der Sporthalle ab, und wir gehen in einen netten Klub. Sie setzen tausend Mark und ich zweiundzwanzig«, sagte Gaigern, schloß sein Zimmer auf und ließ Kringelein draußen stehen. Vorläufig hatte er genug von ihm. Drinnen warf er sich in den Kleidern aufs Bett und schloß die Augen. Er hatte ein flaues und überdrüssiges Gefühl. Er versuchte sich das Mädchen mit der blonden Stirnlocke vorzustellen, das er für fünf Uhr in den gelben Pavillon bestellt hatte, aber es gelang ihm nicht. Immer schob sich anderes dazwischen, die Nachttischlampe der Grusinskaja, das Balkongitter, ein Fetzen Avus, ein Fetzen Flugfeld, der zerrissene Hosenträger von Herrn Kringelein. ›Wenig geschlafen heute nacht‹, dachte er heiß, übermütig und mit nachlassenden Nerven. Er fiel in einen Drei-Minuten-Schlaf, in einen Sack voll Schwärze und Erholung, wie er es im Krieg gelernt hatte. Ein anklopfendes Stubenmädchen mit einem Brief in der Hand weckte ihn auf, der Brief war von Kringelein.

»Sehr verehrter Herr Baron!« schrieb Kringelein. »Würden Sie Unterzeichnetem gestatten, Sie heute abend als seinen Gast betrachten zu dürfen, und gleichzeitig beigelegtes geringfügiges Darlehen freundlichst gegen Quittung in Empfang nehmen. Es würde mir eine Genugtuung sein, Ihnen gefällig sein zu können, und kommt es jetzt auf das Geld nicht mehr bei mir an. Mit hochachtungsvollem Gruß

ergebener Otto Kringelein.

Anlage: Eine Eintrittskarte
Mark zweihundert.«

Das Kuvert mit dem Hotelaufdruck enthielt eine orangefarbene Karte zu den Boxkämpfen im Sportpalast und zwei knitterige Hundertmarkscheine, die seitlich mit Tinte numeriert waren. Auf Kringeleins Namen fehlten die I-Punkte. Er hatte sie endgültig verloren in dem besinnungslosen Lebenswillen dieses denkwürdigen Tages . . .

Mit hohlen und ausgesogenen Knochen blieb Preysing in der Halle zurück, nachdem die Konferenz abgeschlossen, der Vorvertrag unterzeichnet war und Doktor Zinnowitz sich unter Glück- und Segenswünschen verabschiedet hatte. Das Gefühl eines großen Erfolges, das Bewußtsein, die Chemnitzer glücklich geblufft zu haben, die Anspannung des Sprechens und Siegens auf einer unsoliden Basis war sehr neu für den Generaldirektor und ließ ihn in einem sonderbaren, nicht unangenehmen Taumel. Er sah auf die Hoteluhr - drei Uhr vorbei -, ging mechanisch in das Telefonzimmer, um eine Verbindung mit der Fabrik anzumelden, dann verweilte er ziemlich lange in der Herrentoilette, wo er stand und sich heißes Wasser über die Hände laufen ließ, während er mit sinnlosem Lächeln in den Spiegel starrte. Er wanderte in den Speisesaal, der halbleer war, bestellte das Menü ohne Aufmerksamkeit; in den zwei Minuten, die es dauerte, bevor er sein Konsommee bekam, wurde er ungeduldig und begann seine Zigarre zu rauchen, die über alle Begriffe köstlich schmeckte. Während er die Weinkarte durchlas, summte er eine Melodie, die sich irgendwo in Berlin an ihm festgehakt hatte, er spürte eine deutliche Lust nach süßem Wein, der heiß auf der Zunge sein mußte, und er fand einen Wachenheimer Mandelgarten 1921, der vielversprechend schien. Er ertappte sich nachher dabei, daß er die Suppe schlürfte; wenn er zerstreut war, passierte es ihm zuweilen, daß die unerzogenen Gewohnheiten seiner Anfänge zum Vorschein kamen. Er spürte, daß er sich in einer glücklichen, aber höchst undurchsichtigen Lage befand. Der Schwindel - er gebrauchte vor sich selbst dieses starke Wort, und es erfüllte ihn erstaunlicherweise mit einer neuen Art von Stolz -, der Schwindel, den er in der Besprechung gemacht hatte, war bestenfalls drei Tage aufrechtzuerhalten. In diesen drei Tagen mußte etwas geschehen, wenn nicht eine bodenlose Blamage erfolgen sollte. Die Unterschrift unter dem Vorvertrag konnte innerhalb vierzehn Tagen zurückgezogen werden. Preysing, der die ersten zwei Gläser des kalten, hitzigen und sonnensüßen Weins zu schnell in seinen trockenen Hals gegossen hatte, umnebelte sich ein wenig, und in dieser Umnebelung sah er den Hauptschornstein des Werkes, in drei Teile geknickt, explodieren. Das bedeutete nichts, es war eine Reminiszenz an einen Traum, den Preysing in regelmäßigen Abständen zu träumen pflegte. Er war gerade beim Fisch, als ein Page sein »Ferngespräch für Herrn Preysing!« in den murmelnden und diskreten Speisesaal krähte. Er trank noch einen heftigen Schluck Wein und marschierte seinem Essen davon, in die Telefonzelle vier. Er vergaß, die elektrische Birne anzudrehen, im Dunkeln stand er vor der Muschel und machte sein eisiges Dienstgesicht, das in Fredersdorf berüchtigt war. Zwischen das hohe Pfeifen einer kleinen Leitungsstörung meldete sich Fredersdorf.

»Herrn Brösemann«, sagte der Generaldirektor mit der unbetonten Befehlsstimme seiner Amtsführung. Es dauerte eine halbe Minute, bis das Gespräch den Prokuristen erreicht hatte. Preysing empfand das als Beleidigung und stieß mit den Absätzen gegen den Boden. »Na - endlich«, sagte er, als Brösemann sich meldete. Brösemanns Verbeugungen waren durch das Telefon zu erraten, und er empfing sie als berechtigten Tribut. »Was Neues, Brösemann, außer der höchst überflüssigen Depesche von gestern. Nein - nicht am Telefon, darüber sprechen wir noch. Vorläufig ersuche ich, diese Angelegenheit als nicht bestehend zu betrachten, verstanden? Hören Sie, Brösemann, jetzt möchte ich den alten Herrn sprechen. Schläft? Bedaure, er muß eben geweckt werden. Nein, tut mir leid. Jawohl, sofort. Tach, Brösemann. Nein, alle anderen Weisungen bekommen Sie schriftlich. Ich warte also -«

Preysing wartete. Er kratzte mit den Nägeln auf der Pultplatte, er nahm seine Füllfeder hervor und klopfte damit gegen die Wand, er räusperte sich, und er hatte ein deutliches, unabweisbares und triumphales Herzklopfen. Die Telefonmuschel vor seinem Mund roch nach einem Desinfektionsmittel, ein Splitter war aus ihrer Rundung herausgebrochen, das spürte er, als er im Dunkeln ungeduldig damit spielte. Da war der Alte in Fredersdorf.

»Hallo, Tach, Papa, entschuldigen Sie, bitte, die Störung. Die Konferenz hat bis jetzt gedauert, ich dachte, es interessiert Sie, das Resultat sofort zu erfahren. Also: Der Vorvertrag ist unterzeichnet. Nein, unterzeichnet, unterzeichnet« (er mußte jetzt schreien, denn der Alte hatte die bockige Eigenschaft, sich schwerhöriger zu stellen, als er war). »Schwer, meinen Sie? Na, es ging. Danke, danke, keine Ovationen, bitte. Hören Sie, Papa: ich muß aber gleich nach Manchester fahren, doch, es ist unbedingt nötig, unbedingt. Ich fahre nach Manchester. Gut, gut, ich schreibe Ihnen das noch genau. Wie? Sie sind zufrieden? Ich auch. Jawohl, Fräulein, ich bin fertig. Auf Wiedersehen.«

Preysing blieb noch in der dunklen Zelle stehen, und jetzt erst kam er auf den Gedanken, das kleine Licht anzuknipsen. ›Wieso denn?‹ dachte er erstaunt. ›Wieso fahre ich denn nach Manchester? Wie komme ich darauf? Aber es ist ja richtig - ich fahre nach Manchester. Ich habe die Sache hier gedeichselt, ich werde auch dort die Sache deichseln. Ganz einfach. Ganz einfach‹, dachte er, und ein neues Selbstgefühl blies ihn auf und trieb ihn hoch wie einen Ballon. Aus dem bedenklichen, grauen Kammgarnmenschen hatte dieser eine kleine unsolide Zufallserfolg einen betrunkenen, abenteuernden Unternehmer gemacht, mit wakkelnden und mangelhaft unterkellerten Grundsätzen.

»Neun Mark zwanzig kostet das Gespräch«, meldete der Telefonist. »Auf die Rechnung«, sagte Preysing vorübergehend, tief in Gedanken. Man müßte Mulle anrufen, sagte er sich, aber er tat nichts dergleichen. Er empfand einen wunderlichen Widerwillen gegen ein Gespräch mit Mulle. Im Eßzimmer dort war es jetzt etwas zu warm, Mulle liebte überheizte Räume; es schien Preysing, als rieche es im Eßzimmer in Fredersdorf nach Blumenkohl; es schien ihm, als sehe er auf Mulles runden und schlaffen Wangen die Falten ihres Kissens rot eingedrückt, während sie aus ihrem Nachmittagsschlaf nach dem Telefon griff. Er ließ es sein. Er rief sie nicht an. Er verließ die Telefonzelle und ging in den Speisesaal zurück, wo ein gut dressierter Kellner indessen den Wein in frisches Eis gestellt hatte und neue, gewärmte Teller vor ihn hinsetzte.

Preysing aß, trank seine Flasche Wein leer, zündete die Zigarre an und fuhr dann mit heißen Schläfen und kalten Füßen zu seinem Zimmer hinauf. Er hatte ein befremdetes, angenehmes und nebuloses Gefühl, aber er war dabei ganz ausgeleert durch die Sitzung. Er verspürte Lust auf ein sehr heißes Bad und ließ auch Wasser in die Wanne laufen. Gerade als er anfangen wollte, sich zu entkleiden, besann er sich, daß Baden mit vollem Magen ungesund sei, er fühlte einen ängstlichen Augenblick lang geradezu den Herzschlag, der ihn in der emaillierten Wanne bedrohte, und er ließ das gluckernde, dampfende Wasser wieder auslaufen. Das müde Unbehagen, das er empfand, verdichtete sich zu einem Jucken im Gesicht, und als Preysing sich kratzen wollte, fand er seine unrasierten Wangen. Er nahm Hut und Mantel, wie zu einer größeren Unternehmung, er vermied den Hotelsouterrainfriseur, auf den er noch vom Morgen her erzürnt war, und suchte in den Nebengassen einen vertrauenswürdigen Friseurladen.

Dies aber war das bemerkenswerte Erlebnis, das Generaldirektor Preysing hatte, ein Mann mit Grundsätzen, aber ohne Rasierapparat, ein Mann von korrekter Gesinnung, der nichtsdestoweniger etwas Zweifelhaftes getan hatte, ein Pechvogel, der zum erstenmal im Erfolgsrausch dahinsauste, wohin - das mag wie ein Zufall aussehen und mag doch tiefinnerst beschlossenes Schicksal sein. Dies aber war das Erlebnis:

Der kleine Friseurladen, den Preysing betrat, war sauber und sympathisch. Vier Stühle standen da, zwei Herren saßen auf den Stühlen, einer wurde von einem jungen, ringelköpfigen und liebenswürdigen Gehilfen bedient, der andere vom Meister selber, einem älteren Herrn mit dem Aussehen und Gehaben eines kaiserlichen Kammerdieners. Preysing wurde auf den dritten Stuhl komplimentiert und in

Mantel und Lätzchen eingebündelt. Einen Momang Geduld, der erste Gehilfe sei nur eben essen gegangen, wurde ihm aufs höflichste bedeutet, und dann steckte man ihm ein beschwichtigendes Bündel illustrierter Zeitschriften in die Hand. Preysing, zu ermattet, um Widerstand zu leisten, lehnte den Kopf an die kleine Rückenstütze, atmete den angenehmen Parfümduft des Ladens ein, und in den Nerven beruhigt durch das Klappern der Scheren, begann er in den Zeitungen zu blättern.

Er tat dies zunächst ganz gleichgültig, fast mit Widerwillen, denn er liebte diese leichtsinnige Gattung von Zeitvertreib durchaus nicht, er war für das Gesinnungstüchtige und Solide in seiner Lektüre. Aber nach einiger Zeit lächelte er doch über diesen oder jenen Scherz kurz durch die Nase, er blätterte auch einmal zurück, um eine dekolletierte Zeichnung genauer zu besehen - und da geschah es, daß er eine Seite aufschlug und sie aufgeschlagen ließ während der ganzen Zeit, die er auf dem Rasierstuhl wartete. Ja, er war so vertieft in die Betrachtung dieses Bildes, dieser Fotografie in einem Magazin, daß es ihn störte, als der erste Gehilfe von seiner Mahlzeit zurückkam und sich daranmachte, ihn zu rasieren.

Die Fotografie aber, die ihn so gefangennahm, zeigte gar nichts Besonderes, Fotografien dieser Art waren zu Hunderten in den Magazinen zu finden, die gegen Preysings Richtung gingen. Das Bild stellte ein unbekleidetes Mädchen dar, das auf den Zehenspitzen stand und über einen Wandschirm zu schauen versuchte, der viel höher war als sie. Sie hatte die Arme hochgehoben und die überaus zierlichen Brüste mit dieser Bewegung auf eine besondere und verlokkende Art emporgespannt. In dem langen und schmalen Rücken sah man zugleich die feine Muskulatur spielen. Um die Mitte wurde dieser Körper unglaubwürdig schmal, die Hüften setzten in dieser Schmalheit an und verbreiterten sich in zwei langen, sanften Schwüngen zu den Schenkeln hin. Hier machte der Körper eine kleine Drehung, so daß der Schoß des Mädchens eben noch als zart gebuchteter Schatten zu ahnen war und Schenkel und Knie gestreckt etwas von federnder Neugier auszudrücken schienen. Auch ein Gesicht hatte dieses ausnehmend wohlgeratene und erfreuliche Frauenwesen, und, was das ungeheuer Erregende an dem Bild war, dieses Gesicht kannte der Generaldirektor. Es war Flämmchens kurznäsiges, munteres und unschuldiges junges Katzengesicht, es war das zutrauliche Lächeln von Flamm zwo, es war ihr Stirnlöckchen, auf das der raffinierte Fotograf noch ein Extralichtchen gesetzt hatte, und es war vor allem ihre völlige Natürlichkeit, Selbstverständlichkeit und Unbefangenheit, in der sie hier splitternackt vor aller Welt ihren Akt hinstellte, den sie selber - Preysing erinnerte sich jetzt daran - sachlich und bescheiden »gut« genannt hatte. Preysing wurde rot, während er dieses Bild vor den Augen hatte, eine plötzliche, hitzige Röte schoß in seine Stirn und benahm ihm die Klarheit, wie manchmal bei seinen Jähzornanfällen, vor denen die ganze Fabrik zitterte. Dann begann jede Ader einzeln in ihm zu klopfen, er spürte es, er spürte sein Blut in sich rollen, er hatte es lange nicht mehr gespürt.

Preysing war vierundfünfzig Jahre, kein alter Mann, aber ein eingeschlafener Mann, der anspruchslose Gatte einer auseinandergegangenen Mulle, der harmlose Peps erwachsener Töchter. Er war unberührt hinter Flamm zwo durch den Hotelkorridor gewandert, und das sanfte Prickeln in seinem Blut, das er etwa gespürt hatte, war von selber wieder schlafen gegangen. Jetzt, hier, vor dieser Aktfotografie stand es auf und benahm ihm den Atem. »Gestatten der Herr«, sagte der Friseur und setzte mit einem eleganten Anschwung das Rasiermesser auf seine Wange. Preysing behielt die Zeitschrift in der Hand, legte sich zurück und schloß die Augen. Da sah er zuerst nur Rotes, und dann Flämmchen. Nicht das angezogene Flämmchen an der

Schreibmaschine und nicht das ausgezogene Flämmchen auf der grauen Fotografie, sondern eine heftig erregende Komposition aus beiden. Ein Flämmchen aus goldbraunem Fleisch und rotpulsendem Blut, das dennoch nackt war, die Brust emporhob und neugierig über einen Wandschirm schaute ...

Generaldirektor Preysing war es nicht gewohnt, daß seine Fantasie arbeitete. Aber nun arbeitete sie. Sie war angekurbelt, seit er am Vormittag das Telegramm auf den Tisch gelegt und dazu schamlos und ohne Sinn und Verstand gelogen hatte. Sie rannte jetzt vollends mit ihm davon, was erschreckend und berauschend zugleich war. Während das Rasiermesser leicht und geübt über sein Gesicht fuhr, erlebte Preysing unerhörte, unwahrscheinliche Dinge mit dem nackten Flämmchen, unerhörte Dinge mit sich selbst, die er sich nicht zugetraut hätte. »Soll der Schnurrbart gestutzt werden?« fragte der Friseur. »Nein«, sagte Preysing aufgestört. »Warum denn?«

»Die Spitzen sind etwas grau; das macht älter. Wenn ich dem Herrn raten dürfte - der Herr würde ohne Schnurrbart zehn Jahre jünger aussehen«, flüsterte der Friseur mit dem schmeichlerischen Lächeln aller Friseure im Spiegel. Ich kann doch nicht ohne Schnurrbart zu Mulle zurückkommen wie ein Affe, dachte Preysing und schaute sich im Spiegel an. Wirklich, der Schnurrbart war grau, und unter dem Schnurrbart stand immer etwas Schweiß auf der Oberlippe. Ach was - Mulle -, dachte er (und da hatte er eigentlich die Ehe schon gebrochen). »Ja, nehmen Sie ihn mal weg. Nachwachsen kann man so einen Schnurrbart immer noch lassen.« - »Gewiß, ohne weiteres«, bestätigte der Friseur und holte neue Rasierseife für die große Unternehmung heran. Preysing nahm wieder die Fotografie vor die Augen - aber schon genügte sie ihm nicht mehr. Er wollte nicht mehr sehen, er wollte greifen, er wollte spüren, er wollte das Flämmchen brennen wissen ...

Im Hotel bemerkte man die Sache mit dem Schnurrbart sofort, aber man tat nichts dergleichen. Du lieber Gott, wie war man es gewohnt, daß die seltsamsten Metamorphosen mit den Herrschaften vorgingen, die aus der Provinz kamen und sich kurze Zeit im großen Hotel aufhielten! Preysing, der eilig und mit kurzem Atem nach Post fragte, bekam einen Brief von Mulle in die Hand gedrückt. Er steckte ihn einfach ein, ungelesen und ohne Zartgefühl. Sodann strebte er den Telefonzellen zu. Ich muß Mulle anrufen, dachte er; aber das kann ich nachher immer noch. Er betrat die Zelle für Ortsgespräche, ließ sich mit der Kanzlei von Justizrat Zinnowitz verbinden und hatte ein kurzes Gespräch mit Flamm eins.

Ob das Fräulein Schwester zufällig in der Kanzlei zu treffen sei.

Nein, nicht mehr.

Wie man sie erreichen könne.

Ja - meinte Flamm eins zögernd -, sie hätte sich vielleicht ein wenig verspätet. Aber dann müßte sie jeden Augenblick im Hotel einlaufen.

Preysing stand mit törichtem Gesicht vor der Muschel. Im Hotel? Hier? Im Grand Hôtel? Wieso denn?

Ja - sagte Flamm eins vorsichtig und überlegend. So habe sie es wenigstens verstanden. Flämmchen sei ins Hotel gegangen, und da habe sie, Flamm eins, angenommen, sie sei wieder zum Diktat bestellt. Aber vielleicht habe Flämmchen auch eine Verabredung, so genau könne man das bei Flämmchen nie wissen, und Flämmchen sei darin eigen, ganz anders als sie selbst, Flamm eins. Aber pünktlich sei Flämmchen, und wenn sie etwas übernommen habe, dann führe sie es auch durch -

Preysing dankte und hängte verwirrt ab. Er strebte beunruhigt wieder zur Portierloge, quer durch die Halle. Man hörte deutlich die klopfende Musik aus dem gelben Pavillon. »Hat meine Sekretärin nach mir gefragt?« erkundigte er sich bei Herrn Senf. Der Portier hielt ihm sein überwachtes, verständnisloses Gesicht entgegen. »Wer, bitte?« - »Meine Sekretärin. Die junge Dame, der ich gestern Briefe diktiert habe«, sagte Preysing gereizt. Der kleine Georgi mischte sich ein. »Gefragt hat sie nicht, aber sie war in der Halle, vor ungefähr zehn Minuten. Die schlanke, blonde Dame, nicht wahr? Ich glaube, sie ist jetzt drüben beim Fünfuhrtee - im gelben Pavillon, quer durch die Halle, der zweite Gang hinter dem Lift, bitte, Sie hören es an der Musik -«

Ist es etwa die Sache eines Generaldirektors in grauem Kammgarn, daß er den gepfefferten Klängen einer Jazzkapelle nachwandert, auf unbekannten Korridoren, nach einem leichtsinnigen jungen Schreibmädchen suchend, das ihn von Rechts wegen nicht das geringste angeht? Aber Preysing tut es, er ist mitten in Entgleisung und Zusammenbruch begriffen und merkt es nicht, er merkt nur, daß sein Blut anders geht, als es seit fünfzehn oder zwanzig Jahren gegangen ist, und daß er dieses Gefühl um jeden Preis festhalten und ausnutzen muß. Der Schnurrbart ist wegrasiert, an Mulle ist kein Gespräch angemeldet, und als er die Tür zum gelben Pavillon öffnet und in die unbekannte Luft dieses Raumes eintritt, ist beinahe auch die schwierige, schwebende und zu bereinigende Angelegenheit mit Chemnitz und Manchester vergessen.

Um diese Zeit, zwanzig Minuten nach fünf Uhr, ist der gelbe Pavillon Tag für Tag vollgestopft mit Menschen. Die gelben, wolkig gerafften Seidenvorhänge vor den hohen Fenstern sind zugezogen, an den Wänden brennen gelbe Lämpchen, auch auf jedem der kleinen Tische brennt ein Lämpchen unter gelbem Schirm, es ist heiß hier, zwei Ventilatoren sausen, die Luft knistert von Menschen. Sie sitzen dicht aneinandergedrängt, einer in der Wärme des andern, denn man hat die kleinen Tische zusammengeschoben, um mehr Platz für die Tanzenden in der Saalmitte zu bekommen. Auf die gewölbte Decke sind verschwommene tanzende Gestalten in Lila und Silbergrau gemalt; zuweilen, wenn alles in Bewegung ist, sieht das wie ein blinder Spiegel über den Tanzenden unten aus. Alles, was hier gemacht wird, sieht merkwürdig eckig und gezackt aus; der Tanz kreiste nicht, er zuckt auf und ab, und Preysing, der von der rumorenden Veranstaltung in seinem Blut hierhergeweht wurde, um ein gewisses Flämmchen zu suchen, geriet in Verwirrung. Er sah keine ganzen Menschen, sondern alles schnitt durcheinander, hatte nur Kopf oder Arm oder Schenkel, wie auf einer bestimmten Sorte moderner Bilder, die Preysing ihrer Verrücktheit halber nicht leiden konnte. Das Wichtigste und Bemerkenswerteste in diesem gelben Pavillon aber war die Musik. Sie wurde erzeugt von sieben unbeschreiblich vergnügten Herren in weißen Hemden und engen Hosen, der berühmten Eastman-Jazzband, sie war von einer tollen Lebendigkeit, sie trommelte unter die Sohlen, kitzelte in den Hüftmuskeln, sie hatte zwei Saxophone, die weinen konnten, und zwei andere, die sich in der spitzigsten und hohnvollsten Weise darüber lustig machten. Sie sägte, knackte, stand kopf, rasselte, legte gakkernd Eier aus Melodie, die sie sogleich zertrampelte - und wer in den Umkreis dieser Musik geriet, der verfiel dem zuckenden Rhythmus des Saales, wie wenn er verhext sei.

Preysing jedenfalls, der - von Kellnern mit Tabletts voll Eisbechern hin und her geschoben - unter der Tür verweilte, bemerkte, daß er in den Kniekehlen zu wippen begann, während er gleichzeitig voll Verdruß nach Flamm zwo Ausschau hielt. Auch bedeckte seine nackte und verjüngte Oberlippe sich wieder mit Schweiß, er holte sein Taschentuch hervor, trocknete sich das Gesicht ab, und dann steckte er das Tuch in die äußere Brusttasche, wo er sonst nur seine Füllfeder verwahrte. Er zog sogar die batistene Ecke mit einem verlegenen Seitenblick zu einem kleinen flotten Wimpel zurecht, als sei dadurch seine Zugehörigkeit zu dieser munteren Gegend des Grand Hôtel legitimiert. Niemand kümmerte sich übrigens um ihn. Er konnte lange hier stehen und zwischen zweihundert jungen Damen eine bestimmte herauszufinden versuchen.

»Als Sie zehn Minuten nach fünf noch nicht hier waren, dachte ich: der versetzt dich. Wirst sehen, der versetzt dich, dachte ich mir«, sagte Flämmchen, die mit Gaigern eine nachlässige Variation des Charleston tanzte, etwas Neues, das eine kleine Synkope in die Kniekehle knickte und über das ihre beiden Körper sich ganz einig waren.

»Ausgeschlossen. Ich habe mich den ganzen Tag auf Sie gefreut«, sagte Gaigern; er sagte es eben so leicht und nachlässig und beiläufig, wie er tanzte. Er war nur ein paar Zentimeter größer als Flämmchen und schaute mit einem höflichen kleinen Lachen zu ihren Augen einer Milchkatze hinunter. Sie trug ein blaues, dünnes Seidenkleidchen, eine billige Kette aus geschliffenem Glas und ein flott zurechtgekniffenes Hütchen aus einem Serienverkauf zu einer Mark neunzig. Sie sah bezaubernd aus mit diesen Requisiten einer karrierebeflissenen Eleganz. »Ist das wahr, daß Sie sich gefreut haben?« fragte sie. »Zur Hälfte wahr, zur Hälfte Schwindel«, erwiderte Gaigern aufrichtig. »Ich habe einen fürchterlich langweiligen Tag hinter mir«, setzte er noch hinzu und seufzte. »Ich mache da bei einem alten Herrn den Bärenführer, es ist zum Auswachsen.«

»Warum tun Sie es denn?«

»Ich brauche etwas von ihm.«

»Ach so«, sagte Flämmchen voll Einsicht.

»Sie müssen nachher auch mit ihm tanzen«, sagte Gaigern und zog sie ein wenig näher zu sich.

»Ich muß gar nichts.«

»Nein. Aber ich werde Sie sehr schön darum bitten. Er kann gar nicht tanzen, verstehen Sie, aber er wünscht es sich so sehr. Sie gehen nur so 'n bißchen spazieren, an der Wand lang, mit ihm - mir zuliebe.«

»Na, mal sehen«, verhieß Flämmchen. Schweigend wurde

weitergetanzt. Gaigern schob etwas später ihren Körper noch etwas dichter an den seinen heran, er spürte ihren Rücken schmiegsam in seiner Hand, aber davon wurde er nicht zufrieden, nur zornig. »Na, was ist los?« fragte Flämmchen, die zu spüren verstand. »Ach - nichts«, murrte Gaigern, der wütend auf sich selbst wurde.

»Was will man denn?« fragte Flämmchen bereitwillig. Er war so hübsch mit seinem Mund, fand sie, und mit seiner Narbe über dem Kinn und mit seinen etwas schrägen Augen, sie war ein bißchen verliebt in ihn.

»Man möchte irgend etwas Verrücktes tun, es ist ja gar nichts los. Man möchte Sie jetzt beißen oder mit Ihnen balgen oder Sie ganz zerknautschen - na, heut abend geh ich zum Boxkampf, da geschieht doch wenigstens etwas.«

»Ach so«, sagte das Flämmchen. »Sie gehen heut abend zum Boxen. Ach so.«

»Mit dem alten Herrn«, sagte Gaigern.

»Wenn Sie da - - aus«, sagte Flämmchen, denn die Musik hatte geendet, und sofort begann Flämmchen heftig in die Hände zu klatschen, auf der Stelle, wo sie stehengeblieben war. Gaigern machte Anstalten, sie aus der Saalmitte zu dem kleinen Tisch zu schieben, an dem er Kringelein bei einer Tasse Mokka zurückgelassen hatte. Die Musik begann wieder zu spielen, als sie in dem Geschiebe und Gedränge auf halbem Wege waren. »Tango!« schrie Flämmchen frenetisch. Sie nahm einfach Besitz von Gaigern. Wie ihre Handfläche sich gestreckt gegen seine legte, darin war Bitte und Einverständnis. Schon verschwisterten sich ihre Schenkel zum schmachtenden, ziehenden Tangoschritt. Der Saal machte ein wenig Luft um die beiden, denn es sah schön aus, wie sie tanzten. »Sie führen sehr gut«, flüsterte Flämmchen, es war beinahe eine Liebeserklärung. Gaigern hatte nichts zu erwidern.

»Gestern waren Sie ganz anders«, sagte Flämmchen etwas später.

»Ja - gestern -«, antwortete Gaigern. Es klang wie: vor hundert Jahren. »Mir ist etwas passiert zwischen gestern und heute«, fügte er hinzu. Er verstand sich auf die leichteste und einfachste Weise mit Flämmchen und plötzlich gab er dem Wunsch nach, zu erzählen.

»Ich habe mich heute nacht ganz schwer verliebt, ganz schwer, verstehen Sie«, sagte er leise in den Tango hinein, der auf der singenden Säge in den Saal geschluchzt wurde. »Das dreht einen ganz um. Das geht einem durch und durch. Das ist so -«

»Das ist aber nichts Besonderes«, sagte Flämmchen spöttisch vor betrübter Enttäuschung.

»Doch, doch, das ist etwas Besonderes. Man möchte aus seiner Haut fahren und ein anderer Mensch werden, verstehen Sie. Man glaubt plötzlich, daß es nur diese eine, einzige Frau auf der Welt gibt, und alles andere ist nichts. Man glaubt, daß man nie mehr schlafen kann, wenn nicht bei dieser Frau. Es saust alles nur so hin mit einem. Als wäre man in eine große Kanone gestopft worden und dann losgeschossen auf den Mond oder so wohin, wo alles anders ist -«

»Wie sieht die Frau denn aus«, fragte Flämmchen, und jede andere an ihrer Stelle würde dies auch gefragt haben.

»Ach - wie sieht sie aus? Das ist es ja eben. Sie ist schon alt und so mager, so leicht, mit einem Finger könnte ich sie heben. Sie hat Falten, hier und hier, und verweinte Augen, und sie spricht ein Kauderwelsch wie ein Clown, man muß lachen und heulen dabei -. Und das alles gefällt mir so großartig, es ist nichts zu machen dagegen. Es ist eben die große Liebe.«

»Die große Liebe? Das gibt es doch gar nicht«, sagte Flämmchen; sie hatte das erstaunte und eigensinnige Katzengesicht, das Stiefmütterchen im Beet zuweilen zeigen.

»Doch. Doch. Das gibt es«, sagte Gaigern. Dies überwältigte Flämmchen so sehr, daß sie eine Sekunde lang mitten im Tango innehielt, um kopfschüttelnd Gaigern zu betrachten. »Hat der Mensch Worte –«, murmelte sie dabei. Dies aber war der Augenblick, in dem Preysings Augen endlich die gesuchte Gestalt aus dem erotisch hingedehnten Tangogewühl herausgeangelt hatten. Vorwurfsvoll und mit strenger Ungeduld wartete er, bis dieser langsame Tanz zu Ende war, und dann unternahm er es, sich bis zu dem Tischchen durchzudrücken, an dem Flämmchen Platz genommen hatte zwischen zwei Herren, die Preysing beide bekannt vorkamen. Im Hotel hing diese Sorte unausgesprochenen Bekanntseins in der Luft; man streifte einander im Lift, man begegnete sich beim Speisen, auf der Toilette und in der Bar, man drehte sich voreinander und hintereinander her durch die Drehtür, immerfort schaufelte diese Drehtür Menschen in das Hotel hinein, aus dem Hotel heraus.

»Guten Tag, Fräulein Flamm«, sagte der Generaldirektor mit belegter Stimme und unfreundlich vor Verlegenheit; er pflanzte sich neben ihrem Stuhl auf und machte das Kreuz hohl, um den Kellnern den Durchgang freizugeben. Flamm zwo kniff die Augen ein, bis sie Preysings unerwartetes Auftauchen registriert hatte. »Ach, der Herr Direktor«, sagte sie dann freundlich. »Tanzen Sie auch?« Sie schaute die steifen Gesichter der drei Herren an, sie war derlei Gesichtsausdruck bei der Männlichkeit um sich her gewohnt. »Die Herren kennen sich?« fragte sie mit einer vornehm leichten Handbewegung, die sie einem Filmstar abgeguckt hatte. Vorstellen konnte sie nicht, denn sie wußte nicht, wie ihre Kavaliere hießen. Preysing und Gaigern murmelten etwas, der Generaldirektor stützte eine besitzergreifende Hand auf die Tischplatte, während ein gefährliches Tablett mit Orangeadegläsern in Kopfhöhe an ihm vorübergeschwebt wurde.

»Guten Tag, Herr Preysing«, sagte plötzlich Kringelein, ohne sich zu erheben. Jeder einzelne Rückenwirbel tat ihm weh von der ungeheuren Anstrengung, mit der er es vermied, zu zittern, zusammenzuklappen, der armselige Kringelein aus dem Gehaltsbüro zu werden. Er hielt die Schultern steif, die Lippen, die Zähne, sogar die Nasenlöcher, die davon einen runden und bösartig pferdigen Ausdruck bekamen. Aber er blieb auf der Höhe des großen Augenblicks; ungeahnte Kräfte strömten aus seinem gut geschnittenen schwarzen Jackett, aus seiner Wäsche, seiner Krawatte, seinen gepflegten Nägeln in seinen Willen. Was ihn freilich beinahe aus der Fassung gebracht hätte, war der Umstand, daß auch Preysing sich verändert hatte, der zwar noch den bekannten Fredersdorfer Anzug, aber keinen Schnurrbart mehr trug.

»Ich weiß nicht - verzeihen Sie - wir kennen uns doch?« fragte Preysing so höflich, wie es sein gespannter Zustand in bezug auf Flämmchen erlaubte.

»Jawohl. Kringelein«, sagte Kringelein. »Ich gehöre zum Werk -«

»Ach«, sagte Preysing und kühlte ab. »Kringelein, Kringelein. Vertreter von uns, nicht?« setzte er mit einem Blick auf die Kringeleinsche Eleganz hinzu.

»Nein. Buchhalter. Hilfsbuchhaltung im Gehaltsbüro. Zimmer dreiundzwanzig. Gebäude C. Dritter Stock«, sagte Kringelein gewissenhaft, aber ohne Devotion.

»Ah -«, sagte Preysing wieder und dachte nach. Er hatte Lust, das unerwünschte und unverständliche Auftauchen eines Hilfsbuchhalters aus Fredersdorf im gelben Pavillon vom Grand Hôtel vorläufig auf sich beruhen zu lassen. »Ich muß Sie sprechen, Fräulein Flamm«, sagte er und zog seine Hand von Flämmchens Stuhllehne zurück. »Es handelt sich um eine neue Schreibarbeit«, setzte er im Büroton hinzu, und dies war für die Ohren des Kerls aus Fredersdorf bestimmt.

»Schön«, sagte Flämmchen. »Wann paßt es denn? Um sieben, halb acht?«

»Nein. Sofort«, diktierte Preysing und wischte sich das

Gesicht ab. Auch dieses Individuum aus Fredersdorf hatte ein Taschentuch in seiner Brusttasche, eine aufrührerische und leichtfertige Flagge aus Seide.

»Sofort geht leider nicht«, sagte Flämmchen freundlich. »Ich bin hier verabredet. Ich kann doch die Herren hier nicht sitzenlassen. Ich bin dem Herrn Kringelein noch einen Tanz schuldig.«

»Herr Kringelein wird so freundlich sein, zu verzichten«, sagte Preysing gehalten. Es war ein Befehl. Kringelein spürte, wie sich um seine steifen Lippen das fünfundzwanzig Jahre alte Lächeln des Untergebenen ausbreiten wollte. Er drängte es zurück in die abgezehrte und kühl werdende Haut seines Gesichts. Er suchte Hilfe und Kraft bei Gaigern. Der Baron hatte eine Zigarette im Mundwinkel, der Rauch stieg an den Wimpern seines linken Auges vorbei, und er kniff dieses Auge in einer lausbübischen und verständnisinnigen Weise zu.

»Ich denke nicht daran, zu verzichten«, sagte Kringelein. Als es heraus war, wurde er so starr wie ein Hase, der sich in einer Ackerfurche totstellt. Plötzlich erinnerte Preysing angesichts dieser obstinaten Miene sich genau an den Akt Kringelein, der ihm vor wenigen Tagen vorgelegen hatte.

»Das ist ja merkwürdig«, sagte er mit dem gefürchteten Nasenton aus der Fabrik. »Merkwürdig ist das ja. Jetzt bin ich im Bilde. Sie sind doch bei uns krankgemeldet, wie? Herr Kringelein, was? Ihre Frau beantragt Unterstützung aus dem Hilfsfonds wegen schwerer Erkrankung? Wir bewilligen sechs Wochen Gehalt bei Beurlaubung? Und Sie sitzen hier in Berlin und amüsieren sich? Sie gehen Unterhaltungen nach, die weder Ihrer Stellung noch Ihrem Einkommen entsprechen? Merkwürdig. Sehr merkwürdig, Herr Kringelein. Man wird Ihre Bücher sehr genau revidieren, darauf verlassen Sie sich. Man wird Ihnen das Gehalt streichen, wenn Sie sich so wohl befinden, Herr Kringelein! Man wird –«

»Na, Kinder, nun streitet hier nicht. Macht das in eurem Büro ab«, sagte Flämmchen mit entwaffnender Gemütlichkeit. »Hier sind wir zum Amüsement. Los, Herr Kringelein, jetzt wird getanzt.«

Kringelein stellte sich auf seine Knie, die ganz aus Kautschuk waren, aber zusehends fester wurden, als Flämmchen ihren Arm auf seine Schulter legte. Die Musik rumpelte etwas ganz Schnelles herunter, etwas, das mit dem 115-Kilometer-Auto und mit dem Flugzeug-Propeller verwandt war. Daraus erwuchs ihm die Kraft, jenen Satz zu sagen, auf den er sich in fünfundzwanzig Jahren seines subalternen Lebens vorbereitet hatte. Von Flämmchen zur Saalmitte gezerrt, verlautbarte er mit zurückgewendetem Kopf: »Gehört die Welt vielleicht Ihnen allein, Herr Preysing? Sind Sie denn etwas anderes als ich? Hat unsereiner vielleicht kein Recht, zu leben?«

»Ach, aber!« sagte Flämmchen. »Hier wird nicht gemekkert, hier wird getanzt. Jetzt nicht auf die Füße schauen, mir ins Gesicht, und nur gehen, nur ganz ruhig gehen, ich führe schon -«

»Wenn das kein Defraudant ist -«, rasselte Preysing hinterher, der zitternd vor Wut am Tisch zurückgeblieben war. Der rauchende Gaigern empfand bei diesem Wort eine wunderliche Regung, eine Art von kollegialem Mitleid, gemischt mit einem scharfen und hohnvollen Widerwillen gegen den korpulenten und schwitzenden Generaldirektor. ›Dir müßte man ein paar Blutegel ansetzen, Freundchen‹, dachte er unterirdisch. »Lassen Sie doch dem armen Teufel die Freude!« sagte er halblaut. »Dem steht ja der Tod schon im Gesicht -«

›Ich habe Sie nicht um Rat gefragt‹, dachte Preysing, aber er wagte es nicht zu sagen, weil er dunkel die überlegene Rasse des Barons fühlte. »Ich bitte, Fräulein Flamm zu bestellen, daß ich sie in einer dringenden Angelegenheit in der Halle erwarte. Wenn sie bis sechs Uhr nicht da ist, betrachte ich die Angelegenheit als erledigt«, sagte er, verbeugte sich kurz und trat den Rückzug an.

Aufgescheucht durch dieses Ultimatum, erschien Flämmchen drei Minuten vor sechs in der Halle, Preysing erhob sich von den glühenden Kohlen, auf denen er inzwischen gesessen hatte, und lächelte aus tiefstem Herzen. Weil er selten lächelte, verschönte ihn diese Freundlichkeit und wirkte als eine Überraschung. »Da sind Sie ja -«, sagte er töricht. Er war nun seit Stunden gewürgt, gezwickt und geröstet von dem einen, einzigen Gedanken: Ob Flämmchen zu haben war. Seine Erfahrungen mit Frauen waren bescheiden und lagen weit zurück. Von dieser neuen Generation junger Mädchen hatte er nur eine schwache Ahnung, obwohl auf Herrenabenden und bei gemütlichen Gesprächen auf Dienstreisen öfters die Rede davon gewesen war, daß diese Sorte ohne viel Aufhebens leicht für eine flüchtige Verbindung zu gewinnen sei. Er betrachtete Flämmchen, ihre übereinandergeschlagenen Seidenbeine, ihre Kristallkette aus Glas, ihre Bemalung, die sie gerade mit gespitztem Mund renovierte, und er wußte nicht, wo in ihrer unbekümmerten Person das Für und Wider zu seinen Absichten lag. Flämmchen klappte ihr Puderdöschen zu und fragte: »Also, um was handelt es sich?«

Preysing hielt sich an seiner Zigarre an und sagte alles auf einmal. »Es handelt sich darum«, sagte er, »daß ich nach England fahren muß und eine Sekretärin mitnehmen möchte. Erstens wegen der Korrespondenz, aber dann auch, weil ich unterwegs etwas Ansprache haben möchte. Ich bin sehr nervös, sehr nervös« (er sagte es mit einer unbewußten Spekulation auf ihr Mitgefühl) »und brauche auf der Reise jemanden, der sich um mich kümmert. Ich weiß nicht, ob Sie mich verstehen? Ich biete Ihnen eine Vertrauensstellung, bei der es - bei der Sie - bei der -«

»Ich verstehe schon«, sagte Flämmchen leise, als er sich verheddert hatte.

»Ich glaube, daß wir uns gut vertragen könnten auf der Reise«, sagte Preysing. Das kostbare Rollen und Klopfen in seinen Adern war ihm während dieser schwierigen Unterredung abhanden gekommen, aber als er Flämmchen ansah, hatte er das tröstliche Gefühl, das sie das alles wieder sogleich hervorzaubern könnte, wenn sie nur wollte. »Sie haben erzählt, daß sie voriges Jahr auch mit einem Herrn gereist sind, das brachte mich auf den Gedanken - ich glaube, es könnte sehr hübsch werden, wenn Sie nur wollten. Wollen Sie?«

Flämmchen überlegte fünf lange Minuten. »Ich muß mir das erst überlegen«, sagte sie, und dann saß sie mit vernünftigem und besorgtem Gesicht da und sog an ihrer unvermeidlichen Zigarette.

»Nach England?« sagte sie dann, und das Goldbraun ihrer Haut war etwas heller geworden, was vielleicht ein Blasserwerden bedeutete. »England kenne ich noch nicht. Und auf wie lange?«

»Auf - ich kann es noch nicht genau sagen. Es kommt darauf an. Wenn meine Unternehmung dort gutgeht, dann mache ich vielleicht nachher noch vierzehn Tage Ferien, wir können in London bleiben oder nach Paris fahren -«

»Gut, gehen wird die Sache dort schon; ich weiß ja ein bißchen Bescheid aus den Briefen«, sagte Flämmchen mit Bestimmtheit. Optimismus war das Element, in dem sie lebte. Preysing fühlte sich warm berührt von der Tatsache, daß sie um seine Geschäfte wußte und daß sie Erfolg prophezeite. »Sie müssen mir aber noch Ihre Gehaltsansprüche mitteilen.«

Diesmal dauerte es noch länger, bis Flämmchen antwortete. Sie hatte eine umfangreiche Bilanz zu machen. Der Verzicht auf das angefangene Abenteuer mit dem hübschen Baron stand darin, Preysings schwerfällige fünfzig Jahre, sein Fett, seine Kurzatmigkeit. Kleine Schulden da und dort. Bedarf an neuer Wäsche, hübsche Schuhe - die blauen gingen nicht mehr lange. Das kleine Kapital, das notwendig war, um eine Karriere zu beginnen, beim Film, bei der Revue, irgendwo. Flämmchen überschlug sauber und ohne Sentimentalität die Chancen des Geschäftes, das ihr geboten wurde. »Tausend Mark«, sagte sie, es kam ihr reichlich vor: Sie machte sich keinerlei Illusionen über die Summen, die heutzutage schönen Frauen zu Füßen gelegt wurden. »Vielleicht noch eine Kleinigkeit zum Anziehen für die Reise -«, setzte sie ein wenig schüchterner hinzu, als es sonst ihre Art war. »Sie wollen doch, daß ich gut aussehe -«

»Dazu müßten Sie sich nicht anziehen. Im Gegenteil«, sagte Preysing erhitzt. Er hielt das für eine feine Wendung. Flämmchen lächelte melancholisch dazu, es nahm sich sonderbar aus auf ihrem blühenden Stiefmütterchengesicht.

»Also abgemacht?« sagte Preysing. »Ich habe dann morgen noch einiges hier zu erledigen, die Pässe müssen wir auch in Ordnung bringen, dann können wir übermorgen reisen. Freuen Sie sich auf England?«

»Sehr«, antwortete Flämmchen. »Ich bringe dann morgen meine kleine Portable her, und Sie können mir gleich diktieren -«

»Und heute abend - wenn es Ihnen recht ist -, ich dachte, wir könnten heute abend in ein Theater gehen? Wir müssen doch ein Glas Wein auf unseren Vertrag trinken? Wie?«

»Heute schon?« sagte Flämmchen. »Gut. Heute schon.« Sie blies ihr Löckchen hoch und warf ihre ausgedrückte Zigarette in den Aschbecher. Sie konnte die Musik aus dem gelben Pavillon sehr deutlich hören. Man kann nicht von allem haben, dachte sie. Tausend Mark. Neue Kleider. Und London ist auch nicht zu verachten. »Ich muß mit meiner Schwester telefonieren«, sagte sie und stand auf. Preysing, in dem eine heiße, leidenschaftliche und dankbare Welle hochkam und ihn ganz überschwemmte, trat hinter sie und nahm vorsichtig ihre Ellbogen, die sie an den Körper preßte, in seine beiden Hände.

»Wird man freundlich zu mir sein?« fragte er leise. Und ebenso leise, den Blick auf den himbeerroten Läufer gerichtet, antwortete Flämmchen:

»Wenn man mich nicht drängt -«

Kringelein, der Autofahrer, der Flieger, der Sieger jagt weiter in dem Tag, an dem er sich leben spürt. Vielleicht, daß waghalsigen Artisten so zumut ist wie ihm, die looping the loop machen, dicht an der Todesgrenze vorbei. Er hat begonnen, sich kopfüber in den Kreis hineinzuwerfen, und jetzt wird er weitergeschleudert nach Gesetzen, die nicht mehr in seiner Macht liegen. Sich umzuwenden, das würde den Absturz bedeuten, so geht es weiter, vorwärts, hinab, hinauf, wohin, weiß er nicht mehr, er hat die Richtung verloren. Es ist ein kleiner, sausender Komet geworden, der bald in Atome zersplittern wird.

Schon wieder pfeift das Auto den Kaiserdamm entlang, schon wieder sind sie an diesem Knotenpunkt eines jungen Berlin, der Funkturm kreist und schneidet helle Stücke aus der Stadt, vor der Sporthalle ist es dunkel von Menschen, wie Bienen vor dem Flugloch klumpen sie sich zusammen, still und emsig summend. Kringelein hat nie einen so großen Saal gesehen wie die Halle drinnen und nie so viele Menschen auf einem Fleck. Hinter Gaigern, der wie ein Turm vor ihm herwandert, wird er an seinen Platz geschoben, ganz vorne in die Helle, in das Nackte, grellweiß Beschienene, Viereckige, in das alle vierzehntausend Blicke hinzielen. Gaigern erklärt viel, aber Kringelein versteht gar nichts. Er fürchtet sich schon wieder, mein Gott, er fürchtet sich, denn Blut und Kampf und Roheit kann er nicht sehen. Mit Qual erinnert er sich gerade jetzt an seine Tätigkeit als Lazarettgehilfe, die man ihm im Krieg zuwies, weil er für anderes nicht tauglich war. Er bestaunt schüchtern die aufmarschierenden Muskelmänner, wie sie ihre Bademäntel ausziehen und ihr hartes Fleisch ausstellen, hört achtungsvoll die Megaphontöne des Sprechers an, klatscht, wenn alle klatschen. Wenn es zu arg wird, schaue ich weg, denkt er insgeheim, als die erste Runde beginnt. Aber zunächst kommt es ihm vor, als würden die beiden Leute oben, zierliche magere Burschen mit eingedrückten Nasen, nur Spaß machen. Die spielen ja wie junge Katzen, sagt er sich und beginnt etwas erleichtert zu lächeln. Gaigern hingegen ist jetzt so ernst und angespannt, daß es Kringelein nachdenklich macht. Die Halle ist still, und die Boxer auch, man kann sie zuweilen durch die Nase vorsichtig atmen hören, und ihre Tanzschritte in den dünnen Boxerschuhen sind fast ohne Laut. Dann, mitten in die Stille hinein, der dumpfe, runde Schall von Leder - und der Saal rauscht zum erstenmal auf bis ganz oben hin, wo im Dunst die tausendgesichtige Galerie unter dem Sparrenwerk des Daches verschwimmt. Mehr - denkt Kringelein, den der Klang des Schlages mit einer süßen und fieberhaften Befriedigung erfüllte, die sogleich in Hunger umschlägt. Gongschlag, Männer springen über die Seile, Eimer, Stühle, Schwämme, Tücher klettern über die Seile, die Boxer liegen in ihren Ecken und atmen, sie hängen die Zungen heraus wie abgehetzte Hunde, man träufelt ihnen Wasser darauf, das sie nicht schlucken dürfen. Es spritzt bis zu Kringelein herunter, der achtungsvoll die Tropfen von seinem Mantel wischt mit einem wunderlichen Zusammengehörigkeitsgefühl für den Mann in seiner Ecke. Gong. Sofort ist der viereckige Fleck aus Licht wieder leer für den Kampf, die Halle schneidet ihr Murmeln ab und gibt acht. Schlag, Schlag, Schlag. Geschrei auf der Galerie, Stille. Schlag. Das erste Blut rinnt dem einen über das Auge, dazu lacht er. Schlag, Schlag, einmal ein Keuchen. Kringelein findet seine festgeballten Fäuste in seinen Manteltaschen wie zwei harte fremde Gegenstände. Gong. Wieder Getümmel in den Ecken, die wehenden

Handtücher, das Klopfen, Massieren, die Körper glänzen jetzt schon von Schweiß, unten sind alle Gesichter grün und kalt von Licht, und Männer stehen von ihren Stühlen auf und debattieren aufgeregt.

»Jetzt geht es endlich los«, sagt Gaigern, gleich nachdem die dritte Runde beginnt, Kringelein vernimmt mit leisem Schaudern dieses Gaigernsche Signal vor aufregenden Begebenheiten. Die Boxer oben - er kann sie nicht unterscheiden, weil sie beide gebrochene Nasenbeine haben, und nur in den Pausen nimmt er Partei für den Mann in seiner Ecke -, die beiden fahren jetzt wild aufeinander los, sie verklammern sich ineinander, und das sieht zuweilen aus wie eine wütende und ungehörige Zärtlichkeit. »Brechen!« schreit die Halle mit vierzehntausend Kehlen. Kringelein schreit auch. Sie sollen schlagen, die beiden da oben, mit miteinander an den Seilen entlangtaumeln. Er möchte um alles wieder diesen vollen runden Klang hören, mit dem der Lederhandschuh auf Fleisch trifft.

»Blynx ist groggy. Er macht es nicht mehr lang«, murmelt Gaigern, und sein gesundes Hundegebiß wird unter der hochgezogenen Oberlippe sichtbar. Oben springt der Ringrichter im weißen Seidenhemd zwischen die blutenden Muskelleiber und trennt sie immer wieder. Kringelein scheint es sehr gutmütig, daß sie sich dies gefallen lassen. Er heftet seine Augen auf denjenigen, der »groggy« sein soll, was ein Fachausdruck für ein bewußtloses Zuendegehen zu sein scheint. Dieser Mann, Blynx, hat jetzt eine blaue Beule wie eine Frucht über seinem rechten Auge hängen, er ist am Rücken und an den Schultern mit Blut beschmiert, und er spuckt auch zuweilen Blut aus sich heraus, dem Ringrichter vor die Füße. Er hält den Kopf ganz tief, was richtig sein mag, aber bei dem unverständigen Kringelein den Eindruck großer Feigheit erweckt. Sooft dieser Blynx einen Schlag erhält, freut sich Kringelein auf eine gepfefferte und bestialische Weise, die tief aus seinem Blut kommt. Alles, was er zu sehen kriegt, ist ihm noch zu wenig. Jeden gelandeten Schlag begleitet er mit einem kleinen, erleichternden Schrei, um sogleich mit offenem Mund und vorgestrecktem Kopf auf den nächsten zu warten. Gong. Pause.

In der siebenten Runde wurde Blynx erledigt. Er taumelte vornüber, fiel zu Boden, drehte sich auf den Rücken, und so blieb er liegen. Aus den achtundzwanzigtausend Händen der Sporthalle prasselte ein Hagelschlag von Applaus. Kringelein hörte sich heiser brüllen und sah seine eigenen Hände, die auf tolle Weise applaudierten. Was sich oben im Ring begab, verstand er nur zum Teil. Der Mann im Seidenhemd stand über dem erledigten Blynx und zählte mit einem Arm, der wie ein Hammer aussah. Einmal machte Blynx eine Bewegung, wie sie gefallene Pferde bei Glatteis haben, aber er kam nicht hoch. Neuer Aufschrei im Saal. Leute kletterten über die Seile, Umarmungen, Küsse, Megaphongebrüll, Tobsucht auf der Galerie. Als Blynx abgeschleppt war, sank Kringelein in völliger Erschöpfung auf seinem harten Stuhl zusammen, er hatte sich zu sehr angestrengt, Schultern und Arme taten ihm weh.

»Na, Sie sind ja ganz abgekämpft vor Begeisterung«, sagte Gaigern zu ihm. »Das nimmt mit, was?«

Kringelein erinnerte sich an einen Abend, den er vor tausend Jahren erlebt hatte. »Das ist etwas anderes als gestern bei der Grusinskaja -«, antwortete er und dachte mit einem ablehnenden Mitleid an das leere Theater, an die gespenstisch und melancholisch kreiselnden Nymphen, an die verwundete Taube im Mondschein und an den dünnen Applaus mit den Otternschlagschen Kommentaren.

»Die Grusinskaja!« sagte Gaigern. »Aber ja, das ist etwas ganz anderes.« Er begann für sich zu lächeln. »Bei der Grusinskaja ist zuviel chi-chi«, sagte er noch, er sah sie in diesem Augenblick, er konnte sie wahrhaftig sehen, sie saß in Prag in ihrer Garderobe, ruhte aus und dachte, daß die letzte Nacht sie müde gemacht habe, müde, aber jung und mutig ...

»Der Kampf hier hat nicht viel geheißen. Die Hauptsache kommt erst«, sagte er zu Kringelein. Kringelein war zufrieden mit dieser Belehrung. Ihm schien es selber, als müsse noch mehr kommen, noch dröhnendere Schläge, noch lauteres Keuchen, noch tobenderes Mitspüren. Weiter, dachte er. Weiter. Weiter. Los!

Weiter. Zwei Riesen betreten den Ring, ein Weißer und ein Neger. Der Neger ist lang, schmal, mit einer Samthaut überzogen, die silberne Lichtreflexe spiegelt. Der Weiße breit, mit Muskelpaketen an den Schultern, mit einem viereckigen Tiergesicht. Kringelein liebt sogleich den Neger. Die ganze Halle liebt den Neger. Einleitung durch das Megaphon. Die Halle wird unbeschreiblich stumm für den Kampf. Und dann fängt alles wieder von vorne an, das Spielen, Tanzen, Springen, das geduckte Anschleichen und gefederte Zurückspringen, das Ineinander des weißen und des schwarzen Leibes beim Nahkampf, hitzig und ernst wie in der Liebe, Schlag und Schlag und Schlag, und dazwischen nur der Gong zum Atemholen. Drei Minuten Kampf, eine Minute Atmen, drei Minuten, eine Minute, fünfzehnmal, eine Stunde lang, drei Minuten Kampf, eine Minute Atmen. Aber diesmal ist der ganze Kampf anders, schneller, blitzender, mit plötzlichen Überfällen des Schwarzen, mit einer ausbrechenden Wildheit des Weißen, brennend wie ein hartes Feuer.

Kringelein wird eingeschmolzen. Kringelein ist nicht mehr allein, er wohnt nicht mehr in sich wie in einem gebrechlichen Gehäuse. Kringelein ist einer von vierzehntausend, er ist ein grünes, verzerrtes Gesicht von den unzählbaren Gesichtern der Halle, sein Schrei gehört zu dem großen Schrei, der aus allen zugleich herausstößt. Er atmet, wenn die anderen atmen, und er preßt einhaltend die Luft in sich zusammen, wenn die ganze Halle mit den Boxern keucht.

Er hat glühende Ohren, geballte Fäuste, trockne Lippen, eine kalte Magengrube, er schluckt den süßen Speichel der Erregung in seinen heiser gewordenen Kehlkopf. Weiter, weiter.

In den beiden letzten Runden scheint es, daß der Neger, Kringeleins Neger, die Oberhand bekommt. Seine Fäuste trommeln kurze Serien von Lederstößen gegen die Muskeln des Weißen, der zweimal mit ausgebreiteten Armen an den Seilen lehnen bleibt. Beide lächeln wie Narkotisierte. Der Atem stößt aus ihren Körpern wie aus Maschinen. Die letzte Runde ist begleitet von dem ununterbrochenen Gebrüll und dröhnenden Treten der Halle. Kringelein brüllt und stampft. Gong. Dann ist es aus. Kringelein liegt schweißbedeckt auf seinem Stuhl. Das Megaphon schafft sich Ruhe. Das Megaphon tut kund. Das Megaphon verkündet einen Sieg des Weißen.

»Wie? Was? Empörend!« brüllt Kringelein. Er brüllt es aus vierzehntausend Kehlen, er klettert auf den Stuhl, alle klettern auf die Stühle und brüllen: »Schiebung, Schiebung!« Der Saal wird rasend. Kringelein wird rasend. Weiter, mehr, noch! Weiter! Weiter! Die Galerien dröhnen, pfeifen, kreischen, sie werden zusammenbrechen, diese empörten Galerien aus Holz, im Staub und Dunst und Aufruhr einer unzufriedenen Menschenmasse. Die Boxer im Weiß der Seile schütteln sich die Hände in den ungefügen Boxhandschuhen und lächeln wie zum Fotografieren. Es beginnt in der Halle zu regnen. Es regnet Schachteln, Zigarettenpackungen, Apfelsinen, zuletzt Gläser, Flaschen, der saubere Ring bedeckt sich mit zertretenen Gegenständen, unter dem Dach hängt das hohe Pfeifen fest, hinten treten und schlagen sich schon welche, wie eine Panik sieht das Ineinanderwühlen der Vierzehntausend aus, Kringelein bekommt etwas sehr Hartes und Schweres an den Kopf, das spürt er gar nicht. Kringelein hat geballte Fäuste. Kringelein möchte dreinschlagen, kämpfen, den ungerechten Richter verprügeln. Er sieht sich nach Gaigern um. Gaigern steht groß ganz vorn am Ring und lacht, wie man lacht, wenn man von einem Frühlingsregen betroffen wird, halb durstig und halb zufrieden. Kringelein wird - in der Aufgelöstheit seiner Gefühle - von einer plötzlichen und heftigen Zuneigung zu diesem lachenden Menschen erfaßt, der dasteht und aussieht wie das Leben selber. Gaigern greift nach ihm und zieht ihn aus der tobsüchtig gewordenen Halle. Hinter seinem Rücken wandert Kringelein davon wie hinter einem warmen und undurchdringlichen Schild.

Weiter. Die Gedächtniskirche mit weißen Mauern im Reflex der tausend Lichter rund um sie herum, glänzende Wagenspuren im geölten Asphalt, alle Menschen sind schwarz vor den beleuchteten Auslagen der Tauentzienstraße, dann plötzlich wird es still und dunkel unter den Bäumen des Bayerischen Viertels, kleine Plätze schneiden in den späten Abend, mit Kies und Hecken und Laternen. Weiter.

Der Spielklub. Die großen Zimmer einer unmodernen Berliner Wohnung, die man zum Klub umstaffiert hat. Gestandener Menschengeruch an den getäfelten Wänden. Geräuschlose Herren im Smoking. Vorstellung. Viele Mäntel in einer Kachelgarderobe. Kringelein erkennt einen blassen, dunkel gekleideten mageren und feinen Menschen, der sich das dünne Haar aus der Stirn streicht, als sich selbst. Das Zusammentreffen mit sich im Spiegel überrascht ihn. Ich halte eigentlich viel aus, denkt er. An seinen Freund, den Notar Kampmann, denkt er eine Sekunde lang, als wenn er ihn einmal geträumt hätte. Kurzer Aufenthalt in einem Zimmer mit Stehlampen und einer Kaminattrappe, wo nur geplaudert und getrunken wird. Im nächsten Raum stehen ein paar Tische mit Bridgepartien, es ist nicht viel vornehmer als Skat, denkt Kringelein, hungrig nach neuen Sensationen.

»Wir gehen nach rückwärts«, sagt Gaigern zu einem

Herrn. »Kommen Sie, Direktor Kringelein, wir gehen nach rückwärts.«

Rückwärts, das ist am Ende von einem engen, häßlichen Korridor, der an vielen Türen vorbeiführt. Hinter der letzten braunen Flügeltür liegt ein kleines Zimmer, das überall voll einer braunen Finsternis ist, so daß man seine Wände kaum finden kann. Nur in der Mitte über dem Tisch ist Licht, wie in der Sporthalle über dem Ring Licht war. Ein paar Leute stehen und sitzen um den Tisch, nicht viele, zwölf oder vierzehn, sie schauen ernsthaft und geschäftlich aus und verständigen sich in kurzen Worten, von denen Kringelein nichts begreift.

»Wieviel wollen Sie riskieren?« fragt Gaigern, der seitwärts zu einem Pult getreten ist, daran eine schwarzgekleidete, gouvernantenhafte Dame wie an einer Kasse sitzt. »Was dachten Sie -?«

Kringelein dachte zehn Mark. »Ich weiß nicht recht, Herr Baron«, sagte er ungewiß.

»Sagen wir fürs erste fünfhundert Mark«, schlug Gaigern vor. Kringelein, unfähig des Widerspruchs, zog seine alte Brieftasche hervor und legte fünf numerierte Scheine hin. Er erhielt eine Handvoll bunter Jetons in die Hand gedrückt, grüne, blaue, rote. Er hörte die gleichen Dinger mit knöchernem Fall unter der rechteckigen, grünbeschirmten Lampe dort auf den Tisch fallen. Weiter, dachte er ungeduldig. »Jetzt setzen Sie irgendwohin«, sagte Gaigern. »Es hat keinen Zweck, daß ich es Ihnen erkläre. Setzen Sie, wie und was Sie wollen. Wer zum erstenmal spielt, gewinnt meistens.«

Zum wievielten Male an diesem Tag ist es, daß Kringelein sich in Gefahr begibt? Er weiß nun schon, daß es nicht anders ist mit dem Leben. Der Schauer gehört zum Vergnügen wie die Schale zur Nuß, daß weiß er jetzt schon. Er ahnt, daß er hier in ein paar Stunden so viel verlieren kann, wie er in den siebenundvierzig Jahres seines tröpfelnden

Fredersdorfer Lebens verdient hat. Er weiß, daß er sich in diesem undeutlichen Zimmer mit den lakonischen Herren über dem grünen Tuch nur weiter so hinsausen lassen muß wie bisher, um die drei oder vier Wochen am Grab hinzigeunernder Existenz zu verspielen, die er jetzt noch vor sich hat. Und Kringelein, hoch oben in seinem Looping the loop, ist beinahe neugierig darauf, wie es nun weitergehen soll, weiter - weiter.

Seine Ohren und seine Lippen sind weiß geworden, wie er an den Tisch tritt und zu spielen anfängt. Er hat die Hände so, als seien sie voll Sand. Er setzt. Eine kleine Schaufel kommt und holt seine grüne Marke zwischen andern Marken fort. Jemand sagt etwas, das er nicht versteht. Er setzt, diesmal woandershin. Verliert. Er setzt, verliert, setzt, verliert. Gaigern drüben am Tisch setzt auch, gewinnt einmal, verliert dann wieder. Kringelein wirft einen schnellen und flehenden Blick hinüber, der unbemerkt bleibt. Hier ist jeder mit sich selbst beschäftigt. Die Blicke stecken wie Nägel im Grün der Tischplatte. Jeder spannt seine Kräfte und seinen Willen, um den Gewinn zu sich zu ziehen. »Kein Glück -«, sagt jemand irgendwo. Es ist ein geisterhaftes Wort unter der grünen Billardlampe im braunen Hinterzimmer. Kringelein, ganz auf sich allein gestellt, geht zu der schwarzen Dame und holt nochmals für fünfhundert Mark Jetons. Er kehrt zurück an den Tisch, ein anderer Herr schaufelt jetzt in den Spielmarken herum, die leise aneinanderklappern und von pedantischen und beunruhigten Händen in Häufchen geschichtet werden. Kringelein nimmt seinen Vorrat in die linke Hand und setzt mit der rechten, wahllos, fast besinnungslos. Setzt, verliert. Setzt, gewinnt. Steht überrascht vor der Tatsache, daß seine grüne Marke in Begleitung einer roten zu ihm zurückkommt. Er setzt, gewinnt. Er setzt, gewinnt. Steckt ein paar Jetons in die Tasche, weil er nicht weiß, wohin damit. Er setzt, verliert, verliert, verliert. Er pausiert ein paar Minuten. Auch Gaigern spielt nicht, sondern steht mit den Händen in den Taschen, rauchend. »Aus für heute«, sagt er. »Mein Geld ist fort.« - »Gestatten Sie, Herr Baron«, flüstert Kringelein und schiebt von den zwei roten Marken, die er noch besitzt, eine in Gaigerns Hand, die zögernd aus der Tasche kommt. »Ich bin heute zu flau zum Spielen«, murmelt Gaigern. Er hat eine Witterung für das Glück, das gehört zu seinem fragwürdigen Beruf, und er hat jetzt kein Glück - wenn man nicht das innerliche Abenteuer mit der Grusinskaja Glück nennen will. Kringelein kehrt an den Tisch zurück. Weiter.

Eine heisere Uhr schlug eins, als Kringelein, mit einem kleinen, drehenden Propeller hinter der Stirn, aufhörte zu spielen und an der Kasse seine Jetons einlöste. Er hatte dreitausendvierhundert Mark gewonnen. Er spürte, daß seine Handgelenke locker wurden und zu zittern beginnen wollten, er hielt sie tapfer fest. Niemand kümmerte sich um ihn und seinen Gewinn. Kringelein hat ein Fredersdorfer Jahresgehalt gewonnen. Er stopft alles in das abgegriffene Leder seiner Brieftasche.

Gaigern steht gähnend dabei und sieht zu. »Ich bin jetzt ein Waisenkind, Herr Direktor. Sie müssen für mich sorgen. Ich habe keinen Pfennig«, sagt er in gleichgültigem Ton. Kringelein, mit der Brieftasche in den Händen, steht da und weiß nicht, wie er es machen soll und was von ihm erwartet wird. »Ich werde Sie morgen gründlich anpumpen müssen«, sagt Gaigern. »Bitte«, erwidert Kringelein elegant. »Und was geschieht jetzt weiter?«

»Herrgott, Sie sind ausdauernd. Jetzt gibt es nur noch Saufen oder Weiber«, erwidert Gaigern. Kringelein geht mit blassem, aufgerissenem Gesicht aus dem Spiegel fort, vor dem er sich den Hut aufgesetzt hat. Er legt fünfzig Pfennig in die flache Hand eines halbwüchsigen Menschen, der ihnen das Haustor öffnet. Er greift noch mal in die Tasche, diesmal sind es hundert Mark, die er erwischt und die er als kleinen, faltigen Papierklumpen in die Hand des Pagen schiebt, während sie schon auf die dunkle, stille Straße treten. Er hat die Orientierung verloren. Er weiß nicht mehr, was Geld ist. In einer Welt, wo man vormittags tausend Mark ausgibt und abends dreitausend gewinnt, irrt der Buchhalter Kringelein aus Fredersdorf labyrinthisch herum wie in einem Zauberwald ohne Licht und Weg. Unter einer Laterne wartet der kleine Viersitzer, stumm, aber lebendig, es ist etwas von der Geduld eines guten Hundes in seinem verläßlichen Dastehen, das Kringelein mit Rührung und Dankbarkeit wahrnimmt.

Weiter. Weiter. Es regnet jetzt. Der Scheibenwischer tickt seine Halbkreise vor Kringeleins Augen, hin, her, hin, her. Der Benzingeruch ist fast schon eine kleine, warme Heimat geworden. Lange Streifen aus Rot und Blau und Gelb spiegeln im nassen Asphalt. Grelle Stichflamme vor schwarzen Arbeitern schweißt eine Schiene zusammen, brennend fleißig, tief in der Nacht. Das Auto fährt viel zu langsam, viel zu langsam, findet Kringelein. Er schaut Gaigern von der Seite an, Gaigern raucht, Gaigern hat die Augen auf der Straße und die Gedanken Gott weiß wo. Die Stadt um halb zwei Uhr sieht aus, als wenn ein Unglück passiert sei. Sie ist ganz wach, voll von Menschen, beinahe voller als bei Tag, viele Autos schreien einander an bei den schutzlosen Ecken ohne Schupomänner. Droben wohnt ein roter, brandiger Katastrophenhimmel, in dem regelmäßig der hellere Schein vom drehenden Scheinwerfer des Funkturms aufzuckt. Weiter, weiter.

Eine Treppe voll Geschrei und Musik aus drei Stockwerken. Fähnchen und Papierschlangen unten, auf halber Höhe blinde Spiegel in vergoldeten Gipsrahmen, fremde Leute, manche betrunken, manche melancholisch, Mädchen mit dünnem Fleisch, schwarz um die Augen, Kringelein drückt sich treppaufwärts an ihren gepuderten Rücken vorbei. Das ganze Haus ist voll Zigarettenrauch, dick und blau hängt er vor den modern tuenden Papierschirmen der

Beleuchtungskörper im Treppenhaus. Unten ist der Lärm laut und roh, im ersten Stockwerk wird hinter Portieren eine feinere Musik wahrnehmbar, drinnen tanzen sie. Noch eine Treppe höher ist es still. Ein Mädchen in giftgrünen Hosen sitzt auf den Stufen mit einem Glas in der Hand und stellt sich schlafend, wie sie vorbeigehen. Ihre bloße Schulter streift Kringeleins neuen Anzug, es macht ihn erwartungsvoll. Hinter einer Tür ist ein langer Raum, fast dunkel. Nur auf der Erde stehen ein paar Laternen mit Papier überzogen, matt schimmernd. Musik ist auch da, Kringelein kann sie hören, aber nicht sehen. Im Schein der Laternen tanzen Mädchenbeine, sie sind sehr deutlich bis zum Knie, weiter oben verschwindet alles in Dunkelheit. Kringelein hat Lust, sich an Gaigerns Hand festzuhalten wie ein kleiner Junge. Hier wird alles verwischt und undeutlich; was hinter den bemalten Wänden vorgeht, die gepolsterte Bänke und niedere Tische trennen, das läßt sich nur ahnen. Kringelein bemerkt, daß er kalten Sekt trinkt. Kringelein bekommt Visionen von vielen Körpern, die fremd, unheimlich und süß auf ihn eindringen. Kringelein singt leise mit seinem hohen Tenor die unsichtbare Melodie zweier Geigen mit. Kringelein wiegt hin und her, sein Kopf liegt in die kühle Biegung eines Mädchenarmes gedrückt.

»Noch eine Flasche?« fragt ein strenger Kellner. Kringelein bestellt noch eine Flasche. Kringelein hat Mitleid mit dem Kellner, der lungenkrank aussieht, wie sein Gesicht aus der Dunkelheit herauskommt und sich im Schein der Laterne über einen Bestellblock beugt. Kringelein wird weich, er hat irrsinniges Mitleid mit dem Kellner, mit den Mädchen, die so lustig sind und nur Beine haben und so spät noch tanzen müssen, irrsinniges Mitleid mit sich selbst. Er legt das schlaffe, laue, todfremde Fleisch eines Mädchens quer über seinen Schoß, und während seine Knie zu zittern beginnen, sucht er ihr Gesicht. Eine besoffene und begeisterte Melancholie überkommt ihn im Puderduft dieser unbekannten Haut. Man kann ihn singen hören. Gaigern, der in Spekulationen versunken ist und steif wie eine Schildwache auf einem Korbstuhl daneben sitzt, hört ihn mit hoher, tremolierender Stimme singen: »Freut euch des Lebens, weil noch das Lähämpchen glüht -« Spießer, denkt Gaigern feindselig. Auf dem Heimweg hole ich mir die Brieftasche, und dann fort nach Wien, denkt er, auf dem Rand seiner gefährdeten Existenz balancierend ...

Kringelein steht in einem kleinen dumpfen Toilettenraum und wäscht sein Gesicht, das sich immer wieder mit kühlem Schweiß bedecken will. Er zieht das Fläschchen mit Hundts Lebensbalsam hervor und trinkt hoffnungsvoll drei Schluck. Ich bin nicht müde, sagt er sich, nicht im mindesten, nicht eine Spur von Müdigkeit. Er hat noch große Dinge vor in dieser Nacht. Er zerdrückt den Zimtgeschmack des Balsams auf seiner Zunge und kehrt zurück zu dem Mädchen in die gepolsterte Dämmerung. Weiter. Weiter. Weiter.

Kringelein landet auf einem Mund wie auf einer abenteuerlichen, unbegreiflichen Insel. Gestrandet bleibt er mit seinen Lippen dort liegen. Kleine betrunkene Wellen spülen ihn fort. Sei lieb, Bubi, sagt man und meint ihn. Er wird unbeweglich, horcht, horcht, horcht in sich hinein. Die Hände hat er einen traumhaften Augenblick lang ganz voll mit reifen, roten, saftigen Himbeeren aus dem Mickenauer Forst - und dann kommt etwas näher, etwas Schreckliches, etwas wie ein Schwert und ein Blitz und ein brennender Flügel ...

Plötzlich hört Gaigern ihn stöhnen. Es ist ein greller, unwahrscheinlicher Ton voll Angst und Menschenqual. »Was ist denn?« fragt Gaigern aufgeschreckt.

»Oh - Schmerzen -«, antwortete es zerpreßt aus der Dämmerung bei Kringeleins Gesicht. Gaigern hob eine von den Laternen hoch und stellte sie auf den Tisch. Da sah er Kringelein sitzen, steif und aufrecht auf der Polsterbank, seine beiden Hände ineinandergehängt wie Kettenglieder. Weil die Lampe blau war, sah auch sein Gesicht blau aus, mit einem runden, großen, schwarzen Mund, daraus es stöhnte. Gaigern kannte diese Schmerzensmaske vom Krieg her, von den Schwerverwundeten her. Er stützte schnell einen Arm unter Kringeleins Kopf und preßte stark und brüderlich gegen dessen bebende Schultern.

»Schwer besoffen?« fragte das Mädchen, es war noch sehr jung und gewöhnlich in ihrem Kleid aus schwarzem Paillettengeglitzer.

»Kusch«, antwortete Gaigern. Kringelein hob die Augen zu ihm auf, gequält und zerrissen von den Schmerzen in sich, und er zwang einen jammervollen und heroischen Versuch zu eleganter Haltung aus sich hervor.

»Jetzt bin ich groggy«, sagt er nämlich mit seinen blauen Lippen - und damit meinte er das Betäubte, das fast Bewußtlose, das Verkämpfte und Zusammenbrechende seines Zustandes. Es war ein elender, aber ziemlich tapferer Scherz, der mitten durchbrach und in Stöhnen endete.

»Aber was haben Sie denn?« fragte Gaigern erschreckt.

Und Kringelein fast unhörbar: »Ich glaube - ich muß - sterben . . .«

Es ist eine dumme Fabel, daß Hotelstubenmädchen durch die Schlüssellöcher schauen. Hotelstubenmädchen haben gar kein Interesse an den Leuten, die hinter den Schlüssellöchern wohnen. Hotelstubenmädchen haben viel zu tun und sind angestrengt und müde und alle ein wenig resigniert, und sie sind vollauf beschäftigt mit ihren eigenen Angelegenheiten. Kein Mensch kümmert sich um den anderen Menschen im großen Hotel, jeder ist mit sich allein in diesem großen Kaff, das Doktor Otternschlag nicht so übel mit dem Leben im allgemeinen in Vergleich stellte. Jeder wohnt hinter Doppeltüren und hat nur sein Spiegelbild im Ankleidespiegel zum Gefährten oder seinen Schatten an der Wand. In den Gängen streifen sie aneinander, in der Halle grüßt man sich, manchmal kommt ein kurzes Gespräch zustande, aus den leeren Worten dieser Zeit kümmerlich zusammengebaut. Ein Blick, der auffliegt, gelangt nicht bis zu den Augen, er bleibt an den Kleidern hängen. Vielleicht kommt es vor, daß ein Tanz im gelben Pavillon zwei Körper nähert. Vielleicht schleicht nachts jemand aus seinem Zimmer in ein anderes. Das ist alles. Dahinter liegt eine abgrundtiefe Einsamkeit. In seinem Zimmer ist jeder allein mit seinem Ich, und kein Du läßt sich fassen oder halten. Noch zwischen den Hochzeitsreisenden in Nr. 134 liegt die gläserne Leere unausgesprochener Worte zu Bett. Manche verheirateten Stiefelpaare, die nachts vor den Türen stehen, tragen einen deutlichen Ausdruck von Haß gegeneinander in den Ledergesichtern, manche gebärden sich flott, obwohl sie hoffnungslos und schlappohrig sind. Der Hausdiener, der sie einsammelt, ist in eine böse Alimentationsgeschichte verwickelt - wen kümmert das? Das Stubenmädchen aus der zweiten Etage hat etwas mit dem hübschen Chauffeur des Freiherrn von Gaigern angefangen, aber nun ist er wortlos verschwunden, das kränkt sie arg - es kann nicht die Rede davon sein, daß sie auch noch durch Schlüssellöcher schauen wird; nachts möchte sie nachdenken, aber sie ist zu schläfrig; und schlafen kann sie nicht, denn das Stubenmädchen im anderen Bett hat es mit der Lunge, setzt sich hoch, dreht das Licht an und hustet. Jeder Mensch in seinen Wänden hat sein Geheimnis; auch die Dame mit dem nichtssagenden Gesicht auf Nr. 28, die immer trällert, auch der Herr von Nr. 154, der so frenetisch gurgelt und nur ein Handlungsreisender ist. Sogar der Page Nr. 18 hat ein Geheimnis hinter seiner wassergekämmten Front, ein böses und drückendes Geheimnis: er hat eine goldene Tabatiere gefunden, die Baron Gaigern im Wintergarten liegenließ, er hat sie nicht abgeliefert; er hat sie aus Angst vor der Kontrolle vorläufig zwischen Lehne und Sitz eines Klubstuhls vergraben wie einen Schatz, und in seiner vierzehnjährigen Seele kämpfen Ethik und trotziges Proletariertum einen bitteren Kampf. Herr Senf, der Portier, hat ein Auge auf den Jungen - Karl Nispe heißt er, wenn er unnumeriert ist -, der zerstreut und mit Ringen um die Augen an der Drehtür herumlatscht. Aber auch Herr Senf denkt an andere Dinge. Nun liegt seine Frau schon seit Tagen in der Klinik, es kann nicht mehr die Rede von einem normalen Verlauf sein, die Wehen haben ausgesetzt, merkwürdige Krämpfe sind eingetreten, aber man hört noch die Herztöne des Kindes, und man wartet noch damit, die Geburt künstlich einzuleiten. Senf ist mittags draußen gewesen, aber man ließ ihn nicht zu ihr, sie lag in einem dämmernden Zustand der Schwäche, den die Ärzte Schlaf nannten.

Dies ist der Portier Senf, der beflissen zwischen Schlüsselbrett und Kursbuch in seinem Mahagonikäfig hantiert. Rohna hat ihm Urlaub angetragen, aber der Portier will keinen Urlaub, er ist froh, wenn er eingespannt wird und nicht zu denken braucht. Wie es um Rohna selbst steht, um diesen tüchtigen Grafen Rohna, der täglich vierzehn Stunden Dienst macht als ein tapferer, aber hoffnungslos deklassierter Mann, das erfährt niemand. Vielleicht ist er stolz auf sein Dastehen, vielleicht schämt er sich, sooft ein Mensch seiner Sphäre sich in das Meldebuch einträgt - sein helles, schmales, rotblondes Gesicht verrät nichts davon, es ist zur Maske geworden.

Um zwei Uhr nachts verließen sieben außergewöhnlich niedergeschlagene, ermattete und trübsinnige Herren mit schwarzen Futteralen in den Händen das Grand Hôtel durch Eingang zwei. Es waren die Mitglieder der Eastman-Jazz-Band, die in ihren verschwitzten Hemden heimgingen, unzufrieden mit dem Tarif, wie es alle Musiker in allen Ländern sind. Vor Portal fünf rollten die Autos ab, etwas später erloschen die Scheinwerfer. Die Halle wurde kühl, denn man hatte die Heizung ein wenig gedrosselt. Doktor Otternschlag, der fast allein noch dort saß, schauerte zusammen und gähnte.

Gleich darauf gähnte auch Rohna in seiner Box, schloß einige Schubladen ab und begab sich an seinen Fünf-Stunden-Schlaf in der fünften Etage. Der Nachtportier ordnete die Morgenzeitungen des nächsten Tages, die ein regennasser Kolporteur abgeliefert hatte, der nun mit müden und kotigen Stiefeln durch die Drehtür abwanderte. Zwei Amerikanerinnen mit lauten Stimmen gingen schlafen, nachher war es sehr still in der Halle. Die Hälfte der Lichter wurde abgedreht. Der Telefonist trank schwarzen Kaffee, um sich munter zu halten.

»Wollen wir jetzt hinaufgehen?« befragte Doktor Otternschlag sich und trank seinen Kognak aus. »Ja, ich denke, wir können jetzt gehen«, erwiderte er sich. Er brauchte ungefähr zehn Minuten, um den Entschluß auszuführen. Als er auf seinen Lackfüßen stand, wurde er etwas tatkräftiger und unternahm seine gewohnte kreisrunde Wanderung, um die Halle herum, zum Nachtportier. »Nichts für Herrn Doktor da«, sagte der taktlos und winkte schon mit der Hand ab, als Otternschlag noch drei Meter von ihm entfernt war. »Wenn jemand nach mir fragen sollte: ich bin auf mein Zimmer gegangen«, verlautbarte Otternschlag; er zog eines der feuchten Morgenblätter an sich heran und überflog die Titelzeilen. »Ist aufs Zimmer gegangen«, wiederholte der Portier mechanisch und machte einen Kreidestrich auf das Schlüsselbrett. Von der Drehtür kam ein kalter, nach staubiger Nässe duftender Luftzug hereingeweht. Otternschlag drehte sich um.

»Aha«, sagte er nur, nachdem sein sehendes Auge den gebotenen Anblick in sich aufgenommen hatte. Er machte sogar den Mund auf und lächelte schief. Er erblickte Gaigern, der groß, stark und blühend, wenn auch mit ernsthaft gesammelter Miene, durch die Drehtür hereinkam und den kleinen, taumelnden, vor Schmerz fast besinnungslosen Kringelein vor sich her schleppte, der leise stöhnte und wimmerte.

Doktor Otternschlag verstand sich durchaus darauf, Betrunkene von Schwerkranken zu unterscheiden, obwohl beiden eine sehr ähnliche Aufgelöstheit anhaftet. Der Nachtportier, weniger geschult, warf einen strengen und wachsamen Blick auf die beiden Ankommenden.

»Schlüssel 69 und 70«, sagte Gaigern halblaut, »dem Herrn ist schlecht. Einen Arzt, am besten gleich –« Er stützte Kringelein mit einer Hand und nahm mit der anderen Hand die Schlüssel entgegen, dann steuerte er Kringelein zum Lift hin.

»Ich bin Arzt. Heiße Milch sofort auf Nr. 70«, sagte plötzlich in überraschend wachem Ton Doktor Otternschlag.

»Ich kümmere mich schon um Kringelein«, sagte er zu Gaigern, während sie hochfuhren. »Jammern Sie nicht, Herr Kringelein. Es ist gleich vorbei.«

Kringelein, der dieses Wort falsch verstand, hörte auf zu stöhnen, er saß vornübergesunken auf dem kleinen Liftbänkchen und preßte die wütenden Schmerzen in sich zusammen. »Schon vorbei?« flüsterte er ergeben, »schon so schnell vorbei? Es hat ja kaum angefangen -«

»Sie sind zu gierig gewesen. Alles auf einmal ist zuviel«, sagte Otternschlag; er hatte allerhand gegen Kringelein auf dem Herzen, aber er hielt zugleich dessen Hand und kontrollierte den Herzschlag.

»Unsinn, Kringelein. Von wegen: vorbei! Sie haben zuviel kalten Sekt getrunken«, äußerte Gaigern munter. Der Ruck, mit dem der Lift hielt, beendete das Gespräch voller Mißverständnisse. Auf dem Korridor knickte Kringelein in die Knie, das betrübte Stubenmädchen beobachtete es voll Schrecken. Gaigern lud sich den leichten Kringelein auf und trug ihn ins Bett. Während er ihn aus seinen verrauchten Kleidungsstücken herausschälte und in den neuen Pyjama einknöpfte, verschwand Doktor Otternschlag mit beschäftigter Miene. »Moment«, sagte er und ging mit steifen, aber elektrisierten Bewegungen davon.

Als er zurückkam, fand er Kringelein starr in seinem Bett liegend, die Hände an die Schenkel gedrückt wie ein präsentierender Soldat. Daß er nicht mehr wimmerte, war das Resultat einer äußersten Willensanspannung. Als Kringelein ausgezogen war, um »das Leben« zu suchen, hatte er sich vorgenommen, tapfer und ohne viel Aufhebens zu sterben, wenn es soweit war. Es war eine Art von Honorar, das er irgendeiner unbekannten Macht für den ausschweifenden Leichtsinn seiner letzten Tage schuldig zu sein glaubte. Daran klammerte er sich nun in seinem Messingbett, während Schmerzen und Sterbensangst einen kalten Schweiß auf seine Stirn und aus seinem Nacken preßten. Gaigern ging hin, nahm sein eigenes seidenes Lavendeltaschentuch aus seiner Rocktasche und wischte Kringeleins gelbes kleines Gesicht ab, er nahm ihm auch behutsam den Kneifer von der dünnen Nase, und Kringelein hatte dabei eine erleichterte Sekunde lang das Gefühl, daß er schon tot sei, alles vorüber, und daß Gaigerns warme große Hand ihm gleich die Augen zudrücken werde. Indessen ging Gaigern wieder von seinem Bett fort und machte Otternschlag Platz.

Otternschlag nahm aus einem kleinen schwarzen Etui eine Spritze, zauberte irgendwoher eine glitzernde Ampulle, der er taschenspielerhaft schnell die Spitze abbrach, er steckte den Daumen durch den Ring der Spritze, die er ohne hinzusehen und mit außergewöhnlicher Geschicklichkeit mit einer Hand füllte, während er schon mit der anderen Kringeleins Arm aus dem Pyjamaärmel hervorholte und mit Sublimat abwusch. »Was ist das?« fragte Kringelein, obwohl er die gütige Medizin vom Krankenhaus her kannte.

»Etwas Gutes. Ein süßer Bonbon -«, antwortete Otternschlag singend wie eine wunderliche Kinderfrau, während er Kringeleins dünnes Fleisch zwischen zwei Finger nahm und den Einstich unter die Haut jagte.

Gaigern blickte herüber. »Wie gut, daß Sie das gleich bei der Hand haben -«, sagte er. Otternschlag hob die Spritze gegen das Licht, gerade vor sein unsehendes Glasauge. »Ja«, erwiderte er. »Es ist mein Reisekoffer. Immer gepackt, versteh'n Se. In Bereitschaft sein - das ist es natürlich, wie Shakespeare so hübsch sagt. Bereit zur Abreise - in jeder Minute bereit, versteh'n Se? Das ist der große Witz von diesem kleinen Gepäckstück.« Er wusch indessen die Spritze, legte sie in das Etui und ließ es zuschnappen. Gaigern nahm das kleine schwarze Ding vom Tisch und wog es in der Hand, er hatte ein verwundertes und etwas begriffsstutziges Gesicht dabei. Wieso denn? dachte er.

»Geht's schon besser?« fragte Doktor Otternschlag zum Bett hin. »Ja«, antwortete Kringelein, der die Augen geschlossen hatte und auf einer Wolke saß, mit der er in raschen, leichten Kreisen davonfuhr, während er und sein Schmerz sich auflösten und selber etwas Wolkiges und Kreisendes wurden. »Na, seh'n Se«, hörte er noch den Doktor sagen, während ihm alles gleichgültig wurde und auch die Todesangst von ihm wegging wie ein schwarzes Tier ...

»So«, sagte Otternschlag und legte nach einer Weile Kringeleins Hand auf die seidene Steppdecke zurück. »Vorläufig hat er Ruhe.« Gaigern, der inzwischen Kringeleins neue Kleidungsstücke verwahrt hatte, trat an das Messingbett und sah die kurzen, flachen Atemzüge hinter dem hellblauen Pyjama.

»Vorläufig?« fragte er flüsternd. »Ist das nicht - geschieht - nichts? Ist es nicht - gefährlich?«

»Nein. Unser Freund muß noch zappeln. Er wird noch eine Menge solcher Tänze erleben, bevor er in Ruhe gelassen wird. Das Herz - seh'n Se - das Herz ist noch da, das lebt noch, das klopft noch, das will noch. Eine Maschine, die wenig benutzt worden ist, das Herz von Herrn Kringelein. Rundherum ist vieles kaputt, aber das Herz besteht auf seinem Recht. Da muß das Marionettchen noch eine Weile springen an seinem letzten Faden - Zigarette?«

»Danke«, sagte Gaigern geistesabwesend, bediente sich und setzte sich unter das Fasanenstilleben, er brauchte ein paar Minuten, um Otternschlags Worte zu verarbeiten. »Da ist er also sehr krank? Und kann trotzdem nicht sterben? Das ist ja eine abscheuliche Schinderei?« sagte er nachher.

Otternschlag, der bei jeder Frage mit dem Kopf genickt hatte, antwortete: »Eben. Jawohl. Deshalb lobe ich mir meinen kleinen Koffer. Eigentlich kann man das, was einem hier auf der Welt zugemutet wird, doch nur aushalten, wenn man weiß, daß man in jedem Augenblick Schluß machen kann, wie? Das Leben ist eine miserable Sorte von Dasein, glauben Sie mir.«

Dazu lächelte Gaigern. »Aber - ich lebe gern«, sagte er unschuldig. Otternschlag drehte ihm schnell seine sehende Gesichtshälfte zu. »Ja, Sie leben gern. Ihresgleichen lebt gern. Euch kenne ich. Sie kenne ich ganz genau -«

»Mich -?«

»Ja, Sie speziell. Sie ganz persönlich.« Otternschlag streckte seine Hand aus und zeigte mit seinem schweren, gelbgerauchten Zeigefinger in Gaigerns zurückweichendes Gesicht. »Hier habe ich Ihnen einmal einen hübschen kleinen Granatsplitter herausgeholt. Die nette Naht, die Ihnen so interessant steht, habe ich genäht - Sie erinnern sich nicht? - in Fromelles? Ihresgleichen vergißt alles. Unsereiner muß sich alles merken, kann nichts loswerden, nichts.«

»Ach! In Fromelles? In dieser fürchterlichen Bude von Lazarett, nicht wahr? Nein, ich erinnere mich kaum, ich wußte damals nicht viel von mir. Schlapp gemacht. Ich dachte damals, wenn man verwundet wird, muß man ohnmächtig werden, und da bin ich ohnmächtig geworden.«

»Ich habe mir Sie aber gemerkt, weil Sie das jüngste Soldatchen gewesen sind, das mir in die Finger kam. So von der Sorte: ›Singend in den Tod.‹ Ist übrigens auch möglich, daß Sie persönlich es gar nicht waren - nur die gleiche Sorte, wissense. Und jetzt leben Sie also gern. War zu erwarten. Freut mich, zu hören. Nur - eines werden Sie mir zugeben: Die Drehtür muß offen bleiben.«

»Wie?« fragte Gaigern verwirrt.

»Die Drehtür, meine ich. Setzen Sie sich mal in die Halle und schauen Sie die Drehtür eine Stunde lang an. Das geht wie verrückt. Rein, raus, rein, raus, rein, raus. Witzige Sache, so eine Drehtür. Manchmal kann man seekrank werden, wenn man lange hinsieht. Aber nun passen Sie einmal auf: Sie kommen beispielsweise durch die Drehtür herein - da wollen Sie doch die Gewißheit haben, daß sie auch wieder raus können durch die Drehtür! Daß sie Ihnen nicht vor der Nase zugesperrt wird und Sie gefangen sind im Grand Hôtel?«

Gaigern spürte eine Kühle an seinem Hals heraufkriechen, das Wort »gefangen« kam ihn an wie eine verheimlichte Drohung. »Natürlich«, sagte er gepreßt.

»Dann sind wir uns ja einig«, erklärte Otternschlag, er hatte die Spritze wieder aus dem Etui hervorgeholt und spielte verliebt mit ihrem glatten Glas und Nickel. »Die Drehtür muß offen bleiben. Der Ausgang muß jederzeit parat sein. Sterben muß man können, wann es einem paßt. Wann man selber will.«

»Wer will denn sterben? Niemand«, sagte Gaigern schnell und voll Überzeugung.

»Na -«, sagte Otternschlag und schluckte etwas hinunter. Kringelein in seinem Hotelbett murmelte unverständliche Worte unter seinem erschlafften Schnurrbart. »Na - zum Beispiel, sehen Sie mich an«, sagte Otternschlag. »Sehense mich genau an. Ich bin ein Selbstmörder, verstehense. Gewöhnlich sieht man Selbstmörder erst nachher, wenn se schon am Gasschlauch genuckelt oder losgeknallt haben. Ich, wie ich hier sitze, bin also ein Selbstmörder vorher, mit einem Wort. Ich bin ein lebender Selbstmörder, eine Rarität, werden Sie zugeben. Eines Tages nehme ich aus dieser Schachtel zehn Ampullen, rein damit in die Vene - und dann bin ich ein toter Selbstmörder. Ich spaziere raus aus der Drehtür, bildlich gesprochen, und Sie können drin sitzen bleiben in der Halle und warten.«

Gaigern empfand verwundert, daß dieser blödsinnige Doktor Otternschlag eine Art von Haß gegen ihn zu haben schien. »Das mag Geschmackssache sein«, sagte er leichthin. »Ich habe es nicht so eilig. Mir gefällt das Leben nun einmal. Ich finde es großartig.«

»So. Großartig finden Sie es? Sie waren doch auch im Krieg. Und dann sind Sie heimgekommen, und dann finden Sie das Leben großartig? Ja, Mensch, wie existiert ihr denn alle? Habt ihr denn alle vergessen? Gut, gut, wir wollen nicht davon sprechen, wie es draußen war, wir wissen es ja alle. Aber wie denn? Wie könnt ihr denn zurückkommen von dort und noch sagen: das Leben gefällt mir? Wo ist es denn, euer Leben? Ich habe es gesucht, ich habe es nicht gefunden. Manchmal denke ich mir: Ich bin schon tot, eine Granate hat mir den Kopf weggerissen, und ich sitze als Leiche verschüttet die ganze Zeit im Unterstand von Rouge-Croix. Da habense den Eindruck, wahr und wahrhaftig, den mir das Leben macht, seit ich von draußen zurückgekommen bin.«

»Ach -«, sagte Gaigern, berührt von der plötzlichen Leidenschaftlichkeit in Otternschlags Worten, und noch einmal: »Ach?« Er stand auf und trat zum Bett. Kringelein schlief, obwohl seine Augen nicht ganz geschlossen waren. Gaigern kehrte auf den Zehenspitzen zu Otternschlag zurück. »Ja, etwas davon ist wahr«, sagte er leise. »Mit dem Zurückkommen ist es nicht einfach gewesen. Wenn unsereiner sagt ›draußen‹, da meint er das so, wie ›in der Heimat‹ - beinahe so. Jetzt steckt man in Deutschland drin wie in einer ausgewachsenen Hose. Man ist unbändig geworden und hat keinen Platz. Was soll unsereiner mit sich anfangen? Reichswehr? Drill? Bei Wahlraufereien eingreifen? Danke. Flieger, Pilot? Ich habe es versucht. Täglich zweimal nach dem Fahrplan loszuckeln, Berlin - Köln - Berlin. Forschungsreisender, Expedition, das alles ist so abgekocht und ohne Gefahr. Sehen Sie, das ist es: Das Leben müßte ein bißchen gefährlicher sein, dann wäre es gut. Aber man nimmt's, wie's kommt.«

»Nee. Das meine ich nicht«, sagte Otternschlag unzufrieden. »Aber vielleicht sind das nur persönliche kleine Nuancen. Vielleicht würde ich die Sachen auch so harmlos sehen wie Sie, wenn man mir die Visage so gut geflickt hätte, wie ich sie Ihnen geflickt habe. Aber wenn man die Welt durch ein Glasauge anschaut, da siehtse ganz merkwürdig aus, kann ich Ihnen versichern. Na, was ist los, Herr Kringelein?«

Kringelein war plötzlich in seinem Bett hochgekommen, hatte die schweren Morphiumaugen mit Mühe aufgerissen und suchte etwas. Seine Hände wanderten auf der Steppdecke umher mit tastenden Fingerspitzen, die das Morphium gefühllos gemacht hatte.

»Wo ist mein Geld?« flüsterte Kringelein. Er kam direkt aus Fredersdorf, hatte sich soeben noch mit Anna gestritten, und es machte ihm viele Mühe, in das Mahagonizimmer des Grand Hôtel zurückzufinden. »Wo ist mein Geld?« fragte er mit trockenem Mund, er sah die beiden Männer zunächst nur wie bewegte, übergroße Schatten auf den Samtfauteuils sitzen.

»Wo sein Geld ist? fragte er -«, teilte Otternschlag dem Baron mit, so, als ob dieser schwerhörig sei.

»Sein Geld hat er doch im Hotelsafe deponiert«, sagte Gaigern.

»Sie haben doch Ihr Geld im Hotel deponiert«, gab Otternschlag wie ein Dolmetsch weiter. Kringelein ordnete diese Antwort mühsam in seinem schweren Kopf ein. »Haben Sie noch Schmerzen?« fragte Otternschlag.

»Schmerzen? Wieso?« fragte Kringelein auf seiner Wolke. Otternschlag lachte mit schiefem Mund. »Alles schon vergessen«, sagte er. »Die Schmerzen schon vergessen. Die Wohltat auch schon vergessen. Morgen kann's wieder losgehen, Sie - Lebenskünstler«, sagte er mit nacktem Hohn.

Kringelein verstand nicht eine Silbe. »Wo ist mein Geld?« fragte er hartnäckig. »Das viele Geld. Das gewonnene Geld.« Gaigern zündete sich eine Zigarette an und schluckte den Rauch tief in die Lungen.

»Wo ist sein Geld?« fragte Otternschlag. »In seiner Brieftasche«, sagte Gaigern. »In Ihrer Brieftasche«, kolportierte Otternschlag. »Nun schlafen Sie weiter. Nun werden Sie mir nicht zu munter, sonst tut es weh.«

»Ich will die Brieftasche haben«, verlangte Kringelein mit gespreizten Fingern. Er konnte sich nicht ausdrücken in seinem vernebelten Zustand, er spürte nur in seinem verhängten Bewußtsein, daß er jede Minute seines Lebens mit barem Geld bezahlen mußte, bar und teuer bezahlen. Im Traum hatte er beides wegrinnen sehen - Geld und Leben -, schnell und voll von Steinen, wie den Fredersdorfer Bach, der in jedem Sommer austrocknete.

Otternschlag seufzte, versenkte seine Finger in die Taschen von Kringeleins Rock, den Gaigern über eine Stuhllehne gehängt hatte, und zog sie leer wieder heraus. Gaigern stand rauchend am Fenster, den Rücken zum Zimmer, das Gesicht zur Straße hingedreht, die nachtstill unter dem weißen Licht der Bogenlampen lag. »Da ist keine Brieftasche«, sagte Otternschlag und ließ seine Hände vor sich hinhängen wie nach einer großen Anstrengung.

Plötzlich kam Kringelein aus seinem Bett. Plötzlich stand er auf seinen dünnen, schwankenden Pyjamabeinen mitten im Zimmer mit aufgerissenem Gesicht und ohne Atem. »Wo ist meine Brieftasche?« schrie er jammernd. »Wo ist sie? Wo ist das viele Geld? Wo ist das viele, viele Geld? Meine Brieftasche! Meine Brieftasche!«

Gaigern, der die Brieftasche längst an sich genommen hatte, versuchte vor diesen hohen, schlafheiseren Klagetönen seine Ohren zuzumachen. Er hörte draußen den Aufzug gehen, er hörte Schritte den Korridor entlangkommen und hinter Türen verstummen. Er hörte - so schien es ihm - nebenan in Nr. 71 jemanden atmen. Er hörte seine Armbanduhr ticken und sein Herz ruhig schlagen. Aber er hörte auch Kringeleins Angst; er haßte Kringelein in diesem Augenblick auf eine wilde Art, er hätte ihn am liebsten totgeschlagen. Er wendete sich heftig dem Zimmer zu, aber der trübsinnige Anblick, den Kringelein bot, machte ihm die Faust schlaff. Kringelein stand mitten im Zimmer und weinte. Die Tränen liefen ihm unter den betäubten Morphiumlidern aus den Augen und tropften auf den neuen hellblauen Seidenpyjama. Kringelein weinte wie ein Kind um seine Brieftasche. »Sechstausendzweihundert Mark waren in der Tasche«, schluchzte er. »Davon kann man zwei Jahre leben -« Denn unversehens war Kringelein wieder in die Fredersdorfer Maßstäbe versunken.

Otternschlag machte eine verzagte Gebärde zu Gaigern hin. »Wo kann denn die Brieftasche sein - wenn Kringelein partout noch zwei Jahre leben will?« fragte er mit einem versuchsweisen Scherz. Gaigern, die Fäuste in den Taschen, lächelte. »Vielleicht haben die Mädchen in der Alhambra sie ihm geklaut«, antwortete er. Es war die Antwort, die er von langer Hand vorbereitet hatte. Kringelein setzte sich auf den Bettrand und sackte zusammen. »O nein«, sagte er still. »O nein, o nein, o nein.« Otternschlag schaute ihn an, schaute Gaigern an, schaute wieder Kringelein an. Ach so, sagte er zu sich selber. Er nahm sein schwarzes Futteral an sich und ging zu Gaigern hin, nach alter Gewohnheit an der Wand entlangstockernd, als wenn ihm aus Wänden und Möbeln ein wenig Kraft und Nähe zuströmen würde oder als ob er noch immer nicht gelernt hätte, ohne Deckung zu gehen. Vor Gaigern blieb er stehen, drehte ihm seine zerschossene Seite zu und starrte ihm mit dem Glasauge auf die Kehle.

»Man wird Kringelein seine Brieftasche wiederverschaffen müssen«, sagte er leise und höflich. Gaigern zögerte eine Sekunde.

In dieser Sekunde entschied sich sein Schicksal. Der Bruch, der durch sein Wesen ging, nahm ihm die Sicherheit.

Gaigern war kein Ehrenmann, denn er hatte schon gestohlen und geschwindelt. Und er war kein Verbrecher, denn die guten Instinkte seiner Natur und Rasse zerbrachen zu oft seine üblen Absichten. Er war ein Dilettant des Abenteuers. Es war Kraft in ihm, aber nicht genug Kraft. Er hätte die beiden kranken Männer niederschlagen und davongehen können. Er hätte sie wegstoßen und mit seinem Raub über die Hotelfassade flüchten können. Er hätte mit einem Scherzwort das Zimmer verlassen, zur Bahn rasen und verschwinden können. Er nahm alles in sich zusammen und dachte an die Grusinskaja, er spürte ihre leichte Person in seinen Armen, er trug sie über die Treppen ihres Hauses in Tremezzo hinauf. Er mußte zu ihr, er mußte, er mußte - aber plötzlich überkam ihn das unsinnige und heftige Mitleid, das er gestern mit der Grusinskaja gefühlt hatte, auch für diesen Kringelein da hinten am Bettrand. Mitleid auch für Otternschlag, der ihn mit dem verwüsteten Gesicht des Krieges anstarrte, und ein ganz fernes unwissendes Mitleid mit sich selbst - und dieses Mitleid warf ihn um.

Er tat zwei Schritte ins Zimmer hinein und begann zu lächeln.

»Da ist die Brieftasche«, sagte er. »Ich habe sie vorhin in Sicherheit gebracht, damit sie Kringelein nicht gestohlen wird in dem Kabuff, wo wir waren.«

»Na also«, sagte Otternschlag erschlaffend und nahm die alte, abgenutzte und angefüllte Brieftasche aus Gaigerns Händen. Er hatte ein sonderbares, erschöpftes und zärtliches Gefühl dabei. Es war so selten, daß er Gelegenheit hatte, die Hände eines anderen Menschen zu berühren. Er wendete den Kopf und heftete sein sehendes Auge auf Gaigern, mit einem Ausdruck, der etwas wie Dankbarkeit oder Einverständnis bedeuten konnte. Aber er erschrak im gleichen Moment. Ihm kam Gaigerns Gesicht, dieses besonders schöne und lebensvolle Gesicht, so sandbleich vor, so gezeichnet, so ausgeleert und gestorben, daß er sich fürchtete.

Gibt es denn nur Gespenster auf der Welt? sagte er zu sich selber, während er am Sofa entlang zum Bett hinüberging und die Brieftasche vor Kringelein hinlegte.

Das Ganze hatte nur wenige Sekunden gedauert, und so lange war Kringelein sehr schweigsam und in tiefem Nachdenken dagesessen.

Jetzt, da Otternschlag ihm die Brieftasche reichte, um die er ein so großes Wehklagen angestimmt hatte, berührte er sie kaum. Er ließ sie auf die Bettdecke fallen, ohne hinzusehen und ohne das Geld, das viele Geld, das gewonnene Geld, zu zählen. »Bitte, bleiben Sie bei mir«, sagte er; er sagte es nicht zu Otternschlag, der ihm geholfen hatte, sondern zu Gaigern, und er streckte seinen Arm zu Gaigern hin, der verfinstert beim Fenster stand und eine neue Zigarette rauchte.

»Sie brauchen keine Angst zu haben, Kringelein«, tröstete Otternschlag dazwischen.

»Ich habe keine Angst«, erwiderte Kringelein eigensinnig und überraschend wach. »Glauben Sie denn, daß ich Angst habe, zu sterben? Ich habe keine Angst. Im Gegenteil. Ich muß ja dankbar sein dafür. Ich hätte ja nie die Courage gefunden, zu leben, wenn ich nicht wüßte, daß ich sterben muß. Wenn man weiß, daß man nachher stirbt, da kriegt man nämlich Courage - immer daran denken, daß man sterben muß -, da ist man zu allem fähig - das ist ein Geheimnis -«

»Aha«, sagte Otternschlag. »Die Drehtür. Kringelein wird Philosoph. Kranksein macht weise, haben Sie das schon bemerkt?«

Gaigern gab keine Antwort. Wovon redet ihr nur? dachte er. Das Leben! Das Sterben! Wie kann man davon sprechen? Das sind doch keine Worte. Ich lebe - dann lebe ich eben. Ich sterbe - Herrgott, da sterbe ich eben. An den Tod denken - nein. Davon reden, pfui Teufel! Aber mit Anstand krepieren - bitte. Jeden Moment, wenn es sein soll. Klettert ihr erst einmal an so einer Hotelfront herum wie die Affen, dann werdet ihr bald das Maul halten über Leben und Sterben, dachte er hochmütig. Bereit bin ich auch - und brauche keinen Koffer voll Morphium dazu. Er gähnte. Er schluckte einen großen Mund voll Morgendämmerungsluft, die zum geöffneten Fenster hereindrang, und gleich darauf schüttelte eine kleine Kühle seine Boxerschultern. »Ich bin schläfrig«, sagte er. Mit einem Male begann er herzlich zu lachen. »Ich bin gestern nacht nicht in mein Bett gekommen, gar nicht. Heute ist es auch wieder vier Uhr. Kommen Sie, Herr Direktor, kriechen Sie unter die Decke.«

Kringelein gehorchte sogleich. Er legte sich hin mit seinem schweren Kopf und mit den betäubten, aber immer noch vorhandenen Schmerzen in seinem Leib und faltete die Hände auf der Decke. »Bleiben Sie bei mir. Bitte, bleiben Sie bei mir«, sagte er inständig. Er sagte es viel zu laut, weil seine Ohren wieder voll Dumpfheit und Sausen wurden. Otternschlag stand dabei und hörte zu. Um ihn kümmerte sich niemand. Ihn bat keiner, dazubleiben. »Ihr Morphium habense intus, nun brauchense mich wohl nicht mehr?« fragte er, aber Kringelein begriff den Hohn nicht. »Nein, danke«, sagte er harmlos. Er hielt Gaigerns Hand fest wie ein kleines Kind. Er klammerte sich an Gaigern, er liebte Gaigern. Vielleicht ahnte seine dünnhäutig gewordene Seele sogar, daß Gaigern ihn bestehlen wollte - trotzdem hielt er ihn fest. »Bitte, bleiben Sie bei mir«, flehte er. Da begann auch Otternschlag zu lachen. Er hob sein zerfetztes Gesicht in das kalte Licht der Lampe hinauf und begann zu lachen mit seinem schiefen Mund, ganz anders als Gaigern, erst lautlos, dann mit ziehenden Tönen von innen her, dann immer lauter und immer hohnvoller und immer feindseliger.

Nebenan, in Nr. 71, wurde dreimal an die Wand geklopft. »Ich muß endlich um Ruhe bitten. Die Nacht ist zum Schlafen da und nicht zum Amüsieren!« sagte die wehleidige, schlafheisere und beleidigte Stimme eines wildfremden Herrn, des Herrn Generaldirektors Preysing, der nicht ahnte, daß im Nebenzimmer drei Schicksalskreise für eine flüchtige und entscheidende Stunde ineinandergriffen ...

Die Sittlichkeitsbegriffe im Grand Hôtel waren dehnbar. Zwar konnte im Grand Hôtel nicht gestattet werden, daß Herr Generaldirektor Preysing seine Sekretärin in seinem Appartement empfing. Aber nichts war dagegen einzuwenden, daß er dieser jungen Dame ein Zimmer mietete. Er tat dies mit geröteter Stirn und stammelnden Erklärungen sogleich nach der entscheidenden Unterredung mit Flämmchen. Rohna, der Menschenkenner, entschuldigte sich, daß er nur ein zweibettiges Zimmer frei hätte, Nr. 72, durch das Badezimmer von Preysings Appartement Nr. 71 getrennt. Preysing murmelte etwas, das anstandshalber wie ein verdrossener Einwand klingen sollte, und stürzte sich erhitzt in sein Abenteuer.

Morgens kam Post aus Fredersdorf an, viel Geschäftspost und ein Brief von Mulle, an den Babe zwei Krakelzeilen angehängt hatte. Preysing aber, der schon weit von seinen Ufern abgetrieben war, mitten in der reißenden Strömung, die Männer seines Alters zuweilen erfaßt, dieser verwandelte Preysing las den Brief mit Kälte und ohne Gewissensbisse während des Frühstücks, das er mit dem appetitlichen, munteren und gänzlich unbefangenen Flämmchen gemeinsam auf dem Zimmer einnahm.

Auch Kringelein hatte Post aus Fredersdorf erhalten. Er saß in seinem Messingbett, ohne Schmerzen, gestärkt durch Hundts Lebensbalsam und auf verzweifelte Weise besonnen, das durchdringende harte Lebensgefühl des gestrigen Tages beizubehalten. Seit er die Todesangst der letzten

Nacht durchgekämpft und hinter sich gelassen hatte, seit er lebendig durchgekommen war, spürte er sich selber wie aus einem glasdurchsichtigen, sehr harten Metall. Mit dem Kneifer auf der dünnen, noch dünner gewordenen Nase las er den Brief, den Frau Kringelein ihm auf einem blauliniierten Bogen ihres Küchenbuches geschrieben hatte.

»Lieber Otto«, so schrieb diese Frau Kringelein, die ihm niemals nahe gewesen war, aber jetzt in einer unausdenkbaren Fremdheit und Ferne verschwunden war - »Lieber Otto, habe Dein Schreiben erhalten und kommt Deine Krankheit bestimmt nur davon, daß Du Dich nicht hältst, das meint Vater auch. Er hat mir ein Gesuch aufgesetzt, wegen Unterstützung aus der Fabrik, aber ich habe noch keine Nachricht bekommen, wie es damit steht. Die vertrösten einen nur. Hauptsächlich schreibe ich Dir wegen des Herdes, denn so geht das nicht weiter. Nun war Binder hier und hat nachgesehen, der Abzug ist verbaut, sagt er, und in jedem Haus in der Kolonie ist was anderes nicht in Ordnung. Da müßten sie einem auch Kohlen liefern, wenn sie die Herde verbauen, denn solche Kohlenrechnung kann kein Mensch bezahlen, wie der Herd braucht. Habe nun mit Binder geredet, er sagt, unter vierzehn bis fünfzehn Mark kann er den Abzug nicht reparieren und würde sich das am Kohlenverbrauch wieder einsparen. Natürlich ist das eine zu große Ausgabe und möchte ich schnellstens Deine Meinung hören, was mit dem Herd geschehen soll? So geht das nicht weiter, aber vierzehn Mark kann man auch nicht noch hinter dem schlechten Herd herwerfen. Habe unter der Hand mit Kietzau geredet, der versteht auch etwas davon, aber er meint, eher noch mehr als weniger, und ob wir dann weniger Kohlen brauchen, das kann er nicht garantieren, sagt er. In der Fabrik habe ich deswegen Krach gehabt, denn ich war bei Schriebes nach vieler Mühe und habe verlangt, die sollen den Herd reparieren, was doch nur recht ist, denn es ist doch ihre Kolonie. Davon wollen sie aber nichts wissen.

Schriebes hat sich Dinge erlaubt, er ist ein ganz gemeiner Mensch und sorgt er nur für seine Tasche. Wenn ich nun aus der Krankenunterstützung etwas herausbekomme, Vater meint, vielleicht spucken sie dreißig Mark aus, aber ich glaub's nicht, denn Preysing, der geizige Hund, läßt nichts aus, soll ich dann den Herd reparieren lassen oder nicht? Bekommst Du Krankengeld extra, wenn Du ins Erholungsheim kommst, oder geht das drauf? Hier schneiden sie Gesichter, daß Du Dich vom Arbeiten drückst und steckst das Gehalt ein, ich mag gar nicht zwischen die Leute gehen, sie vergönnen einem gar nichts. Bitte, erledige das sofort mit der Krankenkasse, Frau Prahm sagt, solange Du krank bist, dürfen sie Dir von der Kasse kein Geld abziehen, Du mußt darauf achten, sonst bist Du der Dumme, sagt sie. Hier ist schlechtes Wetter, wie ist es dort? Viele Grüße von

Deiner Anna.

Schreibe mir gleich wegen des Herdes, oder soll ich damit zuwarten, bis Du kommst? Er raucht so, daß mir die Augen weh tun.«

Mit diesem Brief in seinen manikürten Händen saß Kringelein etwa zehn Minuten in tiefem Nachdenken auf seiner Bettkante, aber er dachte nicht an Fredersdorf und nicht an die Frau und nicht an den Herd, auch nicht an den Anfall von Schmerz und Sterbensangst bei Nacht. Er dachte. Er dachte an das Flugzeug, und daß er kein bißchen luftkrank geworden war, und an das schneidend süße Gefühl von Stolz und Mut, das ihn überkommen hatte, als in einer scharfen Kurve die Welt mit eins schräg über seinem Kopf im Fenster des Flugzeugs zu erblicken gewesen war, ohne ihn zu erschrecken –

Ich stehe jetzt auf und spreche mit Preysing, dachte Kringelein und verließ sogleich mit dem Entschluß sein Bett. Das mit Preysing mußte noch erledigt werden, sonst hatte alles keinen Sinn und Zweck. Kringelein badete und zog den neuen Kringelein an, den mit dem Seidenhemd, dem schlanken Jackett und dem Selbstgefühl. Sein Herz war hart und geballt wie eine Faust, als er vor Nr. 71 stand, die äußere Tür öffnete und an das weißlackierte Holz der inneren klopfte.

»Herein«, rief Preysing; er rief es gewohnheitsmäßig und aus Dummheit, denn er wünschte durchaus nicht, daß jemand sein Frühstück mit dem munteren Flämmchen störe. Aber da er »Herein« gerufen hatte, tat sich die Tür auf, und Kringelein erschien.

Er erschien vor Preysing, als habe ihn eine Explosion in das Grand Hôtel, in die zweite Etage, in die Etage der feinen Leute und in Nr. 71 geschleudert. Er hatte seinen schönen neuen Filzhut aus Florenz aufgesetzt, eigens um ihn auf dem Kopf zu behalten, und so behielt er ihn. »Guten Morgen, Herr Preysing«, sagte er und streifte nachlässig mit zwei Fingern den Hutrand. »Ich habe mit Ihnen zu sprechen.«

Preysing erstarrte bei dieser Ansprache. »Was wünschen Sie? Wie kommen Sie hier herein?« fragte er und staunte Kringelein im Jackett, Kringelein mit dem Hut auf dem Kopf, den Hilfsbuchhalter Kringelein aus dem Gehaltsbüro und mit der entschlossenen Miene an wie den Vorboten eines Weltunterganges.

»Ich habe geklopft, und Sie haben ›Herein‹ gerufen«, antwortete Kringelein mit erstaunlicher Helle. »Ich habe mit Ihnen zu sprechen. Gestatten Sie, daß ich mich setze.«

»Bitte«, sagte der wehrlose Preysing, als Kringelein schon saß.

»Die Dame wird entschuldigen, wenn ich störe«, sagte Kringelein zunächst gewandt. Flämmchen erwiderte freundlich und erheitert: »Wir kennen uns ja, Herr Direktor. Wir haben doch so hübsch Foxtrott getanzt miteinander.«

»Eben. Jawohl«, sagte Kringelein und räusperte eine kleine Heiserkeit aus seiner Kehle, in der es klopfte. Hierauf wurde geschwiegen.

»Also los. Um was handelt es sich. Ich habe keine Zeit.

Ich habe dringende Briefe an Fräulein Flamm zu diktieren«, sagte schließlich der Generaldirektor im Generaldirektorston.

Aber Kringelein schrumpfte keineswegs zusammen, obwohl er nicht sogleich den richtigen Anfang fand. »Da schreibt mir meine Frau, daß der Herd schon wieder kaputt ist, und die Fabrik weigert sich, Reparaturen ausführen zu lassen. Das geht eben nicht. Die Kolonie gehört der Fabrik, und wir zahlen pünktlich die Miete, sie wird uns vom Gehalt abgezogen, dann muß die Fabrik auch dafür sorgen, daß alles in Ordnung ist in den Koloniehäusern und nicht, daß unsereins ersticken kann, weil die Herde schlecht sind«, erklärte er zunächst. Preysing, der zwischen den Augenbrauen dunkelrot wurde, erwiderte mit möglichster Fassung:

»Sie wissen, daß mich diese Dinge gar nichts angehen. Wenn Sie Beschwerden haben, wenden Sie sich an das Baubüro. Es ist ja unerhört, mich mit so etwas zu belästigen.«

Punkt. Damit wäre der Satz erledigt gewesen. Aber Preysing mußte noch hinzufügen: »Statt daß die Leute dankbar sind, wenn man ihnen eine Kolonie baut, werden sie frech. Unerhört ist das.«

Obwohl Preysing aufstand, blieb Kringelein sitzen. »Schön. Lassen wir das«, sagte er nachlässig. »Sie glauben, daß Ihnen beleidigende Ausdrücke gestattet sind. Ich verbitte mir das aber. Sie glauben, daß Sie was Besseres sind, aber Sie sind ein ganz gewöhnlicher Mensch, Herr Preysing, wenn Sie auch reich geheiratet haben und in einer Villa sitzen, ein ganz gewöhnlicher Mensch sind Sie, und so viel, wie in Fredersdorf auf Sie geschimpft wird, hat man noch auf keinen geschimpft. Damit Sie die Wahrheit wissen.«

»Das interessiert mich nicht. Das interessiert mich absolut nicht. Schauen Sie, daß Sie hinauskommen!« schrie Preysing. Aber Kringelein fand ein ungeahntes Kapital von Kräften in seinem Inneren. Er hatte siebenundzwanzig

Subalternjahre von der Seele zu reden und war geladen wie ein Dynamo. »Doch, das interessiert Sie«, sagte er, »so etwas interessiert Sie sehr. Oder wozu haben Sie überall Ihre Spitzel und Zuträger im Werk, Ihre Speichellecker, so einen Herrn Schriebes, so einen Herrn Kuhlenkamp, solche Kreaturen, solche Radfahrer, die nach unten treten und nach oben einen Buckel machen? Wenn einer mal drei Minuten zu spät kommt, wird's gemeldet. Sie stecken sich sogar hinter die Diener, das weiß die ganze Fabrik. Aber wenn man sich die Lunge aus dem Hals arbeitet, da ist nicht die Rede davon, dafür wird man bezahlt. Ob man von dem Gehalt leben kann wie ein Mensch, darum kümmern Sie sich nicht, Herr Preysing, Sie fahren ja im Auto, und unsereiner kann sich nicht mal Gummiabsätze kaufen. Und wenn man genug ausgequetscht ist und alt wird, dann sitzt man da, und es ist nicht gesorgt. Der alte Hannemann war zweiunddreißig Jahre im Werk, und jetzt sitzt er da und hat den blinden Star und keinen Pfennig Pension -«

Wenn Preysing der finstere Tyrann gewesen wäre, als der er durch Kringeleins subalterne Beamtenfantasie ging, dann hätte er Kringelein jetzt kurzerhand hinausgeworfen. Aber da er ein anständiger, gutwilliger und unsicherer Mensch war, ließ er sich auf Diskussionen ein.

»Gezahlt wird nach dem Tarif. Und wir haben unsern Angestelltenfonds -«, führte er mit erbitterter Stimme an. »Von Hannemann weiß ich nichts. Wer ist überhaupt Hannemann?«

»Schöne Tarife! Schöner Fonds!« rief Kringelein. »Im Krankenhaus habe ich dritter Klasse gelegen, Käse und Salami hätte ich essen sollen, vier Tage nach der Operation, meine Frau hat Gesuche über Gesuche gemacht, aber ich habe keinen Zuschuß bekommen. Das Krankenauto nach Mickenau habe ich auch selbst bezahlen müssen. Keinen Magen habe ich mehr gehabt, aber Käse hätte ich essen sollen. Wie ich vier Wochen krank war, haben Sie mir einen

Brief geschrieben, daß ich entlassen werden muß, wenn ich längere Zeit leidend bin - haben Sie das, Herr Preysing, ja oder nein, haben Sie das?«

»Ich erinnere mich nicht an jeden Brief, den ich schreiben lasse. Aber schließlich ist eine Fabrik keine Versorgungsanstalt und kein Spital und keine Lebensversicherung. Jetzt sind Sie ja schon wieder krank gemeldet, dabei leben Sie hier wie ein Graf, wie ein Defraudant -«

»Das werden Sie zurücknehmen, das werden Sie sofort hier vor der Dame zurücknehmen«, schrie Kringelein. »Wer sind Sie denn, daß Sie sich Beleidigungen herausnehmen? Was glauben Sie denn, mit wem Sie reden? Glauben Sie, ich bin ein Dreck? Und wenn ich ein Dreck bin, dann sind Sie ein noch viel größerer Dreck, Herr Generaldirektor, daß Sie es wissen, ein Dreck sind Sie, ein Dreck!«

Die beiden Männer standen jetzt ganz aneinandergerückt, starrten sich wütend und sinnlos an und schrien einander Kränkungen in die erhitzten Gesichter. Preysing war dunkelrot, fast bläulich, und auf seiner nackten Oberlippe standen dicke Tropfen. Kringelein war völlig gelb geworden, sein Mund sah hoffnungslos leergeblutet aus, und seine Ellbogen, seine Schultern, alle seine Gelenke zitterten. Flämmchen schaute bald auf den einen, bald auf den andern. Sie schob den Kopf hin und her, wie eine junge dumme Katze, vor der ein Wollknäuel zum Spielen pendelt. Übrigens verstand sie das, was Kringelein zu sagen hatte, ziemlich gut, trotz seiner Verworrenheit, und es fand ihre Sympathie ...

»Wie unsereiner existiert, das wissen Sie wohl gar nicht mehr?« rief er mit seinen weißen Lippen unter dem hellen, gesträubten Schnurrbart, »aber das ist ja zum Verzweifeln, wie unsereiner lebt. Das ist ja, als ob man im Keller eingesperrt ist sein Leben lang. Da wartet man von einem Jahr aufs andere, und erst hat man hundertachtzig Mark, und wenn man fünf Jahre gewartet hat, dann hat man zweihundert Mark und dann krebst man weiter und wartet wieder. Und dann denkt man: ›Später wird's besser sein, und später kannst du dir ein Kind leisten -‹, aber dazu kommt's gar nicht -, und dann muß man sogar den Hund aufgeben, weil das Geld nicht langt, und dann wartet man, daß ein besserer Platz frei wird, und da schuftet man und macht Überstunden, unbezahlte, und dann kriegt ein anderer den guten Platz mit dreihundertzwanzig und Familienzulage, und man bleibt hocken. Und warum? Weil der Herr Generaldirektor nichts versteht. Weil der Herr Generaldirektor immer die Falschen avancieren läßt, das sagt sogar Brösemann. So etwas Schäbiges wie mein zwanzigjähriges Jubiläum, das gibt's in der ganzen Welt nicht mehr. Haben Sie mir vielleicht gratuliert? Ist einer auf die Idee gekommen, mir eine Gratifikation zuzuwenden? Da hockt man vor seinem Schreibtisch und wartet, aber es rührt sich nichts. Da denkt man: ›Das kann doch nicht sein, es wird eine große Überraschung kommen, denn es ist doch nicht möglich, daß sie es vergessen, wenn man zwanzig Jahre in ihrem Büro sitzt, zwanzig Jahre.‹ Und da wird's mittag, und da wird's sechs Uhr, und man hat seinen guten Rock angezogen und wartet, aber es passiert gar nichts. Und da zuckelt man nach Hause und schämt sich vor der Frau und schämt sich vor Kampmann. ›Na‹, sagt Kampmann, ›haben sie dich ordentlich gefeiert?‹ ›Ja‹, sage ich, ›das Pult war voll Blumen, und fünfhundert Mark haben sie mir gegeben, und der Generaldirektor selber hat mir eine Rede gehalten, und er hat ganz genau gewußt, daß ich immer der letzte bin, der aus dem Büro gegangen ist.‹ Das habe ich zu Kampmann gesagt, damit die Schande nicht so groß ist. Und sieben Wochen später läßt mich Brösemann rufen und sagt: ›Ich höre, daß Sie zwanzig Jahre bei uns sind, das ist übersehen worden. Na, haben Sie denn irgendeinen Wunsch?‹ Und da sage ich: ›Möglichst bald krepieren möchte ich, das ist mein Wunsch, denn dieses Hundeleben freut mich nicht mehr.‹

Und dann ist Brösemann zum alten Herrn gegangen, und der hat ab Ultimo Mai erhöht auf vierhundertzwanzig - aber ein Hundeleben ist es trotzdem geblieben. Und damals habe ich mir geschworen, der Preysing hört noch einmal von mir die Wahrheit -«

Kringelein hatte laut angefangen, aber seine Stimme war während seiner Worte in ihn hineingesunken, sie hatte an Traurigkeit zugenommen und an Ton verloren. Preysing, mit den Händen auf dem Rücken, wanderte in dem kleinen Zimmer auf und ab, seine Stiefel knarrten unter seiner schweren Person, und die Tatsache, daß Flämmchen die ganze Zeit dabeisaß und mit aufmerksam hin und her rollenden Augen zuhörte, machte ihn rasend. Plötzlich blieb er vor Kringelein stehen und drängte seine gewölbte Vorderseite drohend an dessen neues Jackett.

»Was wollen Sie eigentlich von mir? Ich kenne Sie gar nicht, Sie kommen hier herein«, sagte er kalt und näselnd. »Sie erfrechen sich, hier hereinzukommen und kommunistische Tiraden zu halten? Was geht mich Ihr Jubiläum an? Was gehen Sie mich an? Ich kann mich nicht um jeden einzelnen Angestellten in unserm Betrieb kümmern. Ich habe andere Sorgen. Ich bin auch nicht auf Rosen gebettet, durchaus nicht. Wer sich durch tüchtige Leistungen besonders hervorhebt, wird bezahlt und macht Karriere. Die andern gehen mich nichts an. Sie gehen mich nichts an, ich kenne Sie gar nicht. Ich habe es jetzt satt -«

»Sie kennen mich nicht, so. Aber ich kenne Sie ganz genau. Ich habe Sie schon gekannt, wie Sie als Volontär nach Fredersdorf gekommen sind und beim Schuster im Hinterzimmer gewohnt haben und meinem Schwiegervater das Geld für Butter und Wurst schuldig geblieben sind. Ich habe mir den Tag genau gemerkt, wo Sie aufgehört haben, zuerst zu grüßen, Herr Preysing, und wie Sie angefangen haben, den schönen Mann zu machen bei den Töchtern vom alten Herrn. Ich habe Buch geführt über Sie, Herr Preysing, glauben Sie nur nicht, daß etwas übersehen ist und nicht drinsteht. Und wenn einer von uns so viele Dummheiten machen würde im Kleinen, wie Sie im Großen, dann wäre er schon längst hinausgeflogen. Und das arrogante Gesicht, mit dem Sie durch den Korridor gehen und wie Sie durch einen durchschauen, als wär' man überhaupt kein Mensch. Und wie im Jahr zwölf das eine einzige Mal ein Fehler in meinen Büchern war und dreihundertzehn Mark Schaden - den Ton werde ich nicht vergessen, den Sie damals gegen mich angeschlagen haben. Und die achthundert Arbeiter, die Sie entlassen haben, die spuken noch heute hinter Ihnen aus, das ist sicher. Wenn Sie dann in Ihrem Auto daherkommen und lassen den Auspuff offen, damit wir nur recht viel schlechte Luft schlucken müssen, dann glauben Sie, Sie sind etwas. Aber ich sage Ihnen -«

Kringelein kam auf Nebengeleise. Er brachte alle Erfahrungen und den ganzen Haß von siebenundzwanzig Jahren durcheinander. Wichtiges und Nebensächliches, Wahrheiten und Fantasien, Erkenntnisse und Bürotratsch. Was hier in diesem Hotelzimmer aus ihm hervorbrach, war alles in allem die Klage des zarten und erfolglosen Menschen gegen den andern, der einfach und mit etwas Brutalität seinen Weg macht, eine wahre, aber ungerechte und höchst lächerliche Klage . . . Preysing seinerseits, völlig unfähig, menschliche Einsicht zu bekunden, geriet nach und nach in eine ungeheuerliche Wut; als Kringelein die Schulden seiner Volontärzeit in dem kleinen dumpfen Kolonialwarenladen des Herrn Sauerkratz erwähnte, wurde er geradezu schwindlig und bekam Angst vor einem Schlaganfall. Er hörte seinen eigenen, schweren Atem durch die Kehle gehen. Er sah Rotes und Getrübtes, so stark füllten die kleinen Adern in seinen Augen sich mit Blut. Er machte zwei Schritte zu Kringelein hin, packte ihn an der Weste und schüttelte ihn hin und her wie ein Bündel. Kringeleins neuer Hut fiel herunter. Preysing trat darauf, wie auf ein Tier. Merkwürdigerweise empfand Kringelein bei dieser Roheit einen sonderbaren Genuß. ›Schlage du nur einen wehrlosen, todkranken Menschen, das sieht dir ähnlich‹ - dachte er fast befriedigt. Flämmchen hinter dem Hotelservice flüsterte nur für sich: »Nicht. Aber nicht.«

Preysing stellte Kringelein an die Wand und riß die Tür auf: »Genug!« schrie er. »Halten Sie das Maul. Hinaus. Sofort. Man wird Sie entlassen. Ich entlasse Sie. Sie sind entlassen. Entlassen sind Sie -«

Kringelein, der seinen Hut aufgehoben hatte, blieb bei diesen Worten mit papierweißem Gesicht zwischen den Doppeltüren stehen, die innere war geöffnet, die äußere noch geschlossen, und während er seinen zitternden und schweißbedeckten Rücken gegen das weiß lackierte Holz lehnte, begann er zu lachen, mit weit offenem Mund in Preysings tobsüchtiges Gesicht hinein zu lachen.

»Sie entlassen mich? Sie drohen mir? Aber Sie können mich nicht entlassen, Sie können mir gar nichts tun, Herr Preysing, gar nichts, gar nichts. Ich bin ja krank. Ich bin todkrank, hören Sie, ich muß ja sterben, ich habe nur mehr ein paar Wochen vor mir, niemand kann mir etwas tun; bis Sie mich entlassen haben, bin ich schon tot -«, rief er, und das Gelächter schüttelte ihn, während seine Augen sich mit stechendem Wasser füllten. Flämmchen da hinten stand vom Sofa auf und beugte sich vor. Auch Preysing beugte sich vor, seine geballten Hände fielen ihm zuerst herunter, und dann nahm er sie und steckte sie in die Hosentaschen.

»Mensch -«, sagte er leise, »sind Sie denn wahnsinnig? Ich glaube, der Mensch lacht noch. Ich glaube, der Mensch freut sich, daß er todkrank ist. Sind Sie denn übergeschnappt?«

Kringelein wurde bei diesen Worten unvermittelt ernst und nachdenklich, auch etwas verlegen. Er stand noch einen Augenblick so zwischen den Türen und fing mit einem fliehenden und kreisenden Blick das kleine Hotelappartement ein, Flämmchens Gestalt in einem Sonnenstrahl nahe dem Fenster, den korpulenten und ernüchterten Generaldirektor mit den Händen in den Hosentaschen, den Durchblick zum geöffneten Schlafzimmer und Badezimmer nebenan. Das alles war verwischt und zitterte in den ungewünschten Tränentropfen, die des zermürbten Kringeleins Augen belästigten. Er nahm seinen getretenen Hut wieder auf und verbeugte sich.

»Die Dame wird entschuldigen, daß ich gestört habe«, sagte er noch mit seiner hohen angenehmen Stimme. Preysing, mit schlechtem Ehemannsgewissen, empfand das als gemeine und niederträchtige Anzüglichkeit. Er holte die Fäuste aus den Taschen hervor. »Raus«, rief er nur. Aber da war Kringelein schon verschwunden. Preysing knarrte dreimal im Zimmer auf und ab. Seine Schläfen wurden dick und seine Stirn rot.

»Na?« fragte Flämmchen.

Plötzlich rannte der Generaldirektor zur Tür, riß sie auf, und trompetend wie ein gereizter Elefant schrie er in den stillen Hotelkorridor hinaus: »Man wird Sie finden! Man wird Sie beobachten! Man wird sehen, wo Sie das Geld gestohlen haben, um hier herumzulungern! Sie Kommunist! Sie Defraudant! Sie unverschämter, niederträchtiger Lümmel! Verhaften lasse ich Sie - verhaften -« Aber von Kringelein war nichts mehr zu sehen und zu hören.

»Eigentlich war es ein netter Mensch. Ganz zuletzt hat er sogar geweint«, sagte abschließend das Flämmchen, das während der ganzen Zeit den Mund nicht aufgemacht hatte . . .

»Laß doch die Strümpfe an, das sieht so hübsch aus«, sagte Preysing, der auf der Chaiselongue in Flämmchens Zimmer, in dem Zimmer Nr. 72, saß. »Nein«, erwiderte Flämmchen. »Das ist mir peinlich. Ich kann nicht so in Schuhen und Strümpfen herumlaufen -«

Ihr Körper blühte im Schein der Nachttischlampe, mit roten Schatten auf seinem matten Gold. Die Knie und die Schultern trugen ein sanftes Spiegeln auf der gespannten und gewölbten Haut. Sie setzte sich auf den Bettrand, streifte erst die blauen Schuhe ab und rollte dann mit Ernst und Vorsicht die neuen Seidenstrümpfe herunter. Das Licht rann in die zarte Buchtung zwischen ihren Brüsten, als sie sich bückte, und ihre Rückenwirbel spielten locker. Das waren Phänomene, die Preysing mit angehaltenem Atem betrachtete. »Süß bist du«, sagte er, wagte aber nicht, von seinem unbequemen Platz aufzustehen. Flämmchen nickte ihm über die Schulter zu, wohlwollend und ermunternd. Sie trug ihre Strümpfe zu einem Stuhl, auf dem sie schon ihr Kleid und das bißchen Crêpe-de-Chine-Wäsche so ordentlich hingefaltet hatte wie ein braves Schulkind. Preysing stellte sich nun doch auf seine knarrenden Schuhe und kam zu ihr. Er streckte vorsichtig seinen Zeigefinger aus, auf dem ein Büschelchen heller Haare wuchs, und berührte damit Flämmchens Rücken so vorsichtig, als ob sie ein fremdes, ungezähmtes und verdächtiges Tier sei. Flämmchen lächelte. »Na?« sagte sie freundlich. Sie war ein wenig nervös und ungeduldig. Sie hatte ihrerseits den besten Willen, den ungeschriebenen Vertrag in allen Punkten zu erfüllen. Schließlich konnte ein anständiger Mensch nicht tausend Mark und eine Reise nach England und ein neues Jackenkleid nebst diversem anderen hinnehmen und nichts dafür bieten. Aber dieser Generaldirektor war so scheußlich unbeholfen, er korkste nun schon den zweiten Abend herum (so wenigstens benannte Flämmchen bei sich das verschüchterte und eingepreßte Werben Preysings), und das war mehr als unangenehm. Sie hatte ein Gefühl, als müsse sie sich von einem außerordentlich ungeschickten Zahnarzt einen Zahn plombieren lassen. Sie hätte gerne das Schlimmste schon hinter sich gehabt, aber das dauerte und dauerte, kam nicht vom Fleck und ging auf die Nerven. Sie schob ihren Rücken etwas näher an Preysings Hand heran, aber der ängstliche Zeigefinger war schon wieder fortgewandert, in Preysings Westentasche, wo er zunächst neben der Füllfeder von seinem gewagten Abenteuer ausruhte. Flämmchen seufzte und drehte ihre Vorderseite dem Generaldirektor zu.

Das Vollkommene ihrer Nacktheit entzückte und ängstigte ihn zugleich. »Siehst du, jetzt sehe ich dich. Jetzt darf ich dich sehen«, sagte er beklommen. Ihr Körper atmete eine so spröde Frische und Sauberkeit, daß er dem Generaldirektor mehr Angst als Rausch schuf. »Wie du aussiehst - auf dem Bild in dem Magazin hast du ganz anders ausgesehen«, sagte er beinahe betrübt.

»Anders? Wie denn anders?«

»Mehr kokett. Das hat so einen Hautgout gehabt, verstehst du -«

Flämmchen verstand. Sie begriff die verhohlene Enttäuschung über ihre kühle Intaktheit und die Hemmungen in Preysings schwerem, entwöhntem Bürgerblut - aber sie konnte nicht helfen. Ich bin, wie ich bin, dachte sie. Sie sagte: »Ja, zum Fotografieren stellen einen die Fotografen immer hin wie die Affen. Und dann retuschieren sie noch. Hat Ihnen das Bild besser gefallen als ich selber?«

»Was denkst du. Du bist ja süß«, wiederholte Preysing, der nur ein kleines Vokabular für Zärtlichkeiten besaß. »Aber willst du mir denn nicht Du sagen? Bitte!«

Flämmchen schüttelte nachdenklich den Kopf. »O nein«, sagte sie.

»Nein - warum denn nicht?«

»Das - eben so. Das kann ich nicht. Das tue ich nicht. Sie sind mir ja fremd, wie soll ich Ihnen denn Du sagen? Ich bin sonst - ich mache Ihnen sonst gern jede Freude, die Sie wollen. Aber mit Du geht es eben nicht.«

»Eine komische Pflanze bist du, Flämmchen«, sagte Preysing und schaute ihre nackte, spiegelnde Haut und ihren geschminkten Mund an. »Mit dir soll man sich auskennen -«

»Gar nicht komisch«, sagte Flämmchen und machte ein bockiges Gesicht. Sie hatte ihre eigene Sorte von Keuschheit. »Man muß sich zurücknehmen können«, versuchte sie zu erklären. »Ich kann mit Ihnen nach England reisen und alles; aber es darf nichts nachhängen bleiben. Du sagen - das hängt nach. Wenn ich Sie nach einem halben Jahr treffe, sage ich: Guten Tag, Herr Generaldirektor. Und Sie sagen: Das ist die kleine Sekretärin, die ich in Manchester mitgehabt habe. Das ist in Ordnung. Aber Du - Ihnen wäre das auch nicht angenehm, wenn ich Sie mit Ihrer Frau treffe und sage: ›Hallo, Schnucki oder Schatzi oder Bubi, wie geht's dir?‹«

Wirklich zuckte bei dieser Anrede der Generaldirektor zusammen. Daß er in diesem Augenblick noch an seine Mulle zu Hause erinnert wurde, das hatte gerade noch gefehlt. Trotzdem rann ihm das Gefühl des Verbotenen, des Gesündigten, Abwegigen und Verdorbenen als eine heiße Welle in seine Adern, mit dem etwas zu hohen Blutdruck des gutgenährten künftigen Arterienverkalkten. Er setzte sich auf den nächsten Stuhl und seufzte. Der Stuhl seufzte auch. Immer knarrten die Dielen, stöhnten die Möbel, knallten die Türen bei dem Zusammenstoß mit Preysings schwerer Person. Er streckte seine Hände aus und legte sie in einem Anfall von hitzigem Mut in die feine Biegung oberhalb von Flämmchens Hüften. Seine verwunderten und genußsüchtigen Handflächen empfingen statt der erwarteten Weiche etwas Festes, Elastisches, wie gestraffte Gummibänder. Er zog Flämmchen auf seine gespreizten Knie, die Lust hatten, zu zittern, was er ihnen aber verbot. »Was ihr alle für Muskeln habt. Wie die Buben -«, murmelte er belegt.

»Wer? Wir alle?«

»Du - und die andern Mädchen, die ich kenne -«, antwortete Preysing, der an seine Töchter Babe und Pepsi dachte in ihren Badetrikots. Flämmchen, die zu frieren begonnen hatte und nun Preysings nahe Körperwärme als Annehmlichkeit empfand, verließ das ernüchternde »Sie« und wendete eine Zwischenform an. »Sieh einmal an: Er kennt Mädchen!« sagte sie und spielte mit Preysings Haaren, denen der Friseur erst gestern großstädtischen Schnitt und einen angenehmen Duft beigebracht hatte. (Na also, das geht ja ganz gut, dachte Flämmchen dabei.) »Natürlich kenne ich Mädchen. Oder was hast du denn geglaubt? Man ist nicht aus Pappe. Man nimmt es noch immer mit den hübschen jungen Männern vom Fünf-Uhr-Tee auf. Fühl mal, wie stark ich bin!« äußerte Preysing und spannte seinen Bizeps an. Er fühlte, daß er wieder in den glücklichen, berauschten, prahlerischen Schwung kam, mit dem er gestern aus der erfolgreichen Konferenz und in dieses unglaubliche Abenteuer getaumelt war. »Fühl mal, wie stark, fühl mal, wie stark«, wiederholte er und stemmte seinen Arm vor Flämmchen hin. Flämmchen tat ihm den Gefallen, hinzufassen. Wirklich fand sich ein erstaunlich fester und umfangreicher Bizeps unter dem Kammgarnärmel.

»Mm -«, sagte Flämmchen achtungsvoll. »Eisen -«, Sie stand von Preysings unbequemen Knien auf und trat ein paar Schritte zurück, sie legte die Hände im Nacken zusammen und schaute den Generaldirektor aus halbgesenkten Lidern an. In ihren Achselhöhlen war das gleiche helle, leichte Gekräusel wie über ihrer Stirn. Preysing spürte plötzlich, daß ihm sein eigener Hals zu eng wurde.

»Wirst du lieb sein mit mir?« flüsterte er tonlos.

»O ja. Gerne«, antwortete Flämmchen voll Höflichkeit und Bereitschaft. Im nächsten Augenblick stürzte der Generaldirektor auf sie zu, mit dem Ausdruck eines Menschen, der Stricke zerrissen hat, durch Mauern gebrochen, aus Gefängnissen entflohen ist. Er rannte sich selber davon, dieser korrekte, gewissenhafte und bedenkenvolle Preysing, er schoß sich ab wie eine Rakete und landete in Flämmchens Armen. Na also, dachte Flämmchen, nicht unerschüttert durch die Hingabe, die Angst und die Leidenschaft in Preysings verstörter Person; sie legte ihre Arme um seinen Nakken, er spürte sie über sich zusammenschlagen wie warme Wellen, in denen er sich ertrinken ließ, während Depeschenformulare, ungezählte Depeschenformulare vor seinen geschlossenen Augen strudelten, tiefrot wurden, tiefblau wurden und verschwanden, als er den Veilchengeschmack von Flämmchens geschminktem Mund an seinem Munde auftrank.

Es war später Abend. Eine Ahnung der Tanzmusik aus dem gelben Pavillon drang als melodisches Vibrieren durch alle Wände des Grand Hôtel. Der Portier Senf hatte vor mehr als einer Stunde seinen Dienst an den Nachtportier abgegeben. Doktor Otternschlag war in sein Zimmer gegangen und lag mit geschlossenen Augen und offenem Mund in seinem Bett, wie eine berauschte Mumie sah er aus. Sein kleiner Koffer war gepackt zur endgültigen Abreise, aber auch an diesem Abend hatte er den Entschluß nicht gefunden, der nötig war, um die letzte kleine Formalität zu erfüllen. In Nr. 68 klapperte eine hartnäckige Schreibmaschine, dort hatte der Vertreter einer amerikanischen Filmgesellschaft Posten gefaßt, und auf dem Messingbett, das die Liebesnacht der Grusinskaja umfangen hatte, lagen Zelluloidstreifen hingeschichtet, die der Amerikaner durchsah, während er seine Geschäftskorrespondenz erledigte. Das Klingeln der Schreibmaschine war bis nach Nr. 70 zu hören, wo Kringelein in der Badewanne saß und den Kunststücken zusah, die eine sprudelnde Badetablette auf dem weißen Email machte. Er war traurig, und weil er traurig war, sang er, leise, schüchtern und zur Ermutigung. Wie ein Kind im Wald sang dieser Kringelein in seiner Badewanne. Der Tag war ungut und enttäuschend gewesen, die Auseinandersetzung mit Preysing hatte viel Kraft aufgezehrt und ihn verwelkt und ausgelebt zurückgelassen. Und was das Schlimmste war: Gaigern, dieser Dynamo, diese Energiequelle, dieser einheizende, warmblütige und unbedenkliche Mensch mit seinem Hundertzwanzig-Kilometer-Tempo hatte sich unsichtbar gemacht. Kringelein in seinem schmerzbeschwichtigenden warmen Badewasser war es zumute, als habe er die letzte Seite seines Lebens schon ausgelesen, schon umgeblättert, und als käme nun nichts mehr, ganz und gar nichts mehr nach . . .

Die Treppe herauf schlich der Page Nr. 18, Karl Nispe, blieb stehen, schlich weiter, blieb stehen, schlich weiter. Er hatte so dunkle Ringe unter den Augen, als sei er geschminkt. Er schluckte seinen Speichel hinunter, er litt an dem nervösen Hungergefühl, das die meisten Hotelangestellten quält. Er kam aus einer Hotelhalle mit den Säulen, den Teppichen, dem venezianischen Springbrunnen, und er verschwand dorthin ins Dumpfe, Proletarische zurück, wenn sein Dienst vorbei war. Er hatte, siebzehnjährig und ungegoren, wie er war, ein Mädchen, eine sogenannte Braut, die Anforderungen an ihn stellte, denen er mit seinem bißchen Geld nicht gewachsen war. Nun hat er die goldene Tabatiere im Wintergarten gefunden. Er hat sie vier Tage vergraben und versteckt gehalten, was beinahe schon so gut wie gestohlen ist. Und jetzt ist er so weit und hat sich durchgebissen, will sich von ihr trennen und will sie - als gefunden - zurückgeben. Da stand er nun mit seinem Herzklopfen vor Nr. 69, nahm das Käppi ab, was sein Gesicht unvermittelt aus dem Uniformen ins Menschliche verschob, und als er einige Minuten so gestanden hatte, in den Lärm seines eigenen Herzens eingedröhnt, klopfte er.

Obwohl der Page Karl Nispe gesehen hatte, daß Baron Gaigern vor einer Viertelstunde seinen Schlüssel geholt hatte und auf sein Zimmer gegangen war, wurde drinnen keine Antwort gegeben. Der Page zögerte, wagte sich vor, öffnete die äußere Tür und klopfte an die innere. An dem Kleiderhaken zwischen den beiden Türen hing ordentlich der Smoking des Barons für den Hausdiener zum Putzen hergerichtet. Der Page klopfte. Nichts. Er wartete, klopfte. Nichts. Er drückte die Klinke der inneren Tür herunter, das Zimmer war offen und leer. Der Page Karl, nicht mehr ohne Menschenkenntnis, griente, pfiff einmal ganz hoch und leise und legte die Tabatiere, die in seiner Hand warm geworden war, mitten auf den Tisch. Das Zimmer war sehr aufgeräumt, die Lampe brannte, eine besonders frische und gar nicht hotelmäßige Luft mit Menthol, Lavendel, Zigaretten und Fliederduft machte das Atmen zu einer erfreulichen Sache. In einer Vase standen ein paar Stämmchen weißen Treibhausflieders. Auf dem Schreibtisch war die Fotografie eines Schäferhundes aufgestellt. Mitten im Zimmer schliefen Gaigerns Lackpumps mit pflichttreuem und selbstzufriedenem Ausdruck. Der Page Karl schnupperte grinsend und beeindruckt diese elegante Jungmänneratmosphäre in sich hinein und dachte nach. Plötzlich und mit grell klopfendem Herzen nahm er die Tabatiere wieder an sich, stopfte sie unter Jacke und Hemd und zog sich unhörbar zurück.

In dem kleinen Office, an dessen geöffneter Tür er vorüberhuschte, saß das Stubenmädchen und schrieb einen Brief. Es war sehr still in der zweiten Etage, weiter unten sauste der Miniaturpropeller eines Ventilators. Im gelben Pavillon war ein Tango an der Reihe.

In Nr. 72, dem teuren, zweibettigen Zimmer, das Generaldirektor Preysing seiner Sekretärin gemietet hatte, war auch ein Schimmer der Musik zu vernehmen. Preysing tauchte aus dem geschminkten Veilchenduft des ersten Kusses empor und sagte: »Horch -«

»Ja. Ich höre es schon lange. Musik«, sagte Flämmchen. »Das mag ich gern, wenn es so von weit herkommt.«

»Musik? Nein. Hast du sonst nichts gehört?« fragte Preysing. Er bot einen ziemlich aufgelösten Anblick, wie er da am Bettrand aufgerichtet saß und horchte. Seine Brauen zogen sich hoch vor Anspannung, und auf seiner Stirn erschien ein ganzes System von Runzeln, die von vielen verwickelten Geschäftsjahren dort eingeschrieben waren. »Ich höre doch immer etwas -«, sagte er unruhig. »Was denn, wo denn -«, murmelte Flämmchen, die schon schläfrig wurde, und griff ungeduldig nach Preysings Kopf. »Ich habe etwas klopfen gehört«, beharrte Preysing und schaute starr auf die Tür seines Badezimmers, die er offenstehen gelassen hatte. »Ich höre auch etwas«, sagte Flämmchen und legte ihre Hände an Preysings Weste. »Ich höre Ihr Herz schlagen. Ich höre es ganz genau, taktaktak -«

Wirklich vollführte Preysings Herz einen ungebührlichen Lärm in seiner geräumigen Brust. Es klopfte dumpf und hart pumpend hinter dem grauen Kammgarn. Preysing visierte noch immer die offene Tür, auf deren Lack die rosigen Reflexe der Nachttischlampe im dämmerigen Zimmer lagen. »Laß mich. Ich muß doch sehen -«, sagte er, schob Flämmchens Hände von seinen Rippen fort und stand auf. Das Bett ächzte, als er sich erhob. Flämmchen zuckte die Achseln hinter ihm her. Preysing verschwand mit drei knarrenden Schritten in der Badezimmertür.

Diese Tür, diese kleine, einflüglige Tür aus weißem Holz sollte von Rechts wegen geschlossen sein. Sie trennte das Appartement des Generaldirektors von dem Zimmer seiner Sekretärin. Die Hotelverwaltung hatte nichts dazu getan, um diese Trennung aufzuheben. Im Gegenteil. Die kleine Tür besaß keine Klinke, und wenn sie geschlossen war, gab es keine Handhabe, um sie zu öffnen. Preysing jedoch hatte einen Drücker benutzt, den er von der Fabrik her immer in der Tasche trug; er hatte die verschlossene Tür geöffnet, er hatte an diesem Abend sein ordentliches Zimmer mit den Stiefelsäckchen, den Kragenschachteln, den Schwammbeuteln und den umständlichen Bedenklichkeiten des braven

Ehemannes verlassen und war durch die kleine Tür in ungebührliche uferlose und unabsehbare Abenteuer getappt . . .

Im Badezimmer, das er rasch überquerte, war es dunkel. Wasser tropfte - pong, pong, pong - in die Wanne. Nebenan lag das kleine Wohnzimmer, gleichfalls dunkel und ohne verdächtiges Geräusch. Preysing stand hier einen Augenblick still und tastete nach dem Lichtschalter, den er nicht fand. Er tastete sich bis an die geschlossene Tür seines Schlafzimmers und blieb plötzlich erstarrt und ohne Atem mitten im Zimmer stehen. Er wußte genau, daß er das Licht dort abgedreht hatte - aber nun brannte es. Es kam dünn wie ein Faden unter der Tür hervor, es zuckte nur eben vor Preysings Füßen über die Schwelle und war schon fort. Preysing stand noch eine Sekunde so starr in das Zimmer gepflanzt und blickte dorthin, wo eben noch ein Streifen Helle gelegen hatte und wo jetzt Dunkelheit lag - die halbe Dunkelheit des Hotels, vor dessen Front Scheinwerfer und Bogenlampen und Laufreklamen brannten. Während er so stand, erwartete er etwas außergewöhnlich Unangenehmes, er wußte nicht genau, was. Er hatte den dumpfen Eindruck, daß im Nebenzimmer dieser halbwahnsinnige Buchhalter eingedrungen war, wie am Morgen, daß er nun dort stand und den Generaldirektor auf Nebenwegen ertappt hätte, daß dieser rachsüchtige Kruckelein oder Kringelein oder wie er sonst hieß - daß dieser verdächtige Mensch ihm nun ungeheure Unannehmlichkeiten bereiten konnte, Denunziationen. Erpressungen, Schweinereien ungeahnter Art -

Dies also war es, was dunkel durch Preysings benommenen Kopf rauschte, als er mit einem harten Ruck die Tür seines Schlafzimmers aufriß.

Drinnen war es dunkel und lautlos. Niemand war da. Niemand atmete. Aber auch Preysing atmete nicht -

Er griff hinter sich an die Tür, erfaßte den Lichtschalter und drehte an. Im nächsten Augenblick wurde es wieder finster im Zimmer, das einen Blitz lang durchzuckt gewesen war vom elektrischen Licht, so kurz, daß der Generaldirektor nichts wahrnehmen konnte. Eine Sekunde voll der äußersten, zerreißendsten Unheimlichkeit folgte. Preysings Gehirn arbeitete hell und in rasender Eile. An der Korridortür ist noch ein Lichtschalter, dachte dieses angekurbelte Gehirn ganz ohne sein Zutun. Dort steht der Mensch und dreht ab, wenn ich andrehe -

»Ist da jemand?« sagte er, viel zu laut und so heiser, daß er vor sich selber erschrak. Keine Antwort. Preysing warf sich vor, fand den Schreibtisch, stieß sich einen wütenden Schmerz gegen das Schienbein und drehte die Schreibtischlampe an. Dann starrte er.

Neben dem Schrank, dicht an der Korridortür, stand ein Mensch, ein Mann, ein Herr im seidenen Pyjama. Es war nicht der Buchhalter. Es war - Preysing erkannte im grünen Schein der Lampe das Gesicht -, es war der andere Kerl, der elegante Kerl aus der Halle, der aus dem gelben Pavillon, der Kerl, der auch mit Flämmchen getanzt hatte. Er stand dort neben der Tür und lächelte eine grüne Grimasse in das fremde Schlafzimmer.

»Was wollen Sie hier?« fragte Preysing gepreßt. Er hatte Angst vor seinem eigenen Herzklopfen, die Knie prickelten ihm, auch die Fingerspitzen.

»Verzeihen Sie -«, sagte Baron Gaigern. »Ich scheine mich in der Tür geirrt zu haben -«

»Was haben Sie? Geirrt? Das wird sich zeigen -«, sagte Preysing heiser und schob sich um den Schreibtisch herum; den Kopf hatte er drohend vorgeschoben wie ein Tier, und während alles rot wurde, nahm er zugleich wie durch ein Wunder auf das deutlichste wahr, daß seine Brieftasche nicht mehr auf der Schreibtischplatte lag, wo er sie pedantisch deponiert hatte, bevor er hinging, um die Tür zu Flämmchens Zimmer aufzuschließen. »Das wird sich zeigen, ob Sie sich geirrt haben -«, hörte er sich sagen und stieß vom Schreibtisch ab. Im gleichen Augenblick warf der Baron seine rechte Hand waagrecht vor, mitten in Preysings Gesicht zielend. »Wenn Sie sich rühren, schieße ich -«, sagte er, gar nicht laut. Preysing sah eine irrsinnige Sekunde lang die schwarze Revolvermündung.

»Was willst du? Schießen?« brüllte er, faßte irgendwohin, tat irgend etwas. Er spürte seinen Arm mit etwas Schwerem durch die Luft schwingen, warf sich mit seinem ganzen Gewicht in den Schlag hinein, und der harte, knirschende Schlag, mit dem er den Kopf des Mannes traf, kam als ein Stoß in seinen eigenen Arm zurück.

Der Baron stand ihm noch einen Augenblick mit fast erstauntem Gesicht gegenüber, dann knickten die Knie unter ihm weg, er schlug gegen den Koffer, der neben dem Schrank auf dem Kofferträger stand, dann auf den Fußboden und blieb zuletzt, als alles polternde Stürzen vorbei war und kein Laut mehr kam, auf dem Gesicht liegen.

»Schießen willst du. Da hast du es«, sagte Preysing nachher, die Luft strömte breit in seinen Kehlkopf ein, und er kam aus seinem Anfall von Wut und Angst hoch wie aus einem tiefen Wasser. »Da hast du es«, sagte er nochmals zu dem hingeschlagenen Mann, es klang schon viel sanfter, halb entschuldigend, halb vorwurfsvoll. Der Mann antwortete nicht. Preysing bückte sich zu ihm hinunter, berührte ihn aber nicht. »Sie! Was ist denn mit Ihnen? Sie?« sagte er halblaut. Jetzt hörte er die Musik aus dem gelben Pavillon. Er hörte wieder sein Herz pumpen und seinen Atem gehen. Sogar das Pong, Pong, Pong aus dem Badezimmer hörte er. Der Mann auf der Erde aber verhielt sich geräuschlos. Preysing sah sich um. In seiner eigenen Hand fand er jetzt den Gegenstand, mit dem er zugeschlagen hatte. Es war das Tintenfaß, das bronzene Tintenfaß mit den ausgebreiteten Adlerflügeln. Preysing entdeckte schwarze Flecken an seinen Fingern, dann auch an seinem Rockaufschlag. Er nahm sein Taschentuch hervor und putzte sich gründlich ab, nachdem er das Tintenfaß leise abgesetzt hatte. Dann kehrte er zu dem Mann am Boden zurück. »Der ist ohnmächtig«, sagte er laut. Er hatte ein verworrenes, ertrinkendes und undurchsichtiges Gefühl, als er neben dem Mann hinkniete und die Dielen unter sich knarren hörte, mit einem seltsam lebendigen und eindringlichen Laut. Ich werde ihn verhaften lassen, dachte er, aber er war noch zu aufgelöst, um zu klingeln. Es mißfiel ihm, wie der Mensch dalag, so auf das Gesicht geschleudert, mit einem Nacken, der wie gebrochen aussah, und mit ausgebreiteten Armen. Er suchte auf dem Teppich den Revolver, aber er konnte ihn nicht finden. Es herrschte eine aufdringliche Stille in dem Zimmer, das eben noch voll Lärm und Stürzen und Poltern gewesen war. Preysing überwand etwas in sich und nahm den Menschen bei den Schultern, um ihn besser zu legen, auf den Rücken zu legen.

Dann sah er Gaigerns offene Augen. Dann sah er, daß Gaigern nicht mehr atmete.

»Was ist denn da passiert?« flüsterte er. »Was ist denn da passiert? Was ist denn da passiert? Was ist denn da passiert?« Er flüsterte es ungezählte Male vor sich hin, ganz ohne Sinn und Verstand. Er blieb da auf dem Teppich kauern, neben dem erschlagenen Mann, und flüsterte: »Was ist denn da passiert? Was ist denn da passiert?« Gaigern mit seinem höflichen, toten Gesicht hörte lächelnd zu. Er war schon gestorben, er hatte das große Hotel schon verlassen, er war auf eine nicht einzuholende Weise entwichen - aber er hatte noch warme Hände, wie er da mit offenen Augen auf dem Fußboden von Nr. 71 lag. Das grüne Licht der Schreibtischlampe fiel auf sein schönes, gezeichnetes Gesicht, in dem ein großes Erstaunen stehengeblieben war ...

So fand Flämmchen die beiden, als sie nach einer ganzen Weile durch die verbotene Tür geschlichen kam, um nachzusehen, wo Preysing blieb. Sie kam auf ihren nackten Sohlen herein, blieb an der Schwelle stehen und blinzelte. »Was ist denn los? Mit wem haben Sie gesprochen? Ist Ihnen schlecht geworden?« fragte sie und suchte in der Dämmerung etwas zu erkennen. Preysing setzte dreimal an, bevor er antworten konnte. »Es ist etwas passiert«, flüsterte er endlich.

»Passiert? Mein Gott, was denn? Hier ist's ja so dunkel -«, sagte Flämmchen und drehte das Deckenlicht an. Es schlug weiß und hart in den Raum.

»Oh«, sagte Flämmchen nur, als sie Gaigerns Gesicht sah. Es war ein kleiner, weher, ganz kurzer Schrei. Preysing blickte an ihr hinauf.

»Er hat mich erschießen wollen. Ich habe nur hingeschlagen -«, flüsterte er. »Man muß die Polizei holen -«

Flämmchen beugte sich über Gaigern. »Er schaut ja noch -«, sagte sie leise, es klang tröstlich. Ist er denn tot? Er war so lieb - dachte sie voll Einfachheit und tief in sich. Sie streckte eine Hand aus.

»Man darf nichts anrühren, bevor die Polizei da war«, sagte Preysing lauter, als er wollte, und wach. Erst da begriff Flämmchen, was geschehen war. »Oh -«, sagte sie nochmals. Sie wich zurück, fiel in einen drehenden Schwindel hinein, die Wände kamen auf sie zu.

Sie lief durch Türen davon, raffte sich aus dem Einsturz, lief, stolperte, sah Türen, Türen, Türen - Hilfe, sagte sie leise. Hilfe - alle Türen schwankten, alle waren verschlossen. Nur eine öffnete sich.

Flämmchen sah es und sah dann nichts mehr.

Manchmal ist auf dem Korridor des Grand Hôtel so viel Lärm, daß die Gäste sich beschweren. Der Lift rumpelt herauf und hinunter, Telefone schnarren, Passanten lachen zu laut, einer pfeift, einer schmeißt die Türen, am Gangende streiten zwei halblaute Stubenmädchen, und wer den Weg zur Toilette nimmt, begegnet peinlicherweise acht verschiedenen Personen. Aber manchmal wieder ist dieser Korridor ganz stumm und leer. Man kann splitternackt über seinen Teppichläufer taumeln, man kann Hilfe rufen. Hilfe! Hilfe! - und niemand wird es hören ...

Kringelein freilich, der nicht einschlafen konnte, weil er auf das Erwachen der Schmerzen in seinem Magen lauerte, Kringelein, den das Leiden und die Todesnähe dünnschalig und hellhörig gemacht hatten, Kringelein hörte den leisen Klagelaut, mit dem das bewußtlose Flämmchen draußen vorbeilief. Er stellte sich nicht taub, wie der amerikanische Filmmensch nebenan auf Nr. 68, sondern er stieg rasch aus dem Bett und öffnete seine Tür.

Im nächsten Augenblick trat das Wunder in sein Leben, um es zu erfüllen und zu vollenden ...

Im nächsten Augenblick nämlich erblickte Kringelein die unwahrscheinliche und vollkommene Gestalt des nackten Flämmchens, das auf ihn zutaumelte, schwer in seine vorgestreckten Arme fiel und da liegenblieb.

Weder verlor Kringelein in diesem Augenblick den Kopf noch auch versagte ihm die Kraft unter dem Gewicht des schönen ohnmächtigen Mädchens. Und obwohl ihn das hilflose Hinsinken dieses goldbraunen und warmen Körpers in seine Hände mit einem entzückungsvollen Erschrekken, mit einer Süßigkeit ohnegleichen erfüllte, tat er eine Reihe ganz vernünftiger Dinge. Er legte einen Arm unter den schlaffen Nacken, den anderen unter die Kniekehlen Flämmchens, brachte die Last mit einem Ruck hoch und trug sie auf sein Bett. Dann schloß er die beiden Türen zum Korridor ab und atmete tief, denn sein Blut strömte ihm allzu gewaltsam vom Herzen fort. Aus Flämmchens herabhängender Hand fiel jetzt ein Gegenstand zu Boden, ein blauer, etwas abgenutzter Schuh mit hohem Hacken, den sie bisher an ihre nackte Brust gepreßt hatte. Sie hatte ihn an sich gerafft, mitgenommen, gerettet wie aus einem Brand, einem Einsturz, wie das einzige Kleidungsstück, das eine Katastrophe ihr gelassen hatte. Kringelein nahm ihre

Hand und legte sie ordentlich neben Flämmchen ins Bett. Er sah sich im Zimmer um, fand das Fläschchen mit Hundts Lebensbalsam und brachte ein paar Tropfen davon an Flämmchens Lippen. Ein kleines Zittern lief über ihre Stirn, aber sie war noch zu tief bewußtlos, um zu trinken. Doch atmete sie tief, und bei jedem Atemzug wehte das Gekräusel ihrer hellen Haare auf das zarteste vom Kissen empor und legte sich wieder hin. Kringelein lief in das Badezimmer, tauchte ein Handtuch in kaltes Wasser, goß eine Toilettenessenz darauf, denn seit gestern besaß der elegante Kringelein dergleichen, und kehrte zu Flämmchen zurück. Er wusch ihr behutsam das Gesicht, die Schläfen, dann suchte er mit der Hand ihren Herzschlag und fand ihn unterhalb der straffen Rundung ihrer linken Brust. Dort legte er das nasse, kühle Tuch hin, und nachher stand er neben dem Bett und wartete.

Er wußte nicht, daß sein Gesicht den Ausdruck einer scheuen, grenzenlosen und ungeheuren Verwunderung angenommen hatte, während er so dastand und auf das Mädchen hinunterschaute. Er wußte nicht, daß unter seinem Schnurrbart das neugeborene Lächeln eines siebzehnjährigen Knaben aufblühte. Vielleicht wußte er nicht einmal, daß er in diesem Augenblick ganz und wahrhaft und wirklich und eigentlich lebte. Das aber wußte er: daß er jenes Gefühl, das jetzt mit einem fast schmerzlichen Glühen und Ziehen in ihm strömte, dieses Leichtwerden, dieses Schmelzen und Durchsichtigwerden und Sichauflösen, daß er dieses Gefühl nur aus dem Traum kannte und nie geahnt hatte, solches sei auch in der Wirklichkeit zu erleben. In der Narkose war etwas Ähnliches gewesen, kurz bevor das blaue Brausen schwarz wurde; und im geheimen, im allertiefsten hatte Kringelein sich auch das Sterben so vorgestellt: als eine Festlichkeit ohne Beispiel, als etwas Vollkommenes, bei dem kein ungelöster Rest zurückblieb. Jetzt freilich, in diesen Augenblicken, angesichts des ohnmächtigen

Mädchens, das sich in seinen Schutz geflüchtet hatte, war Kringelein weit davon entfernt, an den Tod zu denken.

Das gibt es, dachte er, das gibt es. So etwas Schönes gibt es wirklich. Es ist nicht gemalt wie ein Bild und nicht ausgedacht wie ein Buch und nicht so ein Schwindel wie auf dem Theater. Das gibt es, daß ein Mädchen nackt ist und so wunderbar schön, so ganz schön, so ganz - er suchte ein anderes Wort, fand aber keines. Ganz schön, konnte er nur denken, ganz schön.

Flämmchen runzelte die Brauen, schob den Mund vor, wie ein erwachendes Kind, und öffnete schließlich auch die Augen. Die Lampe spiegelte sich als ein runder weißer Glanz in ihren Pupillen, sie blinzelte, lächelte höflich, atmete tief und flüsterte: »Danke.« Gleich darauf schloß sie die Augen wieder, sie schien schlafen zu wollen. Kringelein nahm die herabgefallene Steppdecke auf und breitete sie vorsichtig über das Mädchen. Dann zog er einen Stuhl an den Bettrand, setzte sich hin und wartete. »Danke -«, flüsterte Flämmchen viel später noch einmal.

Sie war jetzt nicht mehr bewußtlos, sondern sie bemühte sich, in ihrem Kopf Ordnung zu machen und alles an den richtigen Platz zu bekommen. Einige Verwirrung schuf dabei der Umstand, daß sie zunächst den schmalen Kringelein am Bettrand mit einem anderen Herrn verwechselte, mit einem ihrer früheren Freunde, den sie sehr gern gehabt und unter großem Kummer aufgegeben hatte. Der hellblau gestreifte Pyjama und eine unbestimmbar zärtliche Wachsamkeit in Kringeleins Haltung verursachten diesen Irrtum. »Wie komme ich denn hierher?« fragte Flämmchen. »Was machst du denn bei mir?« Zwar erschreckte das unerwartete Du den wartenden Kringelein auf eine süße und durchdringende Weise, aber da er nun einmal mitten im Wunder war, nahm er auch dies als selbstverständlich hin.

»Du bist ohnmächtig geworden und zu mir gekommen«, antwortete er deshalb einfach. Jetzt erkannte Flämmchen die Verwechslung, sie erinnerte sich an alles zugleich und fuhr im Bett hoch.

»Entschuldigen Sie -«, flüsterte sie. »Aber es ist etwas Schreckliches geschehen ...« Sie zog die Bettdecke vor ihr Gesicht, knäuelte sie in ihre Augen und begann zu weinen. Sofort füllten sich auch Kringeleins Augen mit Tränen, und seine Lippen, die dazu lächelten, zitterten. »Es ist so schrecklich«, flüsterte Flämmchen, »so schrecklich, so schrecklich.« Sie weinte ganz leicht, sie hatte einen Überfluß an hellen, leicht strömenden Tränen, mit denen sie sich ausschwemmte und erleichterte. Sie tupfte und preßte die Bettdecke gegen ihr Gesicht und bedeckte den weißen Leinenrand mit vielen kleinen roten, herzförmigen Abdrükken ihres geschminkten Mundes. Kringelein schaute zu, und seine Augenwinkel stachen in einer harten, zurückgehaltenen Rührung. Zuletzt nahm er seine Hand und legte sie auf Flämmchens Nacken. »Na - na - na«, sagte er. »So - so - so. Na - na - na.«

Flämmchen schaute ihn aus ihren schwimmenden Augen an. »Ach, Sie sind das -«, murmelte sie zufrieden. Erst jetzt erkannte sie in der zierlichen Figur am Bettrand den kleinen Herrn wieder, der gestern beim Tanzen so schüchtern und heute in der Unterredung mit Preysing so couragiert gewesen war. Ein zutrauliches und angenehmes Gefühl der Geborgenheit überkam sie in seinem Bett und unter dem sachten Klopfen seiner Hand auf ihrem Hals. »Wir kennen uns ja«, sagte sie und schmiegte sich mit einer unwissenden Tierdankbarkeit unter seine Finger. Kringelein hörte auf zu klopfen und sammelte Kraft in sich, eine unerwartete Menge von Kraft und Angriffslust.

»Was ist Ihnen geschehen? Hat Preysing Ihnen etwas getan?« fragte er.

»Mir nicht -«, sagte Flämmchen leise, »mir nicht -«

»Soll ich ihn zur Rede stellen? Ich habe keine Angst vor Herrn Preysing.«

Flämmchen schaute den aufgerichteten und zusammengerafften Kringelein an und verfiel in tiefes Nachdenken. Sie versuchte sich das furchtbare Bild aus Nr. 71 ins Gedächtnis zurückzurufen, die beiden Männer im grünen Licht auf dem Fußboden, der Tote, Hingestreckte, und der Lebende, Verstörte, Kauernde. Aber es war schon fortgewischt aus ihrer gesunden und elastischen Seele. Nur ihre Lippen wurden steif noch in der Erinnerung, und in den Armen zog die Erregung ihr die Muskeln zusammen.

»Er hat ihn totgeschlagen«, flüsterte sie.

»Totgeschlagen? Wer? Wen?«

»Preysing. Er hat den Baron totgeschlagen.«

Kringelein tauchte in ein tiefes Sausen ein, aber er hielt sich und kam wieder hoch. »Das - ist doch - nicht möglich. Das gibt es doch nicht -«, stammelte er. Er wußte nicht, daß er beide Hände um Flämmchens Hals legte und ihr Gesicht ganz nahe an seines zog. So starrte er ihr in die Augen, und sie hielt ihren Blick ebenso starr in dem seinen. Schließlich nickte sie dreimal nachdrücklich und stumm mit dem Kopf. Seltsamerweise glaubte ihr Kringelein erst bei dieser Bewegung das Unwahrscheinliche, das sie gesprochen hatte. Die Hände fielen ihm herunter.

»Tot?« sagte er. »Aber der war ja - das Leben selber war der ja. Die Kraft selber war der ja. Wie kann denn ein Preysing -«

Er stand auf und ging im Zimmer hin und her, geräuschlos mit den mageren Füßen in den neuen Reisepantoffeln und aus tiefster Erregung schielend. Er sah Preysing durch den Korridor von Gebäude C in Fredersdorf gehen und nicht grüßen. Er hörte seine kalt näselnde Stimme bei Tarifverhandlungen sprechen, und er spürte die Türen zittern unter einem der Jähzornausbrüche des Generaldirektors, vor denen das ganze Werk sich fürchtete. Er blieb am Fenster stehen, vor den zugezogenen Vorhängen, und schaute durch sie hindurch nach Fredersdorf.

»So mußte es kommen. So mußte es kommen«, sagte er
schließlich, und das Gefühl erfüllter Gerechtigkeit schwoll
in seinem abgezehrten Untergebenenkörper auf. »Jetzt
kommt er an die Reihe -«, fügte er noch hinzu. »Hat man
ihn verhaftet? Woher wissen Sie überhaupt davon? Wie ist
es passiert?«

»Preysing war bei mir im Zimmer, und die Tür war offen;
und dann geht er auf einmal davon und sagt, er hört etwas.
Und da bin ich vielleicht einen Augenblick eingeschlafen,
denn ich war schon sehr müde. Und dann höre ich reden,
aber gar nicht sehr laut, und dann fällt etwas, und dann
kommt Preysing nicht wieder. Und dann bin ich ängstlich
geworden und hinübergegangen, die Tür war ja offen - und
da hat er gelegen - mit so offenen Augen -« Flämmchen
nahm wieder die Bettdecke vor ihr erblassendes Gesicht
und weinte in einem zweiten Strom ihre Trauer um den toten Gaigern aus sich heraus. Sie konnte es nicht ausdrük-
ken, aber es war ihr so, daß sie etwas Wunderschönes versäumt hätte, das nie wieder, niemals, niemals wieder einzu-
holen war. »Gestern hat er mit mir getanzt und war so lieb,
und jetzt ist er weg und kommt nicht wieder«, schluchzte
sie in die warme Dunkelheit der Daunendecke hinein.
Kringelein verließ das verhängte Fenster mit der Aussicht
nach dem häßlichen Fredersdorf seiner Erinnerung und
setzte sich auf den Bettrand; er legte sogar den Arm um
Flämmchens Schulter, und es kam ihm sehr selbstverständlich vor, dieses weinende Mädchen zu trösten und zu be-
schützen. Auch er trug Kummer um den toten Gaigern, einen schweigsamen, harten Männerkummer, obwohl er
noch nicht ganz begriffen hatte, daß sein Freund von gestern heute gestorben war.

Flämmchen, als sie fertiggeweint hatte, kehrte in die saubere Vernünftigkeit zurück, die ihr Wesen war. »Vielleicht
ist er wirklich ein Einbrecher gewesen. Aber dafür kann
man ihn doch nicht totschlagen -«, sagte sie leise. Kringe-

lein erinnerte sich der unklaren Sache mit der Brieftasche in der gestrigen Nacht. Er hat Geld gebraucht, dachte er. Vielleicht ist er den ganzen Tag herumgejagt nach Geld. Er hat gelacht und den Kavalier markiert, aber vielleicht war er ein armer Hund. Vielleicht hat er etwas Verzweifeltes gemacht. Und da schlägt ihn so ein Preysing tot. »Nein«, sagte er ganz laut.

»Du hast schon recht gehabt mit dem, was du Preysing heute früh gesagt hast«, fing Flämmchen an, in Kringeleins Arm gewiegt, sie merkte gar nicht, daß sie wieder du sagte, er schien ihr sehr gut bekannt, und es kam ganz von selber. »Preysing war mir gleich unsympathisch«, fügte sie naiv hinzu. Kringelein überlegte ein paar Minuten die unzarte Frage, die ihm auf dem Herzen lag, schon seit gestern, seit Flämmchen aus dem Tanzsaal fort zu Preysing gegangen war. »Warum bist du denn - warum hast du dich denn mit ihm eingelassen?« fragte er zuletzt doch.

Flämmchen schaute ihn vertrauensvoll an. »Wegen Geld natürlich«, erwiderte sie einfach. Das begriff Kringelein sofort.

»Wegen Geld -«, wiederholte er, nicht wie eine Frage, sondern wie eine Antwort. Sein Leben war ein Kampf um den Pfennig gewesen - wie hätte er Flämmchen nicht verstehen sollen? Er legte jetzt auch den zweiten Arm um sie, er schloß sie wie in einen Ring ein, und Flämmchen machte sich klein und lehnte den Kopf an Kringeleins Brust - jede einzelne Rippe konnte sie unter der dünnen Seide seines Schlafanzugs fühlen.

»Zu Hause verstehen sie das nicht«, sagte Flämmchen. »Zu Hause habe ich es gar nicht gut. Mit der Stiefmutter und der Stiefschwester gibt es immer was. Ohne Stellung bin ich schon über ein Jahr, da muß ich doch etwas anfangen. Fürs Büro bin ich zu hübsch, heißt es, überall hat es noch Klamauk gegeben deshalb, die großen Firmen nehmen nicht gern Mädchen, die zu gut aussehen - ist ja auch richtig. Für Mannequin bin ich zu groß, da suchen sie zweiundvierziger Figuren, höchstens vierundvierzig. Und beim Film - ich weiß nicht, was los ist. Vielleicht bin ich da nicht kokett genug. Später macht das nichts, im Gegenteil, nur für den Anfang. Ich komme auch noch durch, ich komme noch durch. Nur alt werden darf ich nicht, ich bin ja schon neunzehn, da muß man zusehen, daß es vorwärts geht. Manche sagen, wegen Geld geht man nicht mit so einem Generaldirektor. Gegenteil - nur wegen Geld! Da kann und kann ich nichts dabei finden. Ich bleib' doch, wie ich bin, es trägt mir ja keiner was weg, auch wenn ich ein bißchen nett zu ihm bin. Wenn man so ein Jahr ohne Stellung ist, rennt auf die Filmbörse, rennt hinter Inseraten her, und die Wäsche geht kaputt, zum Anziehen hat man nichts - und man steht vor den Auslagen - ich kann nichts dafür: gut anziehen, das ist mein Ideal. So glücklich, wie mich ein neues Kleid machen kann, das glaubt keiner. Manchmal denke ich mir tagelang Kleider aus, die ich später einmal tragen will. Und dann Reisen. Auf Reisen bin ich verrückt, so los und andere Städte sehen - ja. Zu Hause habe ich es gar nicht gut, das kannst du mir glauben. Ich bin nicht wehleidig, ich habe eine gute Natur und vertrage viel. Aber manchmal ist es zum Davonrennen, und wenn's mit dem ärgsten Schweinekerl wäre, nur davon. Wegen Geld - nun ja, natürlich wegen Geld. Geld ist so wichtig - und wer etwas anderes sagt, der schwindelt nur. Preysing hat mir tausend Mark geben wollen. Das ist viel Geld. Damit wäre man weitergekommen. Aber damit wird es jetzt nichts. Jetzt sitzt man wieder da. Und zu Hause ist es scheußlich -«

»Das kenne ich. Das kann ich mir vorstellen. Das verstehe ich ganz genau«, sagte Kringelein. »Zu Hause ist alles dreckig. Erst mit dem Geld fängt man an, ein sauberer Mensch zu werden. Nicht einmal die Luft ist in Ordnung, wenn man kein Geld hat, man darf nicht lüften, weil die teure Wärme hinauszieht. Man kann nicht baden, weil das warme Wasser Kohlen kostet. Die Rasierklingen sind alt und kratzen. Mit der Wäsche wird gespart - kein Tischtuch, keine Serviette. Mit der Seife wird gespart. Die Haarbürste hat keine Borsten mehr, die Kaffeekanne ist gesprungen und gekittet, die Löffel sind schwarz geworden. In den Kopfkissen sind so schwere Klumpen von schlechten, alten Federn. Was kaputtgeht, bleibt kaputt. Nichts wird gerichtet. Die Versicherungspolice muß bezahlt werden. Und man weiß gar nicht, daß man falsch lebt, man glaubt, es muß so sein.«

Er hatte seinen Kopf an Flämmchens Kopf gelegt, so beteten sie zusammen die Litanei des armen Lebens herunter.

»Der kleine Spiegel ist zerbrochen«, setzte Flämmchen fort, »und man kann keinen neuen kaufen. Schlafen muß man auf der Chaiselongue hinter einer spanischen Wand. Immer riecht es nach Gas. Mit dem Zimmerherrn gibt es täglich Krach. Das Essen werfen sie einem vor, das man nicht bezahlen kann, weil man keine Stellung hat. Aber mich kriegen sie nicht klein. Mich kriegen sie nicht klein«, sagte sie energisch, kroch aus Kringeleins Armen hervor und setzte sich so steil im Bett hoch, daß die Decke auf Kringeleins Knie schlug, warm wie sie war von ihrer jungen Haut. Kringelein empfing diese Wärme wie ein überwältigendes Geschenk. »Ich komme durch«, sagte Flämmchen und blies zum erstenmal wieder ihre Stirnlocke hoch, als Zeichen, daß Leichtsinn und Lebenskraft zu ihr zurückkehrten. »Ich brauche den Generaldirektor nicht, ich komme schon durch -«

Kringelein hatte eine Kette schwieriger Gedanken zu bewältigen, und als er damit fertig war, versuchte er, sie in Worte zu bringen.

»Was mit dem Geld los ist, das habe ich in den letzten Tagen gemerkt«, erklärte er stockend. »Man wird ein vollständig anderer Mensch, wenn man Geld hat, wenn man kaufen kann. Aber daß man auch *so etwas* kaufen kann, das hätte ich nicht gedacht.«

»Was denn, so etwas?« fragte Flämmchen lächelnd.

»So etwas eben. So etwas wie dich. So etwas ganz Schönes. So etwas Großartiges. Unsereiner weiß ja gar nicht, daß es so etwas gibt wie dich. Unsereiner kennt nichts und sieht nichts und glaubt, das alles, Ehe und alles dergleichen mit einer Frau, das muß so schäbig sein, so abgefranst, so häßlich und ohne Freude oder so mindere Sorte wie hier in den Lokalen. Aber wie du vorhin hier gelegen hast und ohnmächtig warst - ich habe mich kaum getraut, hinzusehen. Herrgott, ist das schön. Herrgott, Herrgott, ist das schön. Das gibt es, denkt unsereiner da, Herrgott, das gibt es, Wunder gibt es, Wunder -«

Ja, so ist es mit Kringelein. Er sitzt auf dem Bettrand und spricht nicht wie ein siebenundvierzigjähriger Hilfsbuchhalter, sondern wie ein Liebender. Seine verheimlichte, zärtliche und unbeholfene Seele kriecht aus ihrem Gehäuse und bewegt ihre kleinen, neuen Flügel. Flämmchen legt die Arme um ihre hochgezogenen Knie und hört zu, mit einem verwunderten und ungläubigen Lächeln. Zuweilen schluchzt es noch in ihrer Kehle, wie bei einem Kind, das geweint hat. Kringelein ist nicht jung, nicht hübsch, nicht flott, nicht gesund, nicht stark, er hat keine einzige Eigenschaft eines Liebhabers. Und wenn sein Stammeln in ungeschickten Worten, sein Schielen aus verfieberten Augen, sein schüchternes Greifen, das in der Luft hängenbleibt, dennoch Eindruck auf Flämmchen macht, so muß das in tiefen Schichten verankert sein. Vielleicht ist es, alles in allem, die Kenntnis des Leidens, die inständige Leidenschaft, einen Schluck des Lebens zu trinken, und die schweigsame Todesbereitschaft zugleich, was aus dieser kleinen Menschenruine im hellblau gestreiften Pyjama etwas Männliches und Liebenswertes macht.

Es ist ja nicht etwa so, daß Flämmchen sich nun in Kringelein verlieben würde, nein, das Leben ist weit davon entfernt, solche Süßigkeiten zu produzieren. Aber es überkommt sie in diesem Hotelzimmer Nr. 70 etwas von Nähe und Geborgenheit, etwas, das haltbarer zu sein scheint als die sonstigen Improvisationen ihrer flirrenden Insektenexistenz. Kringelein spricht und spricht, es fließen ihm immer mehr Worte zu, während er spricht, er redet sich sein Leben vom Herzen herunter, und es sieht ihm in dieser Stunde so aus, als habe er dieses Leben nur auf ein Ziel und eine Erfüllung hingelebt: auf das Wunder, das ihm zugestoßen ist, auf das vollkommen Schöne.

Flämmchen hatte keine allzu große Meinung von sich selbst. Sie kannte ihren Preis. Zwanzig Mark für eine Aktaufnahme. Hundertvierzig Mark für einen Monat Büroarbeit. Fünfzehn Pfennig für eine Seite Schreibarbeit mit Durchschlag. Ein Pelzmäntelchen zu zweihundertvierzig Mark für eine Woche Hingabe. Du lieber Gott, woher hätte sie die Hochschätzung für ihre eigene Person nehmen sollen? Aber in Kringeleins Worten entdeckte sie sich selbst zum erstenmal, sie sah sich wie in einem Spiegel, sie sah ihre kostbare goldene Haut, ihr Haar aus Hellgold, alle ihre Glieder, jedes eine Schönheit und Glückseligkeit, ihre Frische, ihr unbekümmertes Dasein und Vorwärtsleben - sie entdeckte sich selbst, wie einen vergrabenen Schatz.

»Aber ich bin doch gar nichts Besonderes -«, murmelte sie glühend und bescheiden. Mitten in den Anschwung der Kringeleinschen Worte erschrak sie und schauerte zusammen, als der Name Preysing fiel. Sie hatten beide in der letzten halben Stunde vergessen, was dort geschehen war, in dem grünen Licht von Nr. 71. Jetzt war mit einemmal das volle Entsetzen wieder da.

»Ich gehe nicht mehr dorthin zurück«, flüsterte Flämmchen. »Sie werden ihn schon verhaftet haben. Mich werden sie auch verhaften wollen. Ich bleibe hier versteckt.«

Kringelein lächelte nervös. »Warum denn dich?« fragte

er, aber er bekam Angst. Auch sah er jetzt Gaigern sehr deutlich vor sich, Gaigern im Auto, Gaigern im Flugzeug, am Spieltisch, im weißen Licht des Boxringes, Gaigern, der sich über ihn beugt, Gaigern, der seine Brieftasche wiedergibt, Gaigern, der durch die Drehtür geht.

»Warum sollen sie dich denn verhaften?« fragte er.

Flämmchen nickte bedeutsam. »Als Zeugin«, sagte sie völlig unwissend.

»Meinst du -?« fragte Kringelein ziellos und schaute durch sie hindurch, immer auf Gaigern. Plötzlich war er wieder mitten drin in dem sausenden Gefahrentempo des gestrigen Tages. »Du brauchst keine Angst zu haben. Ich ordne alles für dich«, sagte er schnell. »Wirst du - du wirst doch bei mir bleiben? Du sollst es gut haben bei mir. Ich will nichts, als daß es dir gut geht. Willst du? Ich habe Geld. Ich habe genug Geld. Es reicht noch für eine ganze Zeit. Ich kann auch noch dazugewinnen, wenn ich spiele. Wir reisen. Wir fahren nach Paris. Oder wohin willst du?«

»Mein Paß ist für England visiert -«

»Gut, gut, England. Wohin du willst. Was du willst. Du sollst Kleider haben. Man muß Kleider haben und Geld haben. Wir werden direkt leichtsinnig sein, ist dir das recht? Ich schenke dir das Geld, das ich gewonnen habe, dreitausendvierhundert Mark. Später kannst du noch mehr haben. Sag nichts, sag nichts, sei ganz still, bleibe ruhig hier liegen. Ich gehe jetzt hinüber. Ich gehe zu Preysing. Ich sehe nach, was geschehen ist mit ihm. Glaubst du mir, daß du es bei mir besser haben wirst als bei Preysing? Bleibst du bei mir lieber als bei Preysing? Ich gehe jetzt und hole deine Sachen hierher. Verlasse dich auf mich. Hab keine Angst -«

Kringelein verschwand im Badezimmer, seine Hände flogen, während er sich anzog, das schwarze Jackett und die dunkle Krawatte aus schwerer Seide. Es war ein sonderbares, fieberhaftes und zerreißend erregtes Gefühl, sich so mitten in der Nacht anzuziehen, während die Straße unten schon stiller wurde und die Heizkörper auskühlten. Flämmchen in seinem Bett legte die Wange auf ihre Knie und atmete tief aus sich heraus. Ihr Kopf begann jetzt zu schmerzen nach der Ohnmacht, und ihr Hals war trocken. Sie wünschte sich einen Apfel und eine Zigarette. Sie nahm die Flasche mit Hundts Lebensbalsam vom Nachttisch und schnupperte daran, aber der Zimtgeruch mißfiel ihr. Kringelein kam zurück, er sah wie ein feiner Herr aus. Vielleicht war er sogar ein feiner Herr, dieser Kringelein aus Fredersdorf, der seiner Frau zwanzig Jahre lang täglich das Brennholz kleingemacht hatte ...

»Ich gehe jetzt. Bleibe du ganz still hier«, sagte er und setzte den Kneifer vor seine hellen, glänzenden und schielenden Augen, in denen die Pupillen groß und schwarz geworden waren. An der Tür kehrte er um. Er ging bis an das Bett heran, und dort kniete er plötzlich nieder. Er legte seinen Kopf in die Hände und murmelte etwas, das Flämmchen nicht verstand. »Ja. Aber ja«, sagte sie dazu. »Gerne. Ja.«

Kringelein erhob sich, putzte seinen Kneifer an dem Taschentuchzipfel, der aus seiner Brusttasche hing, und verließ das Zimmer. Flämmchen konnte hören, wie er die Außentür abschloß und wie seine Schuhe den Korridor hinabwanderten. Und dann noch ganz entfernt die Musik aus dem gelben Pavillon, wo noch die gleichen Menschen tanzten wie drei Stunden vorher ...

Gaigern liegt auf dem Teppich von Nr. 71 und ist tot. Nichts mehr kann ihm geschehen. Niemand mehr auf der Welt kann ihn bedrängen, verfolgen, nie wird dieser Baron Gaigern ins Zuchthaus kommen, und das ist gut. Nie wird er in Wien eintreffen, wo die Grusinskaja auf ihn wartet, und das ist traurig. Aber er hat sein rundes, erfülltes Leben gehabt, dieser schöne, starke, entgleiste Mensch: er war ein Kind auf einer Wiese, ein Knabe auf Pferderücken, ein Soldat im Krieg, ein Kämpfer, ein Jäger, ein Spieler, ein Liebender und ein Geliebter. Jetzt ist er tot. Ein wenig Feuchtigkeit klebt in seinen Haaren, ein Tintenfleck ist auf seinem dunkelblauen Seidenpyjama und ein erstauntes Lächeln auf seinem Mund. An den Füßen trägt er dicke, wollene Diebsstrümpfe, und in seiner kaltgewordenen rechten Hand wird die Schnittwunde vom letzten Abenteuer nicht mehr vernarben können ...

Auch Preysing hörte die Tanzmusik von unten, und sie quälte ihn unaussprechlich. Alles, was er dachte, nahm den Synkopenrhythmus an, den die Eastman-Band da unten im gelben Pavillon durch die Hotelwände rummelte. Nichts konnte schlechter zueinander passen als das, was die ganze Nacht hindurch da unten gespielt, und das, was die ganze Nacht hindurch hier oben gedacht wurde.

›Mit mir ist es vorbei‹, dachte Preysing. ›Aus. Erledigt. Nach Manchester kann ich nicht fahren. Die Sache mit Chemnitz fällt um. Die Polizei wird mich festnehmen. Verhör. Untersuchung. Es war Notwehr, gut, es war Notwehr. Nichts kann mir geschehen. Aber da ist das andere. Da ist das Frauenzimmer. Man wird das Frauenzimmer verhören. Ich war bei ihr, die Tür war offen, sie ist noch immer offen –‹

Preysing saß in der äußersten Ecke des Zimmers auf einem sonderbaren Möbelstück, einem Korb, der zur Aufnahme schmutziger Wäsche dienen sollte und oben überdies mit einem gepolsterten Sitz ausgestattet war. Er hatte alle Lichter des Lüsters angedreht, und trotzdem wagte er es nicht, sich umzudrehen und hinter sich zu schauen. Er war auf rätselhafte Weise gezwungen, ununterbrochen den toten Gaigern anzusehen; es war ihm so, als müßten fürchterliche Dinge geschehen, im gleichen Augenblick, wo er den Kopf wegwandte, um nachzusehen, was mit der offenen Tür geschehen sei.

›Die Tür war offen. Ich darf sie nicht schließen. Ich muß

alles unberührt lassen, bis die Polizei kommt. Morgen steht es in der Zeitung, daß ich eine Frau bei mir im Hotel gehabt habe. Mulle wird alles erfahren. Die Kinder auch, ja, auch die Kinder - mein Herrgott, du mein Herrgott, was wird mit mir, wohin geht es mit mir? Mulle wird sich scheiden lassen, sie versteht solche Dinge nicht, gar nichts versteht sie. Aber sie hat ja recht, sie hat völlig recht, wenn sie sich scheiden läßt. So etwas darf nicht passieren, es darf nicht - wie soll ich denn die Kinder noch anrühren mit diesen Händen -?‹

Er schaute in seine starren Handflächen, sie waren voll Tinte. Er hatte übermächtige Lust, ins Badezimmer zu gehen und sich die Hände zu waschen, aber er wagte nicht, den Toten aus den Augen zu lassen. Hallo, my Baby - wurde weit, weit entfernt dazu gespielt.

›Ich werde die Kinder verlieren, ich werde die Frau verlieren. Der Alte wird mich aus der Firma hinausdrücken, das ist sicher. Einen kompromittierten Menschen wie mich läßt er nicht in der Firma. Und alles wegen so eines Frauenzimmers, nur deswegen. Vielleicht hat sie mit dem Mann unter einer Decke gesteckt, sie hat mich in ihr Zimmer gelockt, damit er indessen hier stehlen kann. Das ist es, das werde ich bei Gericht sagen. Es war ja Notwehr, er wollte schießen -‹

Preysing beugte sich vor und starrte zum tausendsten Male auf die Hände des toten Gaigern. Sie waren leer, die rechte krampfig geballt, die linkte schlaff ins Gelenk gebogen: beide ganz ohne Waffe. Preysing ließ sich auf die Knie nieder und suchte den beleuchteten Teppich ab. Nichts. Der Revolver, mit dem der Mann ihn bedroht hatte, war unsichtbar geworden - oder er hatte überhaupt nie existiert. Preysing kroch zurück auf seinen Sitz und glaubte, daß er irrsinnig würde. Er hatte den festen Grund seines Bürgerdaseins unter den Füßen verloren seit dem Augenblick, da er den Chemnitzern jene ominöse Depesche auf den Tisch warf, und seit damals ging es taumelnd abwärts mit ihm, aus einem Abenteuer in das andere. Er spürte den sausenden Absturz, der ihn aus seinem Schienenleben mitten ins Schwarze, Bodenlose fallen ließ. Er kannte solche Menschen, wie er jetzt einer war: entgleiste Existenzen mit großer Vergangenheit und abgeschabten Anzügen, auf Stellungsuche von Büro zu Büro bettelnd. Er sah sich selber so herumziehen, entlassen, ungepflegt, allein und verrufen. Sein fehlerhafter Blutdruck jagte ihm klopfende Schmerzen in den Hinterkopf und Dröhnen in die Ohren. Der zerstörte Preysing sehnte sich minutenlang in dieser Nacht nach einem versöhnenden Schlaganfall. Aber nichts dergleichen geschah. Gaigern blieb tot, und er selbst blieb lebendig.

»Gott«, stöhnte er. »Gott, Mulle, Babe, Peps, o Gott -« Er hätte gerne die Hände vor sein Gesicht geschlagen, aber er wagte es nicht. Er hatte Angst vor der Dunkelheit in seiner Handhöhle.

So fand ihn Kringelein, als er kurz nach zwei Uhr (die Musik hatte eben geendet) nach vorsichtigem Klopfen das Zimmer betrat. Kringeleins Lippen waren in dieser Nacht völlig weiß, aber auf seinen Wangen stand ein gespanntes, glänzendes Rot. Er befand sich in einer wunderlichen Gehobenheit, er war feierlich und gehalten, und er hatte ein deutliches Gefühl dessen, wie perfekt und tadellos er dastand in seinem schwarzen Jackett und mit der Höflichkeit eines Weltmannes.

»Die Dame schickt mich«, sagte er. »Ich vernehme, daß hier etwas passiert ist. Ich wollte mich um den Herrn Generaldirektor bekümmern.« Erst nachdem er diese Ansprache beendet hatte, schaute er zu dem toten Gaigern hinunter. Er erschrak nicht. Er wunderte sich nur. Auf dem Weg von Nr. 70 bis hierher war ihm nämlich der Gedanke gekommen, dies alles könne nicht wahr sein. Gaigern lebendig, Preysing kein Totschläger und Flämmchen in seinem Zimmer nur träumend oder nur geträumt. Aber da lag nun Gaigern wirklich, wie es wirklich war, daß Flämmchen drüben in seinem Zimmer auf ihn wartete. Er beugte sich zu dem Toten hinunter, angerührt von einer seltsamen, brüderlichen Wärme. Als er neben Gaigern hinkniete, empfing er mit einer heftigen Rührung den Geruch von Lavendel und parfümierten englischen Zigaretten, in dem er einen unvergeßlich wichtigen und erleuchtenden Tag lang gelebt hatte. Danke - dachte er und atmete einmal trocken schluchzend auf.

Preysing sah mit trüben und irren Augen herüber. »Man darf ihn nicht anrühren, bevor die Polizei kommt«, sagte er unerwartet, als Kringelein die Hand ausstreckte, um seinem Freund die Augen zu schließen. Kringelein kümmerte sich nicht um Preysing in seiner Ecke, er vollzog die kleine, feierliche Gebärde. Mir wird Flämmchen das tun, dachte etwas in ihm, das er nicht regieren konnte. Du siehst so zufrieden aus, dachte es. Geht es dir so gut? Es ist gar nicht schlimm, nicht wahr? Es wird nicht schlimm sein. Bald, dachte es auch noch. Bald.

»Haben Herr Generaldirektor die Polizei schon benachrichtigt?« fragte er zurückhaltend, als er wieder aufgestanden war. Preysing schüttelte den Kopf. »Wünschen Herr Generaldirektor, daß ich das übernehme? Ich stehe Herrn Generaldirektor zur Verfügung«, sagte er weiterhin. Merkwürdigerweise empfand Preysing eine große Erleichterung, seit Kringelein im Zimmer war und sich im höflichsten Buchhalterton bereit hielt, Wünsche entgegenzunehmen.

»Ja. Sofort. Noch nicht. Warten Sie noch -«, flüsterte er. Es glich den strengen, aber undeutlichen Befehlen, mit denen er im Werk seine Untergebenen quälte.

»Es wird notwendig sein, den alten Herrn von dem Vorfall zu verständigen. Wünschen Herr Generaldirektor, daß ich ein Telegramm an die werte Familie abschicke?« fragte Kringelein.

»Nein. Nein«, antwortete Preysing mit einem schnellen, heiseren Flüstern, das lauter war als ein Schrei.

»Dann wäre es aber jedenfalls empfehlenswert, wenn Herr Generaldirektor sich einen Anwalt beschaffen würden. Es ist zwar späte Nacht, aber in einem so außergewöhnlichen Fall könnte vielleicht doch an einen Anwalt telefoniert werden. Herr Generaldirektor werden wohl sofort in Untersuchungshaft genommen werden. Ich bin gerne erbötig, alle anderen notwendigen Schritte für Herrn Generaldirektor zu übernehmen, bevor ich wegreise«, setzte Kringelein seine Angebote fort. Er hatte das durchdringende Bewußtsein, mitten in großen Geschehnissen zu stehen, und die gewählte Ausdrucksweise, in der er sprach, befriedigte ihn und schien ihm passend und dem Anlaß gemäß. Aus merkwürdigen Quellen aber floß ihm die besondere Höflichkeit zu, mit der er den verloschenen und zertretenen Generaldirektor behandelte. Er stand klein, aber aufrecht da und war Sieger in einem alten Kampf, von dem Preysing bis heute nichts gewußt hatte. Nichts mehr von Wut, von Angst, von Zorn und Ohnmacht, nichts von den Fredersdorfer Gefühlen. Vielleicht einen Hauch von Respekt, von jenem wunderlichen und unerklärlichen Respekt, den man vor denen empfindet, die etwas Böses getan haben; und dann noch Mitleid und Überlegenheit, die höflich machten.

»Sie können nicht wegreisen«, flüsterte Preysing da hinten auf seinem Wäschekorb. »Man wird Sie brauchen. Ich brauche Sie. Von Reisen kann nicht die Rede sein.« Es klang genau wie eine barsche Urlaubsverweigerung. Kringelein hätte dazu gelächelt, wenn es ihm nicht Qual bereitet hätte, daß Gaigern da so flach auf dem Teppich lag, mit dem gestorbenen Kopf auf den harten Dielen. »Man wird Sie als Zeugen brauchen. Sie müssen hierbleiben, wenn die Polizei kommt«, heischte der Generaldirektor.

»Mein Zeugnis ist bald gegeben. Im übrigen bin ich krank

und muß morgen zur Kur abreisen«, erwiderte Kringelein gehalten.

»Aber Sie haben den Mann gekannt«, sagte Preysing schnell. »Und das Frauenzimmer auch.«

»Der Herr Baron war mit mir befreundet. Die Dame hat sich sofort nach dem Mord unter meinen Schutz begeben«, sagte Kringelein in gutem Zeitungsdeutsch. Stolz schwoll in seinem schmalen Brustkasten. Er sei der Situation gewachsen, fand er zufrieden.

»Der Mann war ein Einbrecher. Er hat meine Brieftasche gestohlen. Sie muß sich noch bei ihm finden lassen. Ich habe ihn nicht angerührt.«

Kringelein schaute zu Gaigern hinunter, es war so sonderbar, wie stumm er dalag, während sie sprachen; und nun lächelte er doch auf eine schwebende und undefinierbare Weise. Er zuckte die Achseln unter den erstklassig gearbeiteten Roßhaarpolstern seines neuen Anzuges. Möglich, dachte er. Möglich, daß er ein Einbrecher war. Aber ist das so wichtig? In einer Welt, wo Tausende verdient, Tausende ausgegeben, Tausende im Spiel gewonnen wurden, kam es nicht auf eine Brieftasche an -

Plötzlich kam Preysing aus seinem Hinbrüten auf und erwachte. »Wieso sind Sie überhaupt hereingekommen? Wer hat Sie hergeschickt? Fräulein Flamm?« fragte er scharf. Kringelein erfuhr auf diese Weise Flämmchens bürgerlichen Namen.

»Jawohl. Fräulein Flamm«, erwiderte er. »Die Dame befindet sich in meinem Zimmer. Sie will nicht in ihr Zimmer zurück. Sie hat mich hergeschickt, um ihre Sachen zu holen, damit sie angezogen ist, wenn die Polizei kommt. Sie war in keiner Weise angezogen, als sie ohnmächtig wurde.«

Preysing überdachte diese wohlgeordnete Antwort einige Minuten. »Man wird Fräulein Flamm verhören«, sagte er dann, es klang verzweifelt angstvoll.

»Jawohl«, sagte Kringelein knapp. »Es wird hoffentlich nicht zu lange dauern. Die Dame soll morgen mit mir verreisen. Ich habe ihr eine Stellung angeboten«, setzte er noch hinzu, und jetzt wurden auch seine Wangen weiß in dem Druck eines erstickenden Gefühls von Triumph und Sieg. Aber Preysing war in dieser Stunde kein Mann und weit davon entfernt, um eine Frau zu kämpfen. Er ahnte nichts davon, was es für Kringelein bedeutete, daß Flämmchen von ihm zu Kringelein hinüberwechselte: ein Ungeheures, ein Wunder, eine äußerste und allerletzte Krönung ...

»Die Sachen von Fräulein Flamm sind in ihrem Zimmer, Nr. 72. Die nächste Tür links -«, sagte er und versuchte aufzustehen, was seinen schweren Knien mißlang. Seine Gelenke waren tot, mit Sand gefüllt, sie verweigerten den Dienst. Und immer noch lag der Tote auf der Erde, immer noch ...

Aber als Kringelein schon an der Tür war und Preysing allein zurückbleiben sollte, riß er sich hoch. »Warten Sie. Warten Sie noch -«, flüsterte er mit seinem heiseren, niedergepreßten Schreien. »Hören Sie, Herr Kringelein - ich habe noch mit Ihnen zu sprechen - bevor - bevor wir die Polizei verständigen. Es handelt sich um - es ist wegen der Dame. Sie reisen mit der Dame fort, sagen Sie. Könnte es nicht - die Dame ist auf Ihrem Zimmer, sagen Sie? Wäre es nicht möglich, daß man es dabei beläßt? Ich meine - hören Sie, Kringelein, wir sind Männer. Was hier geschehen ist, will ich verantworten. Notwehr, nicht wahr, reine, blanke Notwehr. Es ist bös genug, doch ich kann es verantworten. Aber das andere macht mich kaputt. Das andere schlägt alles zusammen. Kann nicht - muß denn die Polizei von der Geschichte mit Fräulein Flamm erfahren? Man könnte - ich brauche nur die Tür zu Nr. 72 wieder zuzuschließen. Fräulein Flamm hat die Nacht bei Ihnen verbracht, sie weiß von nichts. Sie wissen auch von nichts, Herr Kringelein. Und alles ist in Ordnung, alles geht gut. Sie reisen ab, Sie brauchen keine Zeugenaussage abzugeben, und Fräulein Flamm wird nicht verhört. Sagen Sie, Herr Kringelein, Sie werden mich verstehen - Sie kennen meine Frau, Sie kennen sie doch fast so lange wie ich. Und der alte Herr - Sie kennen unsern alten Herrn. Sie gehören doch zum Werk, Herr Kringelein - ich brauche Ihnen das nicht lange zu erklären. Meine Existenz hängt an einem Faden - ich sage es aufrichtig. An so einer Dummheit, an so einer Weibergeschichte kann man zugrunde gehen, an so einem Nichts. Herr Kringelein: ich liebe meine Frau, ich hänge an der Frau und den Kindern«, drängte er beschwörend, als spräche er zu Mulle selbst - »Sie kennen die beiden Mädchen, Herr Kringelein. Ich verliere alles, alles, Herr Kringelein, wenn diese Geschichte mit Fräulein Flamm vor das Gericht kommt. Ich bin - ich habe ja gar nichts mit dem Fräulein gehabt. Mein Ehrenwort, nichts, nichts -«, flüsterte er, es kam ihm erst jetzt zum Bewußtsein. »Helfen Sie mir, Kringelein, wir sind Männer. Nehmen Sie diese Sache auf sich. Packen Sie ein, fahren Sie fort mit dem Mädchen, schweigen Sie, lassen Sie alles andere meine Sache sein. Sie sollen nichts tun als schweigen. Sie sollen Fräulein Flamm nur veranlassen, den Mund zu halten. Sonst nichts. Reisen Sie ab, reisen Sie weit fort - ich gebe Ihnen - hören Sie, Herr Kringelein: Wir haben uns heute früh unangenehme Dinge gesagt. Macht nichts. Sie verkennen mich, glauben Sie mir, Sie verkennen mich. Mißverständnisse zwischen Chef und Personal gibt es überall, das ist nicht so ernst zu nehmen. Man gehört ja doch zusammen. Wir ziehen alle an einem Strick, lieber Kringelein. Ich will - ich gebe Ihnen - Sie bekommen einen Scheck von mir und reisen ab. Gehen Sie jetzt hinüber in Nr. 72 und schließen Sie die Tür zu, Fräulein Flamm hält den Mund, und alles kann noch gutgehen. Wenn man sie fragen sollte, dann war sie die ganze Nacht bei Ihnen und weiß nichts, hat nichts gesehen und nichts gehört. Herr Kringelein, ich bitte Sie, ich bitte Sie -«

Kringelein hörte Preysings hastiges, fast irres Flüstern an und schaute ihm zu. Das weiße Licht der sieben Glühbirnen des Lüsters schlug schwarze Schatten in sein Gesicht voll Verfall und kaltem Schweiß. Die Augen fielen trüb in Säcke, die nackte, fremde Oberlippe zitterte, die Lider zuckten, die Haare klebten ihm in die Stirn mit den Geschäftsfalten. Seine Hände machten einen gelähmten und kranken Eindruck, als er sie aufhob und wiederholte: »Ich bitte Sie, ich bitte Sie, ich bitte Sie -.«

Armer Teufel, dachte Kringelein unvermittelt. Es war ein Gedanke von unerhörter Neuheit, er sprengte Ketten und riß Wände um.

»Mein Schicksal hängt von Ihnen ab«, flüsterte Preysing. Er war ein Bittsteller geworden, er schämte sich nicht, das angeschwollene Wort Schicksal zu gebrauchen. Und mein eigenes Schicksal? dachte Kringelein dazwischen. Aber das zog vorüber und blieb ohne Gestalt.

»Herr Generaldirektor überschätzen meinen Einfluß auf die Dame. Wenn Herr Generaldirektor sich herauslügen wollen, dann werden Herr Generaldirektor das wohl auf eigene Faust und allein tun müssen«, sagte er kalt. »Aber ich würde empfehlen, jetzt die Polizei zu benachrichtigen; es könnte sonst einen schlechten Eindruck machen. Ich hole jetzt die Sachen von Fräulein Flamm auf mein Zimmer. Nr. 70, wenn Herr Generaldirektor mich benötigen sollten. Ich empfehle mich vorläufig.«

Preysing stand auf, er besiegte das Unvermögen seiner Beine und zog sich hoch, aber er sackte gleich wieder weg. Kringelein sprang hinzu und stützte ihn. Armer Teufel, dachte er wieder, armer Teufel. Preysing, mit dem Arm schwer auf Kringelein lastend, fand noch etwas zu sagen: »Herr Kringelein, ich will die Geschichte mit ihrem Krankheitsurlaub auf sich beruhen lassen. Ich werde nicht untersuchen, woher Sie die Mittel zu solchen Eskapaden nehmen. Ich will - wenn Sie zurückkommen, werde ich sehen, ob sich Ihre Stellung verbessern läßt. Ich werde für Sie tun, was möglich ist -«

Aber da begann Kringelein ganz einfach zu lächeln, unverhohlen, ohne Gekränktheit und ohne Dankbarkeit, ganz leicht und obenhin. »Besten Dank«, sagte er. »Vielen Dank für die gütige Absicht. Es wird nicht nötig sein.« Er lehnte Preysing gegen die Wand, und so ließ er ihn stehen, mit dem breiten, schlaffen Rücken an das Wellenmuster der Tapete von Nr. 71 gelehnt und mit dem Gesicht eines Abgestürzten in einer Gletscherspalte. Auf dem Korridor brannte nur mehr jedes zweite Licht und an der Ecke noch eine Tafel, die in Leuchtschrift warnte: Achtung, Stufe! Die Standuhr mit ihrer altmodischen Stimme schlug dreimal.

Um halb vier wurde der Nachtportier angerufen, der über den Morgenblättern des nächsten Tages döste. »Hallo?« fragte er in die schwarze Muschel. »Hallo? Hallo?« Dann kam nichts aus dem Telefon. Dann räusperte sich jemand.

Dann sagte jemand: »Schicken Sie sofort den Hoteldirektor zu mir. Preysing. Nr. 71. Und verständigen Sie die Polizei. Es ist etwas geschehen . . .«

Was im großen Hotel erlebt wird, das sind keine runden, vollen, abgeschlossenen Schicksale. Es sind nur Bruchstücke, Fetzen, Teile; hinter den Türen wohnen Menschen, gleichgültige oder merkwürdige, Menschen im Aufstieg, Menschen im Niedergang; Glückseligkeiten und Katastrophen wohnen Wand an Wand. Die Drehtür dreht sich, und was zwischen Ankunft und Abreise erlebt wird, das ist nichts Ganzes. Vielleicht gibt es überhaupt keine ganzen Schicksale auf der Welt, nur das Ungefähre, Anfänge, die nicht fortgeführt werden, Schlußpunkte, denen nichts voranging. Vieles sieht aus wie Zufall und ist doch Gesetz. Und was hinter den Türen des Lebens geschieht, das ist nicht starr wie Säulen einer Architektur, nicht vorgezeichnet wie der Bau einer Symphonie, nicht berechenbar wie eine Sternenbahn - sondern es ist menschenhaft, flüchtiger und schwerer zu greifen als Wolkenschatten, die über eine Wiese wandern. Und wer es etwa unternehmen wollte, zu erzählen, was er hinter den Türen gesehen hat, der käme in Gefahr, zwischen Lüge und Wahrheit zu balancieren wie auf einem schlaffen, pendelnden Seil . . .

Da ist zum Beispiel das Ferngespräch, das kurz nach zwölf Uhr nachts aus Prag angemeldet wurde. Eine Frauenstimme verlangte den Baron Gaigern zu sprechen, Zimmer Nr. 69, und der Nachttelefonist stellte die Verbindung her. »Hallo«, rief die Grusinskaja, die sich in Prag soeben ins Bett gelegt hatte (in das miserable Bett eines altrenommierten, aber unmodernen Hotels), »Hallo, Hallo, chéri, bist du da?«

Und obwohl um diese Zeit das Zimmer Nr. 69 schon leer war, obwohl gerade um diese Zeit zwei Türen weiter, in Nr. 71, jene schlimme Sache geschah, wegen der später der Generaldirektor Preysing drei Monate in Untersuchungshaft saß und Stellung und Familie verlor - trotzdem vernahm die Grusinskaja an ihrem Telefon ganz deutlich, wenn auch schwach, wie eine geliebte Stimme sagte: »Neuwjada? Du? Geliebtes?«

»Hallo«, rief die Grusinskaja, »guten Abend, guten Abend, du. Wie findest du es, daß ich dich anrufe? Du mußt, bitte, lauter sprechen, die Verbindung ist schlecht. Ich komme gerade aus der Vorstellung, es war gut, oh, es war so außerordentlich, ein enormer Erfolg, die Leute haben getobt. Ich bin sehr müde, aber sehr glücklich, sehr. Ich habe lange nicht so getanzt wie heute. O, comme je suis heureuse! Denkst du an mich, du? Ich - ich denke immerfort an dich, nur an dich, ich habe Sehnsucht. Morgen geht es nach Wien, morgen früh. Wirst du dort sein? So sprich doch, sage? Im Hotel Bristol, morgen in Wien, hörst du? Warum - Fräulein, Fräulein, meine Verbindung ist gestört, ich kann nichts hören. Ob du morgen in Wien sein wirst? Ich warte auf dich, ich habe schon in Tremezzo alles für uns vorbereiten lassen. Freust du dich? Noch vierzehn Tage Arbeit, und dann sind wir in Tremezzo. Du! Du sollst ein Wort sagen, nur ein Wort, ich kann dich nicht hören - Wie? Was sagen Sie? Der Herr Baron gibt keine Antwort? Danke. Dann bestellen Sie ihm, bitte, daß er morgen in Wien erwartet wird. Morgen. Danke.«

Dies war das Gespräch, das die Grusinskaja mit dem leeren Zimmer Nr. 69 führte. Sie lag in ihrem Hotelbett, das Kinn in eine Kautschukbinde gezwängt, die Augen noch erhitzt von der Schminke, das Herz brennend groß und angefüllt mit Zärtlichkeit. »Aber ich liebe dich ja, je t'aime«, murmelte sie in das stumme Telefon, als der Telefonist des Grand Hôtel schon die Verbindung gelöst hatte.

Und da ist gleich nebenan, in Nr. 70, jener Augenblick zwischen vier und fünf Uhr morgens, da die zugezogenen Vorhänge schon grau werden und Flämmchen zum erstenmal ihre Arme öffnet, um Kringelein aufzunehmen. Jener einzige und zarte Augenblick, da sie sich nicht verkauft, sondern verschenkt. Weil sie zum erstenmal bemerkt, daß es nicht ein kleines Vergnügen, eine unwesentliche Annehmlichkeit ist, was sie zu vergeben hat, sondern etwas Großes, eine Erschütterung, ein Glück, eine äußerste Erfüllung. Sie liegt da wie eine sehr junge Mutter und hält den Mann in ihren Armen wie ein Kind, das sich satt trinken darf. Ihre Finger ruhen in der Mulde, die Krankheit und Schwäche zwischen seine Nackensehnen gedrückt haben. Jetzt ist alles gut, denkt Kringelein, keine Schmerzen. Stark bin ich. Auch müde, müde auch, aber ich werde schlafen. Ich habe kaum geschlafen, seit ich hier angekommen bin. Es ist so schade um die Zeit; ich möchte nicht fortmüssen. Ich möchte dableiben. Ich möchte nicht aufhören müssen, jetzt, wo alles erst anfängt.

»Flämmchen«, flüstert er in ihre junge Wärme, »Flämmchen, laß mich nicht sterben, bitte, laß mich nicht sterben.« Und Flämmchen nimmt ihn sogleich noch fester an sich und beginnt zu trösten. »Sterben ist Unsinn. Das will ich nicht hören. Wegen solchen bißchen Krankseins stirbt man nicht gleich. Ich werde dich schon pflegen. Ich weiß einen Mann in der Wilmersdorfer Straße, der kann Wunderkuren machen. Der hat Leute gesund gemacht, die ganz anders krank waren als du. Der schafft es schon. Morgen früh gehen wir zu ihm, er soll dir etwas verordnen, und dann wirst du gesund, sollst sehen. Dann fahren wir gleich fort, nach London, nach Paris, nach Südfrankreich, da ist es schon warm. Da liegen wir in der Sonne den ganzen Tag und werden braun und sind vergnügt. Und jetzt wird geschlafen, komm.« Sie läßt ihre unbedenkliche, harmlose Kraft und Gesundheit in den sterbenserschöpften Kringelein einströmen, und er glaubt ihr. Er schläft hinüber in ein gelbflammendes Glück, das aussieht wie Flämmchens Brust und wie ein Hügel voll von blühendem Ginster zugleich.

Und da ist, zwei Etagen höher, Doktor Otternschlag, der seinen Traum träumt, den Traum, der jede Woche wiederkehrt. Daß er durch eine Traumstadt geht, die er genau kennt, und ein Traumhaus betritt, das er vergessen hat. Daß eine Traumfrau dort wohnt, die ein Traumkind geboren hat, während er in Gefangenschaft war, ein schreckliches Kind, dessen Vater er nicht ist und das aus seinem reinlichen Kinderwagen brüllt, sooft es sein zerschossenes Gesicht sieht. Und dann geht der Traum immer so weiter, daß er hinter der Perserkatze Gurbä herjagen muß, atemlos durch die ganze Traumstadt, daß er auf dem Dach mit einem fremden Kater kämpft, der ein Menschengesicht hat, und daß er zuletzt herunterstürzt durch einen brennenden Himmel voll platzender Granaten bis in sein Hotelbett. Wenn es so weit ist mit dem Traum, dann erwacht Doktor Otternschlag. »Es ist genug«, sagte er zu sich selbst. »Ich habe die Nase voll. Wie lange noch? Nein, wir wollen einmal fertig werden.« Er steht auf, holt seinen Miniaturkoffer, wäscht die Spritze, bricht Ampullen auf, zehn Ampullen, zwölf Ampullen, füllt die Spritze, wäscht seinen Arm, der wund ist von den vielen kleinen entzündeten Einstichen der Kanüle. Dann wartet er. Dann beginnt er zu zittern, alle Kraft rinnt aus seinen Händen fort. Er drückt die Spritze aus, ohne sie zu benutzen, läßt ihren kostbaren, erschlichenen, erschwindelten Inhalt einfach in die Luft rinnen bis auf den letzten kleinen, ungefährlichen Rest, den er seinem hungrigen Organismus vergönnt. Dann legt er sich wieder hin, schläft ein und hört nichts von dem, was im Hotel vorgeht.

Graf Rohna kommt aus seinem Zimmer, kurz nach halb vier Uhr früh, alarmiert vom Nachtportier, geräuschlos, umsichtig, nach Toilettenessig duftend wie am hellen Tage. Er begibt sich auf Nr. 71, nimmt das Geschehene in Augenschein, veranlaßt das Notwendige. Er läßt dem zerbrochenen Preysing einen Kognak servieren und verjagt die Winterfliege, die den toten Gaigern umschwirrt. Er steht eine Viertelminute mit gekreuzten Händen und geneigtem Kopf vor dem Toten, es sieht aus, als bete er - und vielleicht betet er wirklich für den entgleisten toten Standesgenossen. Leicht muß er es auch nicht gehabt haben - denkt er vielleicht dabei, und dann geht er in sein kleines Kontor und beginnt ein telefonisches Gespräch mit dem Kriminalkommissar Jädicke, dessen Spezialgebiet die Hotelüberwachung ist.

Etwas später - draußen bürstet schon die erste Straßenkehrmaschine den Asphalt ab - tauchen vier Herren in Überziehern auf, die zusammen den unheimlichen Namen »die Mordkommission« führen. Rohna selber bedient den Lift, mit dem er sie in die zweite Etage bringt. Die Mühlen der Justiz beginnen zu mahlen. Die Hotelleitung fleht um Diskretion, um Vermeidung von Aufsehen, um Vertuschung, wenn es möglich ist . . .

Aber es ist nicht möglich. Bald wird man bis Fredersdorf wissen, was geschehen ist. Bald wird Frau Generaldirektor Preysing mit ihrem apoplektischen Vater in Berlin eintreffen, um sich in fürchterlichen Szenen von ihrem Gatten loszusagen. Daß er einen Menschen totgeschlagen hat, darüber würde sie, wenn auch schaudernd, hinwegkommen. Aber die Schweinerei mit dem Frauenzimmer, die Preysing schon beim zweiten Verhör, stotternd, schwitzend und sich verhängend, zugeben muß, die kann sie nicht begreifen und nicht verzeihen.

Was aber den toten Freiherrn Felix Benvenuto Amadei von Gaigern betrifft, so steht seine Sache unklar, aber freundlich genug. Niemand findet sich, kein einziger Mensch im Grand Hôtel, der Schlechtes über ihn auszusagen wüßte. Er ist nicht vorbestraft, nicht verdächtig, nicht polizeibekannt. Er hat einige Schulden, und die Herkunft seines kleinen Wagens (der übrigens schon als Sicherheit für ein Darlehen eingestellt ist) läßt sich nicht eruieren. Das beweist nichts gegen ihn. Er war ein Spieler, ein Damenfreund, manchmal betrunken, aber immer gutmütig. Es gibt Hotelangestellte, die bei der geflüsterten Nachricht von seinem Hingang weinen. Der Page Karl Nispe, mit der goldenen Tabatiere in der Tasche, weint. Er ist einer der Zeugen, die zuerst vernommen werden, er kann bekunden, daß der Baron kurz vor zwölf Uhr nicht mehr in seinem Zimmer sich befand. Eine Dame in der ersten Etage, auf Nr. 18, dem Zimmer unter Nr. 71, hörte ungefähr um die gleiche Zeit einen Fall, sie weiß es genau, weil der Radau oben sie ärgerte. Was aber hat sich zwischen zwölf und halb vier Uhr nachts zugetragen, und warum hat Herr Preysing nicht sofort die Polizei benachrichtigt? Darüber erfolgen die ergänzenden, sehr klaren, wenn auch zurückhaltenden Aussagen der Zeugen Flamm und Kringelein, eben jene Aussagen, die man um zwölf Uhr mittags schon in den Zeitungen lesen kann und die Preysings bürgerlicher Existenz den letzten Stoß geben. Eine Waffe, von der Preysing fantasierte, findet sich nicht, kein Revolver, nicht einmal eine kleine Schreckpistole, wie Einbrecher von harmlosen Grundsätzen sie manchmal anwenden. Das macht einen schlechten Eindruck gegen Preysing. Wenn er in diesem Punkte lügt, wird auch alles andere verdächtig. Seine Brieftasche zwar findet sich im Pyjama des Getöteten. Aber - so fragt der Untersuchungsrichter, der sich wie ein Bohrwurm in die Sache hineinfrißt -, kann nicht Preysing selber diese Brieftasche in Gaigerns Anzug praktiziert haben, um die Fiktion der Notwehr und des Einbruchs herzustellen? Bleibt die Tatsache, daß Gaigern Strümpfe über seinen weichen Boxerschuhen trug. Bleibt eine Fotografie, die das zweite Stubenmädchen der Etage vom Chauffeur des Barons geschenkt bekam und aus der eine gewitzte Behörde entnimmt, daß dieser Chauffeur zumindest ein bekannter Spitzbube und Zuchthäusler ist. Wenn es gelingt, seiner habhaft zu werden, wird man vielleicht mehr Klarheit schaffen können. Vorläufig aber sitzt Herr Preysing in der Zelle des Untersuchungsgefängnisses und leidet an nervösen Sehstörungen. Er muß immerfort den Baron Gaigern sehen, aber nicht, wie er tot daliegt, sondern lebendig, so überaus nah und deutlich, mit der Narbe über dem Kinn, mit den strahlenförmigen Wimpern, mit jeder einzelnen Pore, wie er ihn zuerst sah, als er vor einer Telefonzelle mit ihm zusammenstieß. Sooft es ihm gelingt, dieses Bild zu verjagen, wird es zunächst rot unter seinen Lidern, und dann ist Flämmchen da, Flamm zwo, oder vielmehr nur ein Stück von ihr, die Hüftpartie einer grauschwarzen Fotografie in einem Magazin, die dem Generaldirektor damals in die Hände fiel, als sein Schicksal sich anschickte, bergab zu rollen . . .

Sonderbar ist es mit den Gästen im großen Hotel. Keiner verläßt die Drehtür so, wie er hereinkam. Der Bürger und Mustermann Preysing wird als ein Verhafteter und Zerbrochener von zwei Herren abgeführt. Vier Männer tragen Gaigern still und heimlich über die Lieferantentreppe davon, diesen strahlenden Gaigern, der die ganze Halle lächeln machte, wenn er nur durchging mit seinem blauen Mantel, seinen gesteppten Handschuhen, seinem wachen Blick und dem Duft von Lavendel und parfümierten englischen Zigaretten. Kringelein aber, als sein und Flämmchens Verhör beendet ist und er die Erlaubnis hat, abzureisen - Kringelein verläßt die Hotelhalle an vielen Bücklingen und Trinkgeldhänden vorbei als ein König des Lebens. Wahrscheinlich, daß seine Herrlichkeit nicht länger dauern wird als eine Woche, nicht länger als bis zum nächsten, zerreißenden Schmerzensanfall.

Aber es ist nicht unmöglich, nein, es ist nicht völlig ausgeschlossen, daß dieser tapfere Moribundus sich neue Kräfte anschafft und allen Diagnosen zum Trotz am Leben bleibt. Flämmchen jedenfalls glaubt daran. Und Kringelein in seiner schwebenden Verzückung will daran glauben. Und schließlich: es ist nicht so wichtig, wie lange dieser Kringelein zu leben hat. Denn - lang oder kurz - es ist der Inhalt, der das Leben macht; und zwei Tage Fülle können länger sein als vierzig Jahre Leere: das ist die Weisheit, die Kringelein mitnimmt, als er an Flämmchens Seite das Auto besteigt, das sie beide zur Bahn bringt.

Das ist um zehn Uhr vormittags. Das Hotel zeigt das gewohnte Gesicht, die Putzfrau wischt mit ihren feuchten Sägespänen in der Halle auf, zu Rohnas stillem Ärger, der Springbrunnen spielt, im Frühstückszimmer sitzen die Herren mit den Aktenmappen, rauchen schwarze Zigarren und reden über ihre Geschäfte. In den Korridoren flüstert das Personal, aber noch ist nichts bis zu den Gästen gedrungen. Nr. 71 ist gerichtlich verschlossen worden, beide Fenster stehen weit offen, den ganzen kühlen Märztag lang. Nebenan, in Nr. 72, werden die Betten frisch überzogen, und hinter dem Kleiderschrank wird feucht aufgewischt. Um acht Uhr morgens hat Portier Senf seinen Posten bezogen, mit verquollenem Gesicht, denn er hat die ganze Nacht in der Klinik auf einem kalten Korridor gesessen und hat darauf gewartet, ob seine Frau die Nacht überleben wird. Er hört nur mit halbem Ohr, was ihm der kleine Volontär berichtet, und taumelt beinahe, während er die Morgenpost in die Fächer schichtet.

»Es dreht mich faktisch«, sagt er entschuldigend. »Man soll nicht glauben, wie einem das bißchen Schlaf fehlt. Und Pilzheim hat den Chauffeur agnosziert? Ich sage ja immer, Pilzheim ist tüchtig. Wenn wir den man gleich auf die Fährte von diesem Baron gesetzt hätten, dann würden uns nicht solche Geschichten im Hotel passieren, die das ganze Renommee versauen. Frühstück auf Nummer zwoundzwanzig!« rief er zwischendurch in das Kelleroffice und sortierte weiter. »Da ist nun noch Post für ihn, wohin soll'n die? Aufs Gericht? Na schön. Guten Morgen, Herr Doktor, wünsche guten Morgen«, sagt er zu Doktor Otternschlag, der sich gelb, hager und glasäugig um das Hallenrund herumdrückte und vor dem Mahagonipult landete.

»Post für mich da?« fragte Otternschlag. Der Portier schaute noch, teils aus Höflichkeit, teils aber auch, weil in den letzten Tagen öfters einmal ein Briefchen von Kringelein für Otternschlag abgegeben worden war. »Leider nein. Heute ist nichts da, Herr Doktor«, sagte er.

»Depesche?« fragte Otternschlag.

»Nein, Herr Doktor.«

»Jemand nach mir gefragt?«

»Nein. Vorläufig niemand.«

Otternschlag steuerte um die Halle herum auf seinen gewohnten Platz. Der Page Nr. 7 flitzte hinterher, der Kellner brachte Kaffee. Otternschlag starrte mit seinem Glasauge das Fräulein an, das am Blumenstand ihre Vasen auspackte, aber er sah sie nicht.

»Guten Morgen, die Herrschaften«, sagte der Portier zu einem Ehepaar aus der Provinz, das vor seiner Loge Platz gefaßt hatte. »Zimmer - jawohl. Nr. 70 ist frei, sehr schönes Zimmer, ein Bett, mit Bad. Dann 72, zweibettig, aber leider ohne Bad. Vielleicht wird heute oder morgen noch das Zimmer daneben frei, 71, das hat Bad, ein reizendes Appartement, wollen sich die Herrschaften, bitte, nebenan bemühen. Wie? Hallo! Ich verstehe nicht!« rief er in das Telefon. »Was ist es? Ja, ich komme zu Ihnen. Ich muß mal ans Telefon. Privat. Aus dem Krankenhaus«, sagte er zu dem kleinen Georgi und stolperte davon durch die Halle, durch Korridor zwei, zum Telefonzimmer und in Zelle vier, auf die der Telefonist gedeutet hatte.

Doktor Otternschlag erhob sich, ganz aus Holz, wie er war, und kam zur Portierloge. »Ist Herr Kringelein noch auf seinem Zimmer?« fragte er.

»Nein. Herr Kringelein ist abgereist«, erwiderte der kleine Volontär.

»Abgereist. So. Hat nichts für mich hinterlassen?« fragte Otternschlag.

»Nein. Leider. Nichts«, entgegnete der Volontär, mit der Höflichkeit, die er dem Portier abgesehen hatte. Otternschlag drehte sich um und ging wieder auf seinen Platz, diesmal ohne Umwege, in einer scharfen Diagonale quer durch die Halle, was sich sonderbar ausnahm. An ihm vorbei rannte der Portier, sein blondes, verläßliches Feldwebelgesicht triefte von Schweiß wie nach einer riesenhaften Anstrengung. Er landete hinter seinem Tisch wie in einem Hafen.

»Es ist ein kleines Mädchen. Sie haben die Geburt künstlich eingeleitet. Es ist da, fünf Pfund. Gar keine Gefahr mehr. Gar keine. Alle beide quietschlebendig«, stieß er aus sich heraus, nahm die Mütze ab über seinem strahlenden Zivilgesicht mit den nassen Augen und setzte sie sofort wieder auf, als Rohna über die Glaswand schaute.

Das Ehepaar aus der Provinz besetzte den Lift und wurde hinaufgefahren zu Nr. 72, dem Zimmer ohne Bad und mit zwei Betten, das noch ganz zart nach Flämmchens Veilchenpuder roch.

»Mach das Fenster auf«, sagte die Frau.

»Damit es egal zieht -«, sagte der Mann ...

In der Halle sitzt Doktor Otternschlag und führt Selbstgespräche. »Grauenhaft ist es«, sagt er zu sich. »Immer das gleiche. Nichts geschieht. Grauenhaft allein ist man. Die Welt ist ein gestorbener Stern, sie wärmt nicht mehr. In Rouge-Croix hat man zweiundneunzig verschüttete Soldaten eingemauert. Vielleicht bin ich einer von ihnen, sitze dort zwischen den anderen seit Kriegsschluß, bin tot und weiß es gar nicht. Wenn doch in diesem großen Kaff etwas vorgehen würde, das sich lohnt. Aber nein - nichts. Abgereist. Adieu. Herr Kringelein. Ich hätte Ihnen ein Rezept mitgeben können gegen die Schmerzen. Aber nein - abgereist ohne Gruß. Pfui Teufel. Rein - raus, rein - raus, rein - raus -«

Der kleine Volontär Georgi aber hinter seinem Mahagonitisch bewegt ein paar einfältige und tief banale Gedanken. ›Großartiger Betrieb in so einem großen Hotel‹, denkt er; ›kolossaler Betrieb. Immer ist was los. Einer wird verhaftet, einer geht tot, einer reist ab, einer kommt. Den einen tragen sie per Bahre über die Hintertreppe davon, und zugleich wird dem anderen ein Kind geboren. Hochinteressant eigentlich. Aber so ist das Leben -‹

Doktor Otternschlag sitzt mitten in der Halle, eine versteinerte Statue der Einsamkeit und des Abgestorbenseins. Er hat seinen Stammplatz, er bleibt. Die gelben Hände aus Blei hängen ihm herunter, und mit dem Glasauge starrt er auf die Straße hinaus, die voll ist von einer Sonne, die er nicht sehen kann.

Die Drehtür dreht sich, schwingt, schwingt, schwingt ...

Weitere Titel von Vicki Baum bei Kiepenheuer & Witsch

Hotel Shanghai. Roman. KiWi 993

Liebe und Tod auf Bali. Roman. KiWi 992

»Vicki Baum schreibt mit zärtlichem Furor; eine große Könnerin voller Vitalität. Die Kraft ihrer Einfühlung scheint unbegrenzt.« *Die Tat*